KB209466

타로카드와 어스트랄러지

타로카드와 어스트랄러지
Tarot and Astrology

점성학의 지혜로 당신의 리딩을 완성하라!

Enhance Your Readings with the Wisdom of the Zodiac

코린 켄너 지음 / **이혜안** 옮김

물병자리

타로카드와 어스트랄러지

초판 1쇄 인쇄일 2017년 10월 17일
초판 1쇄 발행일 2017년 10월 24일

지은이 | 코린 켄너
옮긴이 | 이혜안
펴낸이 | 류희남
편집기획 | 천지영
교정교열 | 신동욱
본문디자인 | 강지원

펴낸곳 | 물병자리
출판등록 1997년 4월 14일(제2-2160호)
주소 03173 서울시 종로구 새문안로5가길 11, 801호 (내수동, 옥빌딩)
전화 02) 735-8160 팩스 02) 735-8161
이메일 aquari@aquariuspub.com
트위터 @AquariusPub
홈페이지 www.aquariuspub.com

ISBN 978-89-94803-42-5 03180

"Translated from"
TAROT AND ASTROLOGY :
ENHANCE TOUR READINGS WITH THE WISDOM OF THE ZODIAC

Published by Llewellyn Publications
Woodbury, Mn 55125 USA
www.llewellyn.com

• 이 도서의 국립중앙도서관 출판도서목록(CIP)은 서지정보유통지원시스템 홈페이지(http://seoji.nl.go.kr)와
국가자료공동목록시스템(http://www.nl.go.kr/kolisnet)에서 이용하실 수 있습니다. (CIP제어번호: CIP2017026072)

차 례

카드목록

들어가기

여러 세기 동안 타로의 기술과 어스트랄러지의 과학은 서로 밀접하게 연결되어 있었다. 이제 타로와 어스트랄러지의 도움으로, 당신은 어스트랄러지와 타로 사이의 연결에 숙달될 것이다(연구에서 분리된 두 영역으로서가 아니라, 매끄럽게 통합된 전체로서).

당신이 타로 리더라면 이 책은 어스트랄러지를 배우도록 도울 것이다. 당신이 어스트랄러저라면, 이 책은 타로를 배우도록 도울 것이다. 이미 두 분야를 결합해서 사용하고 있다면, 타로와 어스트랄러지는 둘 모두에서 당신이 전문적인 숙련가가 되도록 도울 것이다. 어떻게? 당신이 타로 리더라면, 이 책은 어스트랄러지의 상징, 해석, 방법을 덧붙임으로써 깊이 있는 리딩 방법을 보여줄 것이다. 당신이 어스트랄러저로 활동하고 있다면, 이 책은 타로의 시각적인 이미지와 함께 차트에 활기를 띠는 방법을 보여줄 것이다. 요약하면 타로와 어스트랄러지는 어스트랄러지의 과학과 타로의 기술을 결합할 필요가 있는 당신에게 효과적인 도구를 제공할 것이다.

타로와 어스트랄러지의 역사

당신이 6000년을 거슬러 바빌로니아의 다층 구조의 지구라트(ziggurat: 고대 바빌로니아 아시리아의 피라미드 신전) 탑으로 여행한다면, 칼데아의 어스트랄러저 곁에서 행성과 별에 푹 빠져서 밤

하늘을 바라볼 수 있을 것이다.

당신이 타로가 처음 소개되었던 이탈리아의 교외로 600년을 거슬러 여행한다면, 밤에 카드 놀이를 할 수 있다. 그리고 손바닥에 금빛 태양과 은빛 달의 힘을 받을 수 있을 것이다.

어느 쪽이든 당신은 사람들이 태초부터 연구하고 있었던 똑같은 원형 이미지와 상징으로 공부하고 있는 것이다.

타로와 어스트랄러지는 항상 연결되어 있었다. 초기의 타로 덱은 해, 달, 별을 주피터, 새턴, 비너스처럼 우주와 연결된 신과 함께 나란히 그렸다.

어스트랄러지와 타로의 좀 더 학술적인 결합은 훨씬 더 최근이다. 1785년에 프랑스 오컬티스트인 장-밥티스트 알리에트Jean-Baptiste Alliette가 어스트랄러지와 타로 사이에 상응하는 완전한 세트를 고안했다. 그리고 시간이 지남에 따라 다른 신비주의자들과 철학자들이 타로 덱의 구조, 히브리어 알파벳과 유대 신비주의 형태인 카발라 사이에 흥미 있는 많은 유사점에 주의를 기울이기 시작했다. 각각의 상황에서 어스트랄러지의 상호관계는 그 모든 구성을 통해 은실처럼 이어졌다.

현대 타로와 어스트랄러지의 여명

현대 타로는 1800년대 후반에 탄생했다. 당시는 런던 신비주의자들과 철학자들이 황금새벽회를 설립했을 때이다. 그들은 어스트랄러지, 수비학, 카발라를 포함하는 형이상학의 몇몇 분야들의 통합을 시도했다. 그리고 타로카드 덱에 그 이론들을 통합했다.

이 집단의 타로 설명서인 맥그리거 마테르MacGregor Mathers의 〈책 티Book T〉에 카드의 어스트랄러지적, 카발라적, 원소적, 영적인 특질을 설명했다. 또한 그 안내서는 황도대와 78장 카드 모두를 관련시키는 방법을 포함시켰다.

1909년에 아서 에드워드 웨이트Arthur Edward Waite와 파멜라 콜먼 스미스Pamela Colman Smith는 황금새벽회 타로 덱에 대한 그들만의 버전을 고안했다. 라이더-웨이트Rider-Waite 타로로 잘 알려진 것으로, 현재 세계에서 가장 잘 팔리는 타로 덱이다. 1943년에 알레이스터 크롤리Aleister Crowley와 레이디 프리다 해리스Lady Frieda Harris 또한 자신들만의 토트Thoth 타로를 고안했다. 그들 또한 대부분의 어스트랄러지에 황금새벽회의 특성을 사용했다. 오늘날 많은 타로 예술가들과 덱 디자이너들은 황금새벽회가 고안한 것에 자신들의 작업 근거를 두고 있다. 이는 고대 어스트랄러지가 현대 타로카드를 이해하는 방법을 찾는 수단이다.

이 책에는 나와 예술가 존 블루먼John Blumen이 만든 덱 위자드 타로Wizards Tarot의 삽화를 넣었다. 상상을 통해 어스트랄러지와 함께 고안한 것이다. 신비와 마법학교에서 선생들과 학생들이 그림을 그린 것이기에, 어스트랄러지와 타로의 결합에 대한 훌륭한 가르침의 안내서가 될 것이다.

타로와
어스트랄러지
실행

이 책에서 나는 먼저 타로와 어스트랄러지, 두 주제의 기초에 대해 알아보면서 이를 어떻게 결합하는지에 대해 보여줄 것이다. 우리는 두 영역에서 좋은 점을 끌어내서 어엿한 리딩을 할 수 있도록 차근차근 단련시킬 것이다.

어스트랄러지와 타로는 이론에만 전념하는 것이 아니다. 이 책은 또한 실제적인 배열과 기술—어스트랄러지와 타로의 실제 표준에 기초한—에서 실생활의 예와 리딩 예를 함께 담고 있다.

이 책에서 당신이 최대한 많은 것을 얻기 위해서는 타로카드 덱이 필요하고, 출생 차트를 그려야 한다. 자신의 차트를 온라인이나 특정한 소프트웨어로 살펴볼 수 있다. 최첨단의 제안과 추천을 위해 corrinekenner.com을 방문하라. 당신이 뛰어들 준비가 끝나면, 그냥 페이지를 넘겨라.

개 요

우리는 타로와 어스트랄러지를 결합하는 별들의 풍경을 조사할 때, 단순한 관계로 시작하여 두 주제에 대해 좀 더 포괄적인 설명으로 옮겨갈 것이다.

- 행성과 카드의 상응으로 시작할 것이다.
- 그 후에 황도대의 12싸인과 메이저 아르카나 카드와의 상응을 다룰 것이다.
- 그다음 어스트랄러지가 마이너 아르카나로 어떻게 확장되는지, 흙, 공기, 불, 물의 4원소와 코트카드로 어떻게 확장되는지를 배울 것이다.
- 숫자가 있는 네 수트를 일 년의 순환 바퀴에 모두 배치하여 여러 층으로 자세하게 탐색할 것이다.
- 일 년의 순환 바퀴는 회전하는 황도대 코트카드의 흥미를 자아내는 구성원들과 만날 것이다.
- 그리고 타로카드를 어스트랄러지 차트의 하우스에 있는 싸인과 행성들로 어떻게 시각화할 수 있도록 도울 수 있는지를 발견할 것이다.

행성들

라인업

타로와 어스트랄러지 사이에 대부분 인식할 수 있는 상응은 타로의 메이저 아르카나ー덱의 첫 22장 카드ー에서 나타나는데, 이는 어스트랄러지의 행성, 싸인과 거의 완벽하게 꼭 들어맞는다.

타로와 어스트랄러지의 기술적인 세부사항을 자세하게 탐색하기 전에, 이 카드들에서 가장 분명한 몇 가지 연결에 대해 살펴보자.

바보는 세상이 생각하는 것에 신경 쓰지 않는 사람으로, 반란과 혁명의 행성 유레너스(천왕성)에 배정된다.

마법사는 조롱하고 구슬리는 숙련가로, 속도와 의사소통의 행성인 머큐리(수성)에 배정된다. 당신은 종종 하늘을 가리키고 있는 그를 볼 수 있는데, 하늘 위에서 땅 아래로 소식을 전하는 것이다.

고위 여사제는 원형적인 사이킥으로, 반영과 직관의 빛나는 천체인 달에 배정된다. 고위 여사제에 대한 대부분의 묘사는 달의 이미지를 담고 있다.

여황제는 아내와 어머니로, 사랑과 매력의 행성인 비너스(금성)에 배정된다. 당신은 카드의 많은 표현에서 비너스에 대한 어스트랄러지의 그림문자를 찾을 수 있다.

황제는 지배자와 명령자로, 리더십의 싸인인 에리즈에 배정된다. 황제 카드에서 에리즈의 이미지를 보라.

교황은 전통의 유지자로, 안정성, 사치와 만족의 싸인인 토러스에 배정된다. 몇몇 교황 카드는 황소 그림문자와 상징의 특색을 그린다.

연인은 한 사람으로서 생각하고 말하는 것으로, 사고와 의사소통의 싸인인 제머나이에 배정된다. 연인은 쌍둥이 영혼으로, 그들의 팔과 심장이 얽혀 있다.

전차는 순탄하게 가정을 보호하는 것으로, 모성, 가정, 가족 삶의 싸인인 캔서에 배정된다. 캔서의 집게발은 등 위의 자신의 집을 운반한다.

힘은 부드러운 힘과 통제의 숙련가로, 사자와 같은 용감함과 심장의 싸인인 리오에 배정된다.

은둔자는 조용한 리더로, 책임감과 다른 사람들에 대한 헌신적인 봉사의 싸인인 버고에 배정된다.

운명의 수레바퀴는 행운과 급증하는 성장의 확장적인 행성인 주피터(목성)에 배정된다.

정의는 공평함과 평정의 모델로, 동등과 사회적인 매력의 싸인인 리브라에 배정된다. 리브라는 대개 균형 잡힌 저울로 표현된다.

거꾸로 매달린 사람은 대체 현실에 매달린 것으로, 신비주의와 환상의 행성인 넵튠(해왕성)에 배정된다. 바다 왕의 삼지창은 우리 지상의 현실에 함께 존재하는 물의 세계를 상징한다.

죽음은 지하세계의 지배자로, 성, 죽음, 변형, 다른 사람의 돈의 싸인인 스콜피오에 배정된다. 전갈은 치명적인 독침을 가진 이 싸인과 연결된다.

절제는 두 세계 사이의 경계선에 걸쳐 있는 사람으로서, 장거리 여행, 철학, 고등교육의 싸인 쌔저테리어스에 배정된다. 쌔저테리어스 궁수(반인반마)는 또한 현저하게 다른 두 경험이 결합된 것인 반면, 화살은 새로운 지평으로 가는 길에서 먼 거리를 가로질러 높이 날아간다.

악마는 육체와 물질적인 유혹의 화신으로, 캐프리컨에 배정된다. 캐프리컨은 일, 직업 성공, 이 세상의 지위의 싸인이다. 산을 오르는 염소는 악마 자신에 대한 몇몇 설명과 현저하게 유사한 견디는 싸인과 연결된다.

탑은 계속해서 보호받고 공격을 받는 것으로, 마스(화성)에 해당된다. 마스는 에너지, 전쟁, 공격, 자기 주장의 행성이다. 어스트랄러지에서 화성 기호는 방패와 창이다.

별은 희망과 영감의 희미한 빛으로, 어퀘리어스에 배정되며, 이는 사회적인 집단과 미래 사고의 공기 싸인이다.

달은 밤의 지배자로, 파이씨즈에 배정되며, 이는 신비롭고 무의식적인 싸인이다. 이 카드 대부분의 버전에서 그려진 것은 연못에서 헤엄치는 물고기이다.

태양은 삶을 떠받치는 것으로, 자연스럽게 썬에 상응하며 에너지와 깨달음의 근원이다.

심판은 자각, 이해, 수용의 마지막 부름으로, 플루토(명왕성)에 배정되며, 이는 죽음, 부활, 피할 수 없는 변화의 행성이다.

세계는 우리 세상의 집으로, 새턴(토성)에 배정된다. 새턴은 경계, 한계, 구속, 구조의 고리가 있는 행성이다.

어스트랄러지 실행 : **썬 싸인 스프레드**

당신이 할 수 있는 가장 쉬운 타로와 어스트랄러지 리딩 중 하나는 당신의 썬 싸인을 나타내는 두 카드를 간단하게 비교하는 것이다. 먼저 타로 덱에서 태양 카드를 뽑아라. 그런 다음 썬 싸인에 상응하는 카드를 뽑아라.

썬 싸인에 상응하는 카드는 어느 메이저 카드인가? 두 카드(태양과 그 싸인)가 서로 어떻게 보완하며 또는 어떻게 모순되는가? 그것들이 당신의 성격, 개별성, 자아감을 어떻게 설명하는가? 타로와 어스트랄러지의 첫 배열에서 무엇을 배울 수 있는가?

썬 파이씨즈

리딩 예 : **셀레스테의 한밤중 태양**

셀레스테가 3월 7일에 태어났을 때, 썬은 파이씨즈에 있었다. 그녀의 썬 카드는 파이씨즈에 상응하는 카드인 달 카드와 짝지어지는 것을 의미한다.

묘한 이야기지만 셀리스테는 항상 저녁형 인간이었다. 그녀는 태양이 지고 달이 떠오를 때, 어두워진 후에 가장 살아 있음을 느낀다. 그녀의 정서는 파도처럼 흐른다. 그래서 그녀는 살아 있는 달의 여신과 같은 삶을 통해 순환한다. 심지어 그녀는 창백한 피부와 넓고 반짝이는 눈을 가진 밤의 피조물처럼 보인다.

그녀가 두 카드를 나란히 놓고 보았을 때 "사실이에요." 하고 외쳤다.

"나는 달입니다! 그것은 아주 많은 것들을 설명해요. 나는 다른 사람과 똑같이 태양을 좋아합니다. 그러나 나는 오히려 달빛으로 내 인생을 더 많이 살고 있어요."

제 1 부
타로 행성과 싸인

우리는 메이저 아르카나 카드, 행성, 황도대에서의
싸인 사이의 상응을 좀 더 자세히 살펴볼 것이다.

1
타로의 구성 요소

우리는 기본적인 타로 덱의 구조를 검토함으로써 타로와 어스트랄러지에 대한 공부를 시작할 것이다.

타로의 무한한 우주

당신이 타로카드를 섞어서 테이블에 놓을 때, 당신은 실제로 완전한 우주를 놓고 있는 것이다. 당신은 카드를 다룰 때마다 새로운 현실을 창조하고 있다. 마치 어스트랄러지의 행성과 싸인이 지구에서 태어난 모든 아이들에게 새로운 현실을 나타내기 위해 정렬하는 것처럼.

전형적인 타로 덱은 78장이다. 언뜻 보기에, 카드 수가 압도적으로 많아 보일 수 있다. 그래서 어떤 사람들은 그것을 기억하려고 노력하고, 각각의 이미지에 대한 상징과 싸인을 공부하고, 카드의 숨겨진 의미를 해독하려고 시도하는 데 여러 해를 보낸다.

그것은 멋진 노력이지만 그것을 읽을 수 있기 전에 카드에 대한 공부에 수많은 시간을 바칠 필요는 없다. 그저 덱의 구조에 대한 이해만 필요할 뿐이다.

타로의 78장 카드는 두 그룹으로 나누어진다. 하나는 메이저 아르카나로, 이는 라틴어로 '좀 더 위대한 비밀'이다. 그리고 마이너 아르카나는 '좀 더 작은 비밀'을 의미한다.

메이저 아르카나는 큰 그림카드다. 그들은 기념비적인, 삶을 바꾸는 사건과 경험들, 곧 사랑에 빠지고, 아이를 낳고, 새로운 일을 시작하고, 새로운 가정을 찾는 것과 같은 것을 묘사한다.

가끔 메이저 아르카나는 아주 극적이기 때문에, 그 경험은 마치 외부에서 우리를 통제하는 것처럼 묘사하는 듯하다.

한편 마이너 아르카나는 일상의 카드이다. 매일의 것들, 곧 춤추고, 술 마시고, 먹고, 잠자는 것과 같은 것을 하는 보통사람을 그린다. 마이너 아르카나는 네 수트로 나뉘는데, 보통의 놀이 카드 덱과 같다. 각 수트는 숫자가 붙은 열 장의 카드와 네 장의 코트카드가 있다. 각 수트는 삶의 분리된 영역을 나타낸다. 그것은 영적, 정서적, 지적, 육체적인 것이다. 전체적으로 마이너 아르카나는 메이저 아르카나만큼 중요하다. 우리가 일상을 기초로 해서 큰 사건들에서 어떻게 살아가는지를 보여주기 때문이다.

메이저 아르카나와 마이너 아르카나는 함께 우주론을 형성하기 위해 결합한다. 이 세상을 보기 위한, 그리고 인간의 경험을 분류하기 위한 근거이다.

타로 덱의 구조와 상징은 인간의 조건을 공부하는 것을 쉽게 해준다. 삶의 가장 위대한 신비에 대한 어떤 것을 이해하는 것에서도.

메이저 아르카나

메이저 아르카나는 사람들이 타로 리딩을 한 후에 대부분 기억하려는 경향이 있는 카드다. 메이저 아르카나는 힘이 있고 극적이기 때문이다. 그들은 인물과 성격을 나타내는데, 삶보다 더 큰 듯하고, 어스트랄러지의 행성과 싸인에 상응하여 일어나는 것이다.

메이저 아르카나에 있는 인물들은 원형이다. 시간과 장소의 한계를 초월하는 우주적인 고정관념이다. 그들은 고대의 신화와 전설의 영웅들이고, 여전히 현대 영화, TV 드라마, 연극, 책의 주역이다. 예술가, 작가, 음악가들은 정기적으로 영감과 인간 조건의 해설을 집단 무의식의 바다에서 꺼낸다. 심리학자 칼 융Carl Jung은 상징, 신화, 원형을 믿었는데, 이들은 같은 근원에서 모두 야기되는 우리의 꿈, 신화, 이야기에서 주기적으로 나타나는 것이다. 그것은 아주 많은 사람들과 문화가 시간과 장소에 관계없이 왜 전설이 비슷한지, 같은 상징을 사용하는지를 설명해준다.

메이저 아르카나 모두는 인간의 삶을 바꿀 수 있는 주요 사건을 묘사한다. 우주의 신비로서 그들을 분류할 수 있다고는 하나, 불가해한 수수께끼는 아니다. 즉 각각은 또한 삶의 교훈을 나타내고 각자의 신비를 분명하게 만든다.

상징적인 수준에서 메이저 아르카나는 또한 멘토, 선생, 안내자이다. 그들은 삶의 신비에 대한 열쇠를 쥐고 있고, 여행의 모든 정거장을 경유하는 우리를 안내하고 돕는다.

마이너 아르카나

마이너 아르카나는 네 수트로 나뉘는데, 보통 놀이하는 카드 덱과 같다. 이들 네 수트는 대개 완즈Wands, 컵Cups, 소드Swords, 펜타클Pentacles이라 부른다. 사용하는 덱에 따라 완즈는 또한 로드Rods, 배턴Batons, 스태프Staffs, 또는 스테이브Staves라 부르기도 한다. 컵은 성배라고도 한다. 소드는 블레이드, 펜타클은 코인, 디스크, 돌, 세계 또는 별이라고 부른다. 그러나 이들은 미묘한 변형들로서, 카드를 읽는 방법에서는 어떤 차이도 없다.

메이저 아르카나 카드는 삶의 신비를 묘사하는 반면, 마이너 아르카나 카드는 이들의 신비를 일상에 기초하여 어떻게 경험하는지를 보여준다. 그들은 자신의 삶을 살아가는 방식을, 자신의 경험에서 다양한 면들을 어떻게 다루는지를 묘사한다.

영향권

몇몇 사람들은 마이너 아르카나를 '핍pip' 카드라 부르는데, 핍은 놀이 카드의 수트나 숫자의 가치를 나타내는 표시이기 때문이다(예로 하트 6이나 다이아몬드 7).

그러나 타로에서 핍 카드는 포커 놀이를 하는 사람들이 결코 꿈도 꾸지 못하는 의미를 나타낸다. 각각 네 수트는 삶의 분리된 영역에 상응하기 때문이다.

- **완즈**는 영적인 삶과 영감을 상징한다.

- **컵**은 정서적인 문제에 대한 비밀을 쥐고 있다.
- **소드**는 지성적인 개념을 설명한다.
- **펜타클**은 육체적이고 물질적인 존재의 실재를 나타낸다.

상징에 대해 중요한 층과 똑같이 고려해야 하는 두 번째가 또 있다. 그것은 아주 단순한 것으로, 바로 원소이다.

4원소

4원소(불·흙·공기·물)는 수천 년 동안 과학과 철학에서 중요한 역할을 해왔고, 고대 그리스는 4원소를 물질세계를 이루는 기본적인 구성 성분으로 알고 있었다.

확실히 현대 과학은 우주에 대한 우리의 이해를 바꿨다. 설혹 그렇더라도 4원소는 여전히 유용한 심리적인 모델 역할을 한다. 예를 들어 우리는 종종 '열렬한fiery', '가벼운airy', '현실적인earthy' 것으로 사람을 설명한다. 원소의 연합은 어스트랄러지를 이해하는 데 본질적이고, 또한 풍수와 같은 어떤 동양적인 믿음의 기본 구성 요소이다.

타로에서 마이너 아르카나의 네 수트는 4원소 중 하나와 관련되고, 각 원소는 삶의 분리된 영역과 상응한다. 카드에 대한 심상은 이 연관을 기억하기 쉽게 만든다.

완즈는 영적인 것에 대한 불의 카드로, 열정과 영감과 관련된다. 대부분의 타로 덱에서 완즈는 횃불과 같이 태울 수 있는 나뭇가지처럼 보인다. 완즈는 가끔 환영의 근원일 수 있고, 아이디어에 완전히 큰불을 발화시킬 수 있다.

컵은 정서에 대한 물의 카드로, 깊은 느낌의 애정과 관련된다. 물론 컵은 물을 담을 수 있다. 또한 컵은 정서적인 의미로 다른 액체를 보존할 때도 사용한다. 우리는 의식에서 축배를 든다. 종교적인 의식를 치르는 동안 다른 사람과 성체를 받고, 가끔 우리의 슬픔을 달래려고 노력하기도 한다.

소드는 지성적인 공기의 카드로, 의식적인 자각과 의사소통과 관련된다. 소드는 사고, 아이디어, 소통하려는 시도를 상징한다. 단어처럼 소드는 공기를 통해 움직인다. '펜이 칼보다 강하다'고 말할 때, 말을 양날의 무기와 비교하기도 한다.

펜타클은 물질적인 존재에 대한 흙의 카드로, 사차원의 이 세상에서 삶의 물질적인 현실과 관련된다. 펜타클은 별 모양으로 디자인된 동전처럼 보인다. 그 패턴은 인간의 물질 형태에 대한 상징이다. 레오나르도 다빈치가 그린 인체 비례도에 대해 생각해보라. 팔을 밖으로 뻗고 다리도 넓게 벌리고 있는 몸은 다섯 점이 있는 별 모양을 만든다. 펜타클은 물질적인 존재의 분명한 실재를 상징한다. 물건은 만지고 느끼고, 돈은 몸과 영혼을 함께 유지시키는 데 필요하다. 펜타클은 또한 영적이고 정서적인 귀중품을 상징하는데, 이는 소중하게 여기는 가치, 전통, 가장 사랑하는 사람들을 포함한다.

어쨌든 이런 사람들은 타로 덱의 구조에서 자신만의 역할이 있다.

네
왕족들

마이너 아르카나에서 각 수트는 네 코트카드 한 세트가 있다. 즉 시종, 기사, 여왕, 왕이다. 사용하는 덱에 따라 코트카드는 다른 이름이 있다. 예를 들어 토트 타로에서 크롤리의 왕족은 공주, 왕자, 여왕, 기사로 구성된다. 카드는 자신의 마음에서 그들 각자의 위계를 똑바로 유지할 수 있는 한 덱에서는 대략 동등하다.

네 구성원은 상징적인 수준에서 이상적인 가족을 구성한다. 즉 아버지, 어머니, 아들, 딸이다. 코트카드 중 어떤 것은 남성성이고 어떤 것은 여성성이다. 어떤 것은 적극적이고 어떤 것은 수용적이다. 16장의 코트카드는 모두 타로의 네 영역(영적, 정서적, 지적, 물질적)을 통치하는 것과 잘 어울리고, 성격을 구성하는 특징과 특성을 독특하게 결합하는 것을 설명하는 데 잘 어울린다.

시종, 하인과 공주는 젊고 열정적이다. 그들은 학생이고 메신저이며, 가족의 규율에 대해 기본적인 것을 배워야 하는 어린이다. 르네상스 시대에 시종은 왕궁에서 가장 젊은 구성원이었다. 공부하는 것이 그들의 일이었고, 한 사람에게서 다른 사람에게로 소식을 전하는 심부름이 그들의 일이었다.

타로 리딩에서 시종이 나오면 전형적으로 젊은 사람, 학생 또는 소식을 나타낸다.

기사. 시종이 기사 신분으로 성장할 때 테스트를 받아야 한다. 그들은 탐색에 들어가기를, 결투에 숙달하기를 기대하게 되고, 충분히 강하고 충분히 성공할 정도로 똑똑해야 하는 것뿐 아니라, 가족의 상속 재산을 받을 때까지 살 수 있어야 한다. 역사적으로 기사는 구원자이고 모험가였다.

타로 리딩에서 기사가 나오면 새로운 탐색이나 모험을 시작할 때, 또는 그 방식에서 구조되는 것을 암시한다.

여왕. 남자와 여자 모두 성인일 때 즉위하는 것으로, 그들은 군주제를 통제한다. 일반적으로 타로의 여왕은 보호하고 양육하며, 영역을 지키는 그들의 여성성의 특성을 활용하는 성숙한 여성이다. 여왕은 전형적으로 여성성이다. 그래서 그들은 이상적인 여성을 나타낸다. 그들은 자비롭고, 창조적이며, 수용적이고, 공감하며 직관적이다. 또한 장막 뒤에서 설득력 있게(또는 감언으로 속여서) 그들의 관점을 다른 사람이 채택하도록 힘을 발휘할 수 있다.

리딩에서 여왕이 나오면 종종 비슷하게 보호, 양육, 자신의 영역을 지키는 일을 하게 될 사람을 보살피는 것을 암시한다.

크롤리의 토트 타로에서 한 세대에서 다음 세대까지 힘을 전하는 것은 멜로드라마의 특성으로, 복잡하게 떠맡는 것에 주목하는 것이 흥미롭다. 코트카드는 힘과 권위를 위해 끝까지 싸우기 때문이다. 끊임없이 주기가 중복되는 원리는 왕자는 왕좌를 위해 기사와 싸운다. 왕자가 기사를 이기면 공주와 결혼하고, 그녀는 어머니의 왕좌인 여왕에 앉는다. 그래서 주기는 반복된다.

왕. 타로의 네 명의 왕은 보호자이고, 제공자이며, 지도자로 단련하고 경험한다. 네 명 모두 성공적으로 기사로서 책임을 지는 임무를 완성하도록 다룬다. 그들은 탐색하면서 획득했던 지식으로 확신하는 숙련된 지도자이다. 또한 전형적으로 남성성이다. 즉 그들은 권위적이고, 독단적이고, 경계한다. 심지어 공격적일 수도 있다. 그들은 열정과 힘으로 자신들의 왕궁을 지키고, 최고통치자로서의 결정을 내리는 것을 두려워하지 않는다.

리딩에서 왕이 나오면 엄청난 공격적인 방어나 심지어 당신 편에서 기꺼이 임금투쟁을 하는 누군가를 암시할 수 있다.

당신의 코트카드

확실히 코트카드는 르네상스 드라마의 인물들 이상이다. 그들은 가끔 당신의 삶에서 가족, 친구, 고용주, 동료와 같은 사람으로 나타난다. 그러나 동시에 또한 당신의 성격적인 면을 묘사하는데, 그것은 당신의 젊음과 열정, 재치와 경험이다. 그 연결은 투사라는 심리적인 원리로 만든다. 당신이 다른 사람을 좋아하거나 싫어할 때는 종종 그들이 당신의 강점과 약점을 상기시키기 때문이다.

당신이 좋아하는 사람들(또는 코트카드들)을 대하는 자신을 발견할 때, 아마 그들이 당신의 강점을 상기시키기 때문일 것이다. 당신의 영민한 유머 감각, 날카로운 지성, 또는 유쾌함이 그것이다. 당신은 이 세상에 대한 비슷한 아이디어와 미래에 대한 비슷한 계획을 공유한다.

다른 사람들이나 또는 코트카드가 당신을 잘못된 방식으로 애먹이면, 그것은 아마 일반적으로 계속 숨겨왔던 당신의 성격을 반영하기 때문일 것이다. 가끔 당신의 이기주의, 게으름, 또는 신랄함 같은 것 말이다(그러나 걱정하지 마라. 그 약점은 당신과 카드 사이에 있다).

숫자

메이저 아르카나에서 숫자는 종종 삶을 통한 여정에서 나타나는 정거장이다. 마이너 아르카나에서 숫자 카드는 또한 사건의 진행을 상징한다. 에이스는 시작을 나타내는 반면, 10은 결말을 나타낸다. 물론 수트는 사건이 전개되는 것을 나타낸다. 완즈는 영적인 경험을, 컵은 정서적인 애정을, 소드는 지적인 문제를, 펜타클은 물질적인 현실을 나타낸다.

확실히 타로 덱은 섞여진 것을 의미한다. 그래서 리딩하는 동안에 마이너 아르카나가 연속해서 나오는 경우는 드물다. 그러나 타로 리딩에서 같은 숫자들이 얼마나 자주 나오는지 놀라게 될 것이다. 타로 배열에서 처음, 중간, 끝에서, 또는 말하자면 다양한 숫자 7번과 연관이 있는 다양한 카드를 여러 번 발견하는 것은 드문 것이 아니다.

대체로 각 수트의 의미를 기억할 수 있다면, 또한 각 숫자 카드가 삶의 영역에서 분리된 단계를 나타낸다는 사실을 기억할 수 있다면, 덱에서 78장 모두에 대한 개별적인 의미를 기억하지 않고도 카드를 해석할 수 있게 될 것이다. 예를 들어, 완즈 에이스는 종종 영적인 탐색의 시작을 상징한다. 완즈 5는 영적인 경험에 대한 중간 지점을 암시하고, 완즈 10은 전형적으로 영적인 여정의 결말을 나타낸다.

타로 스프레드와 배치

대부분의 타로 리더는 두 장이나 세 장의 타로 배열과 배치를 선호한다. 몇몇 새로운 어스트랄러지에 기초한 배열은 이 책의 뒷부분에서 설명한다.

2
행성, 어스트랄러지의 안내 빛

우리는 행성들과 함께 타로와 어스트랄러지에 대한 공부를 계속할 것이다.

행성

☉ **썬**은 지구에서 열과 빛의 근원으로, 에너지, 깨달음, 광휘, 계몽을 나타낸다. 썬은 우리 우주의 중심에 있기 때문에, 모든 개인의 세계의 중심인 자기 또는 자아를 상징한다. 적극적이고, 남성성을 상징한다. 썬에 대한 어스트랄러지의 그림문자는 태양계의 중심에 있음을 나타낸다.

☽ **문**은 썬의 빛을 반영하는 것으로, 반영과 수용을 상징한다. 또한 주기, 곧 존재의 본성을 바꾸는 것을 나타낸다. 여성성을 상징하고, 그림문자는 여자 몸의 곡선이 부드럽게 원으로 된 것처럼 보인다.

☿ **머큐리**는 가장 빠르게 움직이는 행성으로, 속도를 나타낸다. 머큐리는 신의 전령사였고, 또한 의사소통을 상징한다. 그림문자는 날개 달린 헬멧을 쓴 젊은 그리스 신을 그린 것처럼 보인다.

♀ **비너스**는 사랑과 미의 행성으로, 매력, 낭만, 다산을 상징한다. 비너스는 또한 사랑과 끌림의 그리스 여신이다. 그림문자는 여성의 손거울처럼 보인다.

♂ **마스**는 붉은 행성으로, 에너지와 남성성의 힘을 상징한다. 마스는 전쟁의 신이기 때문에 자기방어와 공격을 나타낸다. 그림문자는 창과 방패처럼 보인다.

♃ **주피터**는 가장 큰 행성으로, 성장, 확장, 행운, 열중을 나타낸다. 그림문자는 행운의 숫자 21, 또는 행운fortune과 발음이 같은 숫자 4four처럼 보인다.

♄ **새턴**은 경계와 한계의 고리가 있는 행성으로, 규율, 분명한 한계, 전통을 상징한다. 그림문자는 뾰족 탑과 십자가가 있는 교회처럼 보인다.

♅ **유레너스**는 자유와 반항의 미래지향적인 행성으로, 독립을 나타낸다. 그림문자는 안테나가 있는 인공위성처럼 보인다.

♆ **넵튠**은 환영의 덧없는 행성으로, 황홀과 민감성을 나타낸다. 그림문자는 넵튠 왕의 삼지창처럼 보인다.

⯓ ♇ **플루토**는 죽음과 재생의 행성으로, 피할 수 없는 변화를 나타낸다. 그림문자는 죽음에서 일어나는 누군가와 같다. 기술적으로 그것은 동전과 성배처럼 보인다. 그림문자의 또 다른 변형은 철자 'P'와 'L'의 결합이다.

썬 ☉

— 빛의 신

우리는 신과 연관된 것처럼 썬과 관련이 있다. 썬은 빛의 근원이고, 광휘이며, 삶에 에너지를 준다. 우리는 일출과 일몰로 날짜를 계산한다. 그 은유는 삶과 죽음이며, 재탄생을 위한 우리의 희망을 상징한다.

대부분의 타로 덱에서 태양 카드는 골든 차일드golden child를 나타낸다. 당신은 아폴로를 그리스와 로마의 음악, 치유, 점술, 진실, 빛의 신으로서 인식할 수 있다.

썬은 어떤 어스트랄러지 차트에서도 중요한 초점이다. 썬은 자아와 자기를 나타낸다. 썬은 자신감과 자존감, 의지력, 목적, 본능을 나타낸다. 그것은 생식력, 생명력, 에너지와 힘을 암시한다. 또한 의식과 깨달음을 나타낸다. 그것은 당신의 내적인 빛에 대한 묘사이고, 당신이 빛날 수 있는 방법을 설명한다.

썬은 아주 뚜렷하기 때문에 어스트랄러지 차트에서 그 위치는 명성에서 가장 빛나는 영역, 공적인 승인, 갈채일 수 있고, 또한 강한 남자 인물, 아버지, 상사, 또는 존경하는 선생님을 나타낼 수 있다. 썬의 에너지는 남성성과 직선이다.

썬은 창조, 레크리에이션, 출산의 싸인인 리오를 지배한다.

썬은 심장과 척추와 관련된다. 둘은 모두 용기와 심장을 가진 것으로, 또는 의지력과 중심을 가진 사람을 설명할 때 자주 표현하는 단어이다.

태양 카드는 불의 원소와 상응한다.

▶ 우주의 연결 : **어두운 그림자**

일식과 월식

태양과 달 사이에서 춤을 추는 식蝕은 지구 위에 긴 그림자를 드리우고, 우리에게 희미하고 신비한 빛으로 친숙한 경관을 보도록 강요한다.

달이 지구와 태양 사이를 지나갈 때 일어나는 일식은 창조성의 근원에서 우리를 고립시킨다. 일식은 의식적인 이해와 일상의 알아차림을 모호하게 한다.

지구가 태양과 달 사이를 움직일 때 유발되는 월식은 이 세상이 어둠 속으로 돌입하며, 우리에게 존재의 그림자 부분을 탐색하도록 강요한다.

일식은 썬과 문이 결합할 때인 뉴문(New Moon : 초승달) 때 발생한다. 월식은 태양과 달이 정반대일 때인 풀문(Full Moon : 보름달) 때 일어난다. 뉴문은 새로운 출발과 새로운 첫걸음에 상응하는 반면, 풀문은 최고점과 수확을 나타낸다. 썬과 문처럼 월식은 짝으로 온다. 전체 월식은 항상 일식에 선행하거나 뒤따르는데, 둘은 정확하게 2주를 함께 한다.

식은 이 지구의 넓은 구획을 그들의 그림자로 덮어서, 개인보다는 국가나 집단에 영향을 준다. 고대 어스트랄러저들은 일식은 강력한 쇠퇴를 의미한다고 믿었다. 즉 태양의 빛이 꺼지기 때문에, 권력의 위치에 있는 사람은 추락한다는 것이다. 월식은 달이 붉은 피로 덮인 것처럼 보였을 때로, 수확의 실패와 여성성과 같은 것으로 재난을 예언했다.

그러나 일식과 월식은 모두 상당히 일반적인 것으로, 오늘날 우리는 그것이 실제로는 불운의 전조가 아니라는 것을 안다.

어스트랄러지 실행 : **식 스프레드**

모호하고 혼란스러운 듯한 문제를 다룬다면, 이 간단한 배열은 금세 깨달음을 제공할 수 있다.

덱에서 썬과 문을 나타내는 태양과 달 카드를 뽑아라. 그들을 나란히 놓아라. 나머지 카드는 섞어서 그 사이에 한 장을 두면, 삶의 어떤 부분이 식으로 존재하는지를 보여줄 것이다. 그다음에, 당신이 어떻게 당신 삶의 뒤에서 빛을 가져다 줄 수 있는지를, 사건을 비추어줄지를, 그리고 문제를 해결해줄지를 보기 위해 두 번째 카드를 뽑는다.

리딩 예 : **콘스탄티네의 창의성 장애**

콘스탄티네는 보통 다작의 작가이자 예술가로, 창의적인 일에서 평소와 달리 어떤 방해를 느꼈다.

"나는 어떤 작업도 끝낼 수 없을 것 같았습니다." 그는 말한다. "나는 작업대에 앉아서 인터넷을 검색하는데, 온라인 친구를 찾고, 내가 뉴스를 읽고 있는 것을 알아요. 그림 그리기 프로그램으로 옮길 때, 검은 스크린을 응시하고, 전자메일을 확인하거나 볼일을 보기로 결정해요. 나는 어떤 중요한 프로젝트의 마감을 놓치기 시작했는데, 너무 늦어서 그것을 준비할 수 없었고, 걱정하기 시작했지요. 왜 나는 작업을 할 수 없을까요?"

그런데 문과 썬은 강력한 메이저 아르카나이고, 콘스탄티네의 질문에 대한 대답은 바보의 형상에서 온다. 아마 틀림없이 그것은 전체 카드에서 가장 강력한 카드일 것이다. 숫자가 없는 첫 번째 카드(카드 한 벌의 리더)이기 때문에, 바보는 답과 조언을 위해 타로 리더의 테이블로 오는 모든 사람을 나타낸다. 사실, 많은 타로 리더들은 나머지 카드를 '바보의 여행'으로 설명한다. 이 경우에 위자드 타로에서 상징이 풍부한 입문자 카드는 콘스탄티네의 창의적인 장애의 원인인 몇몇 문제들을 드러낸다.

입문자 카드와의 관련은 콘스탄티네의 좌절 중 하나를 넌지시 말한다. 즉 그의 직업적인 의무는 시간이 절실한 것으로, 그에게 새로운 창의적인 프로젝트를 시작할 시간이 없게 한다. 예술가로서 그는 그냥 그 과정을 시작하는 것을 즐기는 것만큼(또는 그 이상으로) 완결의 과정도 즐긴다.

더군다나 새로운 모험에 대한 입문자의 개방성은 콘스탄티네가 또한 재미와 탐험의 감각마저 상실한 것을 암시한다. 그의 작업이 실제로 많은 사람들의 놀이에 대한 아이디어가 사실임에도 불구하고, 마감 날짜와 전념은 그의 일상을 고된 일의 공기로 덮어버린다.

혁명과 반항의 행성인 유레너스와 입문자의 연결은 또한 콘스탄티네가 편집자나 출판업자의 권위에, 게다가 의식적이거나 무의식적으로 대항하여 반항하는 것을 나타낸다. 마감일을 놓치고, 책임을 완수하기 위해 마지막 순간까지 기다림으로써, 흥분감, 순응하지 않음, 심지어 약간의 위험도 느끼는 것으로 자신의 작업을 물들이려고 노력하고 있을 수도 있다.

그렇다면 콘스탄티네가 어떻게 자신의 창의성 장애를 극복하고 다시 작업으로 돌아갈 수 있는가?

컵 에이스는 물론 콘스탄티네가 이미 시작한 프로젝트에 집중함으로써 시작해야 한다는 것을 알려준다. 그는 인터넷에서 빠져나와야 하고, 외부 세상에 대한 심란함에서 자신을 되돌려야 한다.

더 중요한 것으로, 컵 에이스는 곧 전적으로 새로운 프로젝트에 무작정 뛰어들 것이라는 것을 나타낸다. 혼자서 계획하는 사람은 스스로 자신의 예술적인 기쁨과 창의적인 만족을 가져오고, 창조적인 본질이 다시 흐르도록 확실히 해야 한다.

문 ☽

– 고위 여사제

달은 밤의 지배자이고, 비밀 유지자이며, 꿈의 안내자이다. 달이 고위 여사제의 형태를 취할 때, 가깝고 신뢰하는 막역한 친구가 되고, 삶의 주기를 이해하도록 우리를 돕고, 밀물과 썰물의 시간에 대한 반응을 측정하도록 돕는다.

타로 리더는 종종 고위 여사제에게서 자신을 확인한다. 고위 여사제는 이승과 내세 사이의 출입구에 신비롭게 앉아 있다. 그녀는 우주의 비밀을 알지만, 그것을 오직 현명한 사람과 공유할 뿐이다.

고위 여사제에 대한 대부분의 묘사는 달의 이미지를 포함한다. 예를 들어, 위자드 타로에서 고위 여사제 카드는 보름달의 빛을 안내하는 것으로 읽는다. 그녀는 상현달, 보름달, 초승달, 또 어렴풋한 달빛과 같은 진주로 만든 머리 장식을 하고 있다.

사실 고위 여사제는 반영과 직관의 빛나는 천체인 달의 화신이다. 그 과정에서 여신을 나타내는 것은 우연이 아니다. 고대 그리스에서 셀레네는 달의 여신이었다. 그녀는 갓 목욕을 하고 초승달 모양의 왕관을 쓰고 밤마다 바다에서 떠올랐다. 고대 로마에서는 루나인데, 이는 라틴어로 '달'이다. 달은 형태(달 여신이 종종 그러는 것처럼)가 계속 변한다. 그래서 그리스는 또한 아르테미스, 즉 사냥의 여신, 야생동물, 황야, 출산, 여성, 소녀로서의 그녀를 알고 있다. 로마인들은 다이아나라는 이름으로 아르테미스를 알렸다.

달은 거의 항상 태양과 짝을 이룬다. 몇몇 문화는 두 발광체를 오빠와 여동생으로 생각하는 한편, 다른 문화는 남편과 아내와 관련짓는다. 더구나 그들은 최초의 짝이며, 천상의 파트너는 빛과 어둠, 행동과 반응, 남성과 여성, 광휘와 반영, 의식적인 마음과 잠재의식의 마음 사이에서 계속 서로를 주고받음을 상징한다.

사실 지구의 관점에서 달과 태양은 같은 크기로 보인다. 셀레네와 헬리오스, 루나와 쏠, 다이아나와 아폴로처럼 우주의 짝이며, 크기에서 똑같고, 천상을 통해 영원한 경쟁을 한다. 태양은 남성성과 적극성을, 달은 여성성과 수용을 나타낸다. 달은 스스로 빛과 열을 발생시키지 못한다. 대신 태양의 빛을 반영한다. 지구 주위를 궤도를 그리며 돌고, 매일 변하고 적응하는 것이다.

달은 그저 태양의 빛을 반영하고, 또한 우리의 무의식적인 욕구와 욕망을 반영한다. 달은 그림자와 어둠으로 덮여 있기 때문에, 이해하지 못할 수도 있는 비밀과 신비를 나타낸다. 또는 인식하지도 못하는.

달은 기억과 느낌에 대한 불안정한 경관을 상징한다. 보름달일 때는 찬연히 비추지만, 달의 얼굴이 가려서 보이지 않을 때는 어둡고 어렴풋하다.

달은 우리의 두려움과 불안정을 반영하고, 또 양육과 안전에 대한 우리의 욕망을 반영한다. 달은 우리의 민감성을 나타낸다. 즉 정서적인 자극에 대한 우리의 타고난 반응, 위협에 대한 본능적인 반응, 약탈적인 행위에 대한 즉각적인 반동이다. 어린 시절의 기억, 전생, 더 낫고 더 완벽한 삶을 열망하는 것과 관련될 수 있다.

어스트랄러지에서 달은 성격의 깊이를 상징한다. 그것은 기억, 기분, 모성에 묶여 있다. 다산, 리듬, 우리의 창조성을 양육할 필요와 상응하는 문제들과 함께한다.

달은 가정과 가족의 싸인인 캔서를 지배한다. 또한 황도대의 네 번째 하우스를 지배한다. 네 번째 하우스는 현대 어스트랄러저들이 어린 시절, 모성과 양육에 대한 정보를 찾는 곳이다(몇몇 어스트랄러저들은 어머니를 구조와 규율에 대한 새턴의 열 번째 하우스에 속한다고 믿는다. 어머니는 자녀의 행동을 위해 표준을 정해놓기 때문이다. 그 경우에, 그들은 보살펴주고 양육하는 캔서의 네 번째 하우스에 아버지를 두기도 한다. 당신의 해석은 아마 당신 자신의 경험과 관찰에 달려 있을 것이다).

달은 유방, 위장, 난소, 자궁을 다스린다. 모유와 그리운 옛 맛을 통해 표현된 양육하는 힘을 상기시킨다.

달 카드는 물의 원소와 상응한다.

▶ 우주의 연결 : **문 보이드 오브 코스**The Void-of-Course Moon

달이 지구를 공전할 때, 황도대에서 싸인을 통해 여행한다. 그 방식에 따라 다른 행성들처럼 어스펙트로 움직인다. 그러나 달이 한 싸인에서 어스펙트에서 벗어나 달릴 때를 '보이드 오브 코스'라고 한다.

가끔 달은 단지 몇 분 동안만 보이드 오브 코스였다가 다음 싸인으로 움직인다. 그러나 때때로 달은 하루나 이틀 동안 보이드 오브 코스일 수 있다.

상징적으로 달이 보이드 오브 코스일 때, 즉 어떤 다른 행성과도 연결되지 않고, 우주의 다른 것과도 연결되지 않은 채 표류한다. 그것은 더 이상 현실에 발을 딛지 않고 있다. 당신은 몽유병이라고 말하기도 한다.

달이 보이드 오브 코스일 때, 영적인 관심이나 창조적인 문제에 대해 초점을 맞추기에 좋은 시간이지만, 중요한 결정이나 행동을 하기에는 좋은 시간이 아니다. 중요한 현실세계 문제는 보이드 오브 코스 기간이 끝날 때까지 연기하라.

머큐리 ☿

— 마법사

타로에서 머큐리는 마법사 형태로 되살아난다. 공간, 시간, 우주의 에너지에 대한 마스터. 그는 세상에 대한 우리의 지각이 세계를 바꾸고, 마음은 참으로 물질보다 훨씬 더 강력하다는 것을 입증한다.

마법사 자신은 변형과 변화에 대한 연결이다. 자신의 몸을 통해 우주 에너지를 지휘하고, 실재를 나타내는 힘을 사용한다.

카드에 대한 대부분의 묘사는 머리 위로 빛나는 지팡이를 한쪽 팔로 들고 있는 모습이다. 그 자세는 '위에서와 같이 아래에도 그러하다'라는 연금술의 격언을 생각나게 한다. 그 같은 원리가 종종 어스트랄러지와 타로가 왜 그렇게 효과적인 도구인지를 설명하는 데 사용되고 있다. 이 둘은 우리 자신보다 훨씬 더 큰 힘을 두드리고, 물질의 세계를 이해하도록 우리를 돕기 위해 아이디어의 세계를 사용한다.

다른 말로 하면 마법사는 인과의 바깥세상과 개인의 경험인 내면세계가 지금까지 분리되지 않았다는 것을 보여준다. 우리 각자는 대우주에 대한 소우주다.

로마에서 원형적인 마법사는 머큐리로서 알려졌다. 그리스에서는 헤르메스로 불린다. 그는 날개가 달린 신발과 날개가 달린 헬멧을 쓰고 있는 것으로 묘사되었고, 속도의 신으로, 의사소통, 판매원, 연설자, 책략가, 도둑이었다. 오늘날도 여전히 아이디어의 영역과 물질 존재의 세상 사이에서 사자使者 역할을 한다.

머큐리는 태양에 가장 가까운 행성이다. 그래서 궤도가 가장 짧다. 즉 공전 주기가 84일이다. 행성의 속도와 민첩함은 빠른 사고, 짧은 여행에 대한 다재다능한 지배자, 이웃의 심부름, 일상의 거래, 평일의 통근 거리로 나타난다.

어스트랄러지에서 머큐리는 메시지와 의사소통을 지배한다. 그것은 논리, 이성, 재치, 글쓰기, 말하기를 나타낸다. 그것은 초기 학교생활과 초등교육, 또 어린 시절의 동료를 묘사한다. 즉 의사소통 방법과 스타일을 배웠던 이웃, 형제, 사촌이다.

머큐리는 다중작업자이다. 그것은 두 싸인을 지배한다. 제머나이는 연인 카드와 연관이 있고, 버고는 은둔자 카드와 관련이 있다. 머큐리는 또한 의사소통의 세 번째 하우스와 다른 사람들에 대한 일과 봉사의 여섯 번째 하우스를 지배한다.

머큐리는 또한 우리의 생물학적인 메시지 체계인 뇌, 중추신경체계, 감각기관을 조절한다.

머큐리처럼 마법사 카드는 공기 원소와 상응한다.

▶ 우주의 연결 : **책략가의 행성**

머큐리 역행

마법사처럼 머큐리는 또한 책략가의 신이었다. 오늘날에도 일 년에 서너 번씩 머큐리는 여전히 우리 감각을 속인다.

지구가 태양 주위의 궤도에 있는 머큐리를 지나가기 때문에, 작은 메신저 행성은 그 별들을 통해 역행하며 지나가는 듯이 보인다. 이는 광학적인 착각이다. 마치 고속도로에서 당신이 어떤 자동차를 앞질러 갈 때 지나가는 그 자동차가 뒤로 가는 것처럼 보이는 것과 같다.

머큐리가 역행할 때 세심하게 다시 한 번 더 확인하고 작은 부분까지 주의를 하라. 그 속임수의 에너지는 의사소통과 함께 엉망으로 만들 수 있기 때문이다. 당신의 일을 확인하고 다시 또 점검하라. 중요한 파일을 저장하라.

또한 다른 행성들이 역행으로 갈 때도 있지만 그 어느 것도 우리의 일상에서 똑같이 소란을 일으키지는 않는 듯하다. 머큐리가 일상생활의 요소를 다스리기 때문이다. 즉 메시지, 심부름, 약속, 동네 산책과 가족 연결이다.

역행과 타로 역방향

여러 가지 면에서 역행하는 행성은 타로 리딩에서의 역방향과 같다. 역방향으로 놓인 카드는 그 카드의 의미를 뒤집는 것이 아니다. 대신 그들은 상황에서 생각을 달리하는데, 당신이 쉽게 간과할 수 있는 것에 세심한 주의를 기울이도록 요청하고, 지각을 바꾸도록 강요한다.

행성이 개인의 출생에서 역행으로 움직일 때, 그 에너지는 내부로 돌려지고, 완전히 외부로 표현할 수 있기 전에 반드시 내면의 자각에서 개발되어야 한다.

비너스 ♀

– 여황제

여황제 카드에서 비너스는 인간의 형태를 취하고, 우주 대부분의 천상의 천체들 중 하나로서 창조적인 본성의 배출구를 찾는다.

여황제는 계속해서 새로운 삶을 낳는 원형적인 어머니다. 영원한 임신부인 그녀는 풍요와 성장의 상징이다.

자연의 어머니처럼 그림에서 여황제는 대체로 무성한 정원에 앉아 있다. 안정감과 편안함에 대한 그녀의 갈망과 조화롭게 쿠션을 댄 왕좌에 편안하게 앉아 있다. 여황제는 12개 별의 왕관을 쓰고 있다. 그것은 일 년의 모든 달month이고, 황도대의 모든 싸인이다.

비너스와 여황제는 모두 아름다움에 대한 사랑을 공유한다. 사랑과 매력은 창조에 대한 강력한 힘이다. 고대 로마에서 비너스는 아름다움, 사랑, 매력의 여신이었다. 그리스에서는 아프로디테로 알려져 있다.

물론 여황제는 결혼했다. 그래서 그녀는 황제의 사랑하는 파트너다.

어스트랄러지 차트에서 비너스는 편안함, 안락함, 애정, 즐거움과 접촉하는 모든 것을 축복한다. 비너스는 실수에 대해 관대하다. 주피터처럼 은인이다. 그래서 고대 어스트랄러저들은 비너스를 작은 길성이라 불렀다. 그것은 대체로 좋은 것이지만 항상 그렇지는 않다. 특히 자신의 아이들이 멋대로 굴고 버릇없게 성장한다면.

비너스는 기쁨과 즐거움을 다스리고, 또 아름다움과 예술에 대한 사랑을 다스린다. 비너스는 관능적이고 로맨틱하며, 호의적이고 친절하며, 부드럽고 동정적이다.

아침별(샛별)과 저녁별(개밥바라기)로서의 역할을 유지함으로써 비너스는 두 싸인을 지배한다. 즉 토러스와 리브라이다. 비너스는 또한 재산과 소유의 두 번째 하우스, 또 결혼, 파트너십, 사적인 관계의 일곱 번째 하우스와의 상응을 다스린다.

토러스와 두 번째 하우스를 지배할 때, 비너스는 우리가 사랑하는 것을 보여준다. 리브라와 일곱 번째 하우스를 지배할 때, 우리가 다른 사람과 어떻게 사랑을 나누는지를 묘사한다. 비너스의 관여는 강한 집착으로 이끄는데, 재산과 사람 모두에 대해서다.

비너스는 인후를 지배한다. 이는 그녀가 달콤한 대화와 사랑 노래를 확실하게 통제하는 것이다. 기쁨과 소비의 행성인 비너스는 또한 혈당 수준과 성병과 연관이 있다.

여황제 카드는 흙 원소와 상응한다.

마스 ♂
ㅡ탑

마스는 에너지, 공격성, 주장, 자기방어의 전사 행성이다. 동시에 탑은 성채이다. 요새와 본거지로, 시간과 자연의 힘을 견디도록 건설된 것이다.

그러나 이 경우에 전사 행성은 전부 공격 방식이다. 탑은 4원소 모두에게서 습격을 받고 있다. 즉 번개의 강렬한 폭발이 탑의 꼭대기를 치고, 바람과 구름은 그 공기를 소용돌이치며, 격노한 바다는 탑의 아랫부분에 세게 부딪히고 땅은 흔들린다.

카드와 행성은 모두 에너지와 힘이 빠르고 갑자기 폭발하는 것을 상징한다. 그들은 강렬함, 잠재력, 충동과 질병을 나타낸다. 그들은 변화를 위한 영감과 힘에 대한 표시이다. 대부분의 경우에 청천벽력을 저항하기란 불가능하다.

타로 리딩에서 탑은 대체로 극적인 변화를 알린다. 가끔 붕괴와 몰락을 언급하고, 당신이 안전하다고 생각했던 구조에 대한 분열이나 붕괴를 나타낸다. 관계, 가정, 직장과 같은 것이다. 그것은 잘못된 아이디어와 신념에 대한 파괴, 정화, 또는 조정을 상징할 수 있다.

그러나 종종 탑은 일깨움, 영감, 해방을 나타낸다. 괴로움에서 벗어나는 상황에서 함정에 빠진 누구든, '감옥에서 벗어나는 자유' 카드이다. 궁극적으로 탑의 경험은 정화, 보호, 자기보존 중 하나인데, 낡은 구조가 해체되어 회복이 시작될 수 있기 때문이다.

어스트랄러지의 마스는 확신과 힘과 연관된다. 마스는 성, 원기, 강함을 상징한다. 마스는 야망, 공격, 자기주장, 충동을 다스린다. 마스는 또한 스포츠와 경쟁을 다스린다. 전쟁 게임은 전쟁이 없는 시기에 전쟁터를 대신한다.

마스는 리더십과 활동의 싸인, 첫 번째 하우스와 에리즈를 상징한다. 어스트랄러저들은 첫 번째 하우스에서 자기 이미지와 신체적인 외모에 대한 정보를 찾는다.

의학에서 마스는 혈액과 남성의 성 기관을 관장한다. 전통적으로 열, 재난, 트라우마, 고통, 수술과 연관이 있다.

탑 카드는 불 원소와 상응한다.

주피터 ♃

— 운명의 수레바퀴

어스트랄러저들은 주피터를 좋은 운을 가져오는 대길성이라 부른다. 확장하는 행성은 운명의 수레바퀴와 완벽하게 어울린다.

우리 태양계에서 가장 큰 행성인 주피터는 성장을 상징한다. 특히 철학적인 수준에서의 성장을 상징한다. 그것은 먼 곳의 여행을 통해 세계관을 확장하는 과정, 외국인과의 우정, 고등교육을 나타낸다.

주피터의 가장 큰 선물은 지혜와 성공, 장수, 좋은 건강, 이 세상이 제공하는 모든 향상의 경험이다. 즉 가족, 우정, 여행, 철학이다. 주피터는 삶의 충만함을 경험하도록 좋은 행운을 제공한다. 당신이 기억하는 깊이, 자신이 무엇인지의 깨달음에 대한 통찰, 당신이 될 수 있는 것을 시각화하는 상상과 함께. 위자드 타로에서 심상은 미래에 대한 통찰력과 과거에 대한 기억을 혼합한다.

운명의 수레바퀴의 대부분의 버전은 숙명과 운명의 돌아가는 바퀴를 묘사한다. 그것은 시간과 공간을 통해 움직이는데, 에너지와 문제를 끊임없이 순환하고 재순환하는 것이다. 그것은 존재에 대한 측정을 제공하고, 모든 삶에서 변화의 요소가 있다는 것을 의미한다. 그것은 오르는 것은 반드시 내려간다는 것을 생생하게 상기시킨다(뿌린 대로 거둔다).

행성과 카드는 모두 운명, 번영, 성공에 대한 행운과 기회와 우여곡절을 상징한다.

로마 신화에서 주피터는 신들의 지배자이고, 안내자이며 보호자다. 같은 방법으로 주피터는 다른 행성들의 왕으로, 장엄하고 밝은 구름과 강렬한 폭풍으로 덮여 있는 거대한 크기의 행성이다.

주피터는 철학과 모험의 싸인이고, 황도대의 아홉 번째 하우스인 쌔저테리어스를 지배한다. 어스트랄러저들은 여기에서 고등교육과 장거리 여행에 대한 정보를 찾는다. 쌔저테리어스처럼 엉덩이와 허벅지와 연관이 있다.

운명의 수레바퀴 카드는 불 원소와 상응한다.

▶ 우주의 연결 : **파트 오브 포춘**The Part of Fortune 

어스트랄러지에서 파트 오브 포춘은 가끔 포르투나Fortuna로 불리는데, 대중적인 아라빅 파트Arabic Part이다. 아라빅 파트는 차트에서 민감점으로, 고대 수학 공식에 따라 계산된다.

차트에서 파트 오브 포춘의 위치는 종종 좋은 행운을 발견할 수 있는 지점일 수 있다. 그 싸인과 하우스는 세속적인 갈채, 직업적 성공, 재산과 건강으로 이어질 수 있는 기술, 재능, 능력에 대한 가치 있는 단서를 제공할 것이다.

새턴 ♄

— 세계

세계가 제한적이더라도, 새턴과 물질적인 우주는 모두 구체적인 법칙과 이성의 원리에 따라 작용한다. 둘은 모두 분명히 제한된 변수를 가진다. 새턴은 구조, 경계, 제한, 한정의 고리가 있는 행성이고, 지구에서 질서정연한 물질적인 국면에서 완벽한 평화를 찾는다.

전통적으로 세계 카드의 버전은 자신의 세상에서 계속해서 회전하는 댄서의 특성을 갖는다. 영원한 삶의 상징인 화환은 그녀의 모든 움직임을 보호하는 울타리를 형성한다. 그것은 단순히 물질적인 것의 상징이다. 우리는 에너지로 만들어졌고, 에너지는 결코 창조되거나 파괴되지 않는다. 그것은 그냥 형성되었다.

세계 카드가 대개 가능성의 전체 우주를 암시하는 반면, 새턴의 연결은 한계를 또한 인식하는, 할당받은 대부분의 시간과 공간을 만들도록 선택하는 현명함을 만드는 합리적인 사람을 상기시키는 역할을 한다.

물론 대부분의 사람은 한계에 반항한다. 자유와 방해가 없는 것을 느끼고 싶어 한다. 새턴은 우리를 땅으로 내려오게 하고, 세속적인 존재에 대한 실제적인 현실을 가르친다.

새턴의 고리들은 대다수의 한계와 제한을 암시함에도 불구하고, 또한 우리의 위치를 규정하고 우리 자신의 개별성을 잃지 않으면서 다른 사람과 연관되도록 도울 수 있는 한계를 묘사한다. 경계는 외부의 힘이 들어오지 못하게 막고, 내부에 속한 것을 봉쇄하는 것이다. 다른 말로 하면 새턴의 경계는 단지 우리를 제한하는 것이 아니다. 우리를 규정짓는 것이다.

새턴은 규칙 제정자이다. 우리가 모든 가치, 관습, 기대에 대한 공통의 언어를 공유하는 것은 확실하다. 그래서 우리는 같은 생각을 한다. 새턴은 또한 변덕을 통제할 수 있다. 그것은 환경과 결과를 통제하는 것과 같다.

물론 결과는 예정된다. 새턴은 죽음과 연결되고, 제한과 한정의 고리는 우리의 세속적인 존재를 위해 경계를 짓는다. 우리의 이름이 삶의 책에 쓰일 때, 우리는 그 이야기가 결국 어떻게 끝날지를 안다. 자기 자식들을 삼켰던 고대의 시간의 신 크로노스처럼 그 많은 세월 동안 결국 지구의 창조물을 모두 파괴시킨다.

로마 신화에서 새턴은 농업과 순응의 신이었고 문명과 사회 질서의 창시자다.

새턴은 일과 책임감의 싸인인 캐프리컨을 지배한다. 또한 황도대의 열 번째 하우스를 다스리는데, 어스트랄러저들이 규율, 직업적 성공, 공적인 이미지와 사회적인 지위에 대한 정보를 찾는 곳이다.

새턴은 인체 모양의 구조와 안정을 제공하는 뼈와 피부와 연관 있다.

세계 카드는 흙 원소와 상응한다.

▶ 우주의 연결 : **새턴 리턴**

새턴 리턴은 어스트랄러지에서 가장 잘 알려진 이정표 중의 하나이다. 이는 29년마다 일어나는 어스트랄러지의 현상으로, 29년은 새턴이 태양 주위를 한 바퀴 도는 데 걸리는 시간이다. 새턴이 개인의 출생 시기에 있던 그 도수로 되돌아 올 때, 우리는 주요 문턱을 가로질러 삶의 다음 장으로 들어간다.

새턴 리턴은 경험의 명백한 세 가지 단계를 상징한다. 여성에게는 미혼 처녀에서 어머니로, 할머니로의 변화를 나타낸다. 남성에게는 척후병에서 군인으로, 지휘관으로의 성장 과정을 나타낸다.

첫 번째 새턴 리턴에서 개인은 청년기를 뒤로 하고 성인으로 들어선다. 두 번째 리턴으로 그 사람은 성숙된다. 세 번째 리턴과 함께, 이전의 각 단계에서 배웠던 경험을 통해 현명한 어른이 된다.

첫 번째 새턴 리턴은 대개 가장 힘든데, 성격과 강함에 대한 첫 시험이기 때문이다. 새턴은 강한 구조와 기초를 강조한다. 약점이 발견된다면, 첫 새턴 리턴은 격변과 재건의 기간을 나타낼 것이다. 어떤 새턴 리턴 기간 동안 나쁜 관계, 이행되지 못한 일, 또는 빈약한 삶의 상황을 상실하는 것은 보기 드문 것이 아니다.

그 결과는 그럴만한 가치가 있다. 새턴 역행은 우리가 앞으로 나아갈 필요가 있는 추진력이다.

유레너스 ♅

— 바보

자유, 혁신, 반항, 개혁의 행성인 유레너스는 자유로운 사고의 바보와 연관이 있다. 둘은 모두 이상주의자, 시작과 변화, 신선한 출발과 새로운 시작의 마스터이다. 둘은 극단적인 관점에서 생각한다. 즉 그들은 옛 것을 기꺼이 파괴하여 새 것을 위한 공간을 만든다.

둘은 또한 괴짜로 여겨진다. 그들은 관습적인 규범과 기대에 부응하지 못한다. 또는 부응하고 싶어 하지 않는다.

바보 카드에 대한 대부분의 버전은 대체로 신념을 뛰어 넘는 젊은 남자나 젊은 여자로 묘사된다. 과거, 현재 또는 미래를 고려하지 않고 앞서서 뛰어드는 자유로운 영혼이다. 이 카드는 과거의 전통이나 현재의 걱정을 무시하고 희망과 변화를 상징한다. 그것은 우주에서 맹목적인 진리를 나타내고, 개별적인 행동의 확신은 미래로 향한 길을 빛내는 방식이다. 심지어 어떤 사람은 바보는 경험을 찾는 영혼, 지혜를 위해 기꺼이 천진난만함과 교환할 것이라고도 말한다. 그것은 결코 쉬운 교환이 아니다.

유레너스는 갑작스럽고 기대하지 않았던 변화의 행성이다. 그것은 독립과 독창성을 다스린다. 사회에서 급진적인 아이디어와 사람을, 또 확실한 구조를 뒤집어엎는 혁명적인 사건을 다스린다. 그 유용한 수명을 보다 오래 살게 된 어떤 확립을 바꾸어놓고 무너뜨린다. 그것은 혁신과 진보의 행성이다.

유레너스의 그림문자는 인공위성처럼 보이는데, 행성은 종종 기술 진보와 혁신과 연관이 있다. 사실 대부분의 타로 리더는 바보를, 여행하는 동안 그가 조우하게 될 어떤 우발성을 위해 준비한 배낭에 타로의 도구를 운반한다고 믿는다. 바보와 유레너스는 모두 발명과 혁신에 대한 영혼, 또 결과가 될 수 있는 자유를 상징한다.

그리스 신화에서 유레너스는 천상과 밤하늘에 대한 의인화이다. 그러나 천문학적인 견해에서 행성 자체는 색다른 특성을 갖는다. 유레너스는 측면으로 회전한다. 그래서 두 극이 번갈아 태양을 향한다. 회전하는 동안 한 반구는 빛으로 가득 차고, 다른 쪽은 완전히 어둠에 놓인다.

유레너스는 미래지향적인 사고의 싸인인 어퀘리어스를 지배하고, 어스트랄러저들이 사회적인 집단과 이상주의적인 동기에 대한 정보를 찾는 곳인 황도대의 열한 번째 하우스를 지배한다. 어퀘리어스처럼 유레너스는 아래쪽 다리, 발목, 순환계와 연관된다.

바보 카드는 공기 원소와 상응한다.

넵튠 Ψ

— 거꾸로 매달린 사람

거꾸로 매달린 사람은 여러 시간—또는 심지어 여러 날—을 황홀한 대체 현실에 매달려서 보낸다. 그는 영적이고 사이킥한 깨달음의 행성인 넵튠과 완벽하게 동조한다.

거꾸로 매달린 사람의 의식은 물질을 초월한다. 그냥 넵튠 자체는 물질의 보통 범위를 벗어나는 듯하다. 어쨌든 이 행성은 대부분 에테르의 안개와 가스로 이루어져 있다. 꿈과 같은 환영의 행성, 또 한계의 물질적인 염려를 제거하는 존재이다.

그 견해로부터 신비로운 경험은 쉽게 온다. 넵튠과 거꾸로 매달린 사람은 모두 환상, 상상, 시각 예술과 연관이 있다. 그들은 이상적이고, 민감하고, 비범한 사이킥이다.

어느 한쪽도 확실한 경계에서 아주 좋은 것은 아니다. 실제 세계는 어둡고 위험한 곳일 수 있고, 거꾸로 매달린 사람과 넵튠은 모두 명상, 기도, 잠, 꿈을 통해 도망가는 법을 재빨리 배운다.

보통 알코올이나 약물로 도피한다. 가끔 이 물질들은 자기약물치료의 형태인데, 이는 넵튠적인 영혼이 범람하는 자발적인 사이킥한 메시지들을 가로막아 보려는 노력에서 비롯된다.

타로 리딩에서 거꾸로 매달린 사람 카드는 종종 자진해서 겪는 자기희생의 기간과 일상의 걱정과 관심에 매달리는 것을 나타낸다. 그것은 은둔이나 지각에서의 변화를 암시하기도 한다.

카드의 대부분 버전이 거꾸로 매달린 사람을 거꾸로 된 것을 보여주더라도, 그는 어떤 고통이나 불편함이 거의 없어 보이는 듯하다. 대신, 고차원의 의식에 조율하는 듯이 보이는데, 이는 보상이지 벌이 아니다.

로마 신화에서 넵튠은 바다의 신이다. 그는 밀물과 저수지의 조수, 또 깊은 바다의 어둡고 신비로운 세계를 지배했다. 바다는 그의 명령에 의해 일어나고 사라진다. 그는 깊이를 알 수 없는 격렬한 정서와 감당하기 어려운 큰 너울로 자신의 반대파를 물에 빠뜨린다.

넵튠은 파이씨즈와 황도대의 열두 번째 하우스를 지배하는데, 그곳은 어스트랄러저들이 비밀을 찾는 곳이다. 또한 그 비밀스럽게 자물쇠로 채운 곳을 다스린다. 즉 병원, 감옥, 정신병원이다. 의학에서 넵튠은 원인 불명의 질병과 노이로제와 연관된다.

거꾸로 매달린 사람 카드는 물 원소와 상응한다.

플루토 ♀ ♇

ㅡ 심판

플루토는 과학자들이 태양계에서 지워버렸지만, 어스트랄러저들과 타로 리더들은 결코 포기하지 않았다. 이 변형의 행성은 현대 어스트랄러지에서 해결의 핵심 선수이고, 그것은 타로에서도 똑같이 확립된 역할이다.

플루토는 죽음과 파괴의 행성이다. 어마어마하게 들리는 이 말은 심판 카드에서는 그 표현이 부드러워진다. 대부분의 버전은 평가를 받고 있는 사람을 묘사한다. 위자드 타로에서는 기말고사를 치르는 학생 집단을 나타낸다.

타로 리더들은 미리 읽기 때문에, 마침내 학생들이 그 시험에 통과될 것을 안다. 그들은 살아남게 될 것이고, 삶의 다음 장으로 계속 가기 위해 자유가 된다.

플루토와 심판 카드는 모두 마지막은 단지 부활과 윤회이고, 새로운 생명에서 두 번째 기회로 불가피하게 이끈다.

어스트랄러지에서 플루토는 죽음, 부활, 용서, 해방을 상징한다. 그것은 점검받고 도전하는 영역, 권력 투쟁과 저항을 나타낼 수 있다. 플루토는 진화와 피할 수 없는 변화의 행성이다.

타로 리딩에서 심판 카드는 종종 통찰과 의사 결정이라 부른다. 더 이상 우리의 욕구나 기대에 이르기까지 살지 못하게 하는 어떤 것도 놓아버리도록 강요한다. 그래서 우리는 좀 더 나은 방식에서 그 에너지를 재생하고 재사용할 수 있다.

고대 신화에서 플루토는 지하세계의 신이다. 그는 하데스, 곧 영혼들이 육체의 죽음 후에 여행하게 되는 곳을 지배했다.

플루토는 불가사의의 싸인인 스콜피오를 지배한다. 또한 여덟 번째 하우스, 곧 어스트랄러저들이 성, 죽음, 유산에 대한 정보를 찾는 곳을 다스린다.

심판 카드는 불 원소에 상응한다.

▶ 우주의 연결 : **카르마 학습과 노드 리턴의 지점**

많은 어스트랄러저들은 그들의 계산에서 문 노드를 포함시킨다. 노드는 문의 궤도와 썬의 길이 교차하는 수학적인 지점이다.

☋ **사우스 노드**는 타고난 능력의 부분을 강조한다. 타고난, 천부적인, 이미 숙련된 재능이나 기술이다. 그것은 전생에서 배웠던 카르마의 교훈일 수 있으며, 따라서 당신은 그것을 드러내기 위해 노력할 의무가 없다고 느낀다.

☊ **노스 노드**는 당신이 배우려고 태어난 카르마의 교훈을 나타낸다. 그것은 가능성, 성장, 도전, 증진의 기회와 관련이 있다.

예를 들어, 사우스 노드가 네 번째 하우스의 캔서에 있다면, 아이를 가질 필요를 느끼지 못할지도 모른다. 대신 초점은 직업에 있을 것이다. 차트에서 또 다른 면에 있는 노스 노드는 열 번째 하우스의 캐프리컨에 있기 때문이다. 그것은 사회적인 지위의 하우스에서 야망의 싸인이다.

노스 노드와 사우스 노드는 항상 차트에서 서로 정확하게 반대쪽에 있다. 그래서 어떤 차트는 두 노드 중 하나만 보여줄 수 있다.

3
시간의 싸인

수천 년 전 어스트랄러저들이 처음 천체 기술 원리를 발달시키고 있었을 때, 그들은 매달 일출과 일몰이 다른 별자리를 배경으로 진행하는 것을 보았다. 마침내 12개의 별자리가 오늘날의 트로피컬tropical 황도대의 12싸인이 되었다. 그것은 에리즈, 토러스, 제머나이, 캔서, 리오, 버고, 리브라, 스콜피오, 쌔저테리어스, 캐프리컨, 어퀘리어스, 파이씨즈이다.

- ♈ **에리즈 양자리.** 에리즈의 그림문자는 양의 뿔처럼 보인다.
- ♉ **토러스 황소자리.** 토러스의 그림문자는 황소의 머리처럼 보인다.
- ♊ **제머나이 쌍둥이자리.** 제머나이의 그림문자는 두 사람처럼 보인다.
- ♋ **캔서 게자리.** 캔서의 그림문자는 게의 집게발처럼 보인다.
- ♌ **리오 사자자리.** 리오의 그림문자는 사자의 갈기나 꼬리처럼 보인다.
- ♍ **버고 처녀자리.** 버고의 그림문자는 천사의 날개나 성모 마리아Virgin Mary의 머리 글자인 V와 M처럼 보인다.
- ♎ **리브라 천칭자리.** 리브라의 그림문자는 완전히 균형 잡힌 저울처럼 보인다.
- ♏ **스콜피오 전갈자리.** 스콜피오의 그림문자는 침을 가진 전갈처럼 보인다.
- ♐ **쌔저테리어스 궁수자리.** 쌔저테리어스의 그림문자는 화살처럼 보인다.
- ♑ **캐프리컨 염소자리.** 캐프리컨의 그림문자는 염소의 머리처럼 보인다.
- ♒ **어퀘리어스 물병자리.** 어퀘리어스의 그림문자는 물결처럼 보인다.
- ♓ **파이씨즈 물고기자리.** 파이씨즈의 그림문자는 두 마리 물고기의 꼬리처럼 보인다.

▶ 우주의 연결 : **분점의 세차**

가끔 당신은 황도대가 이동하여 썬 싸인이 실제 당신의 싸인이 아니라는 매스컴을 들을 것이다.

당황하지 마라. 그것은 분점의 세차로 알려진 천문학 현상을 설명하는 것이다.

지구는 기울어진 축으로 회전한다. 적도는 태양과 달에 정확하게 일직선이 아니다. 그 결과 태양과 달은 적도로 중력을 끌어당기려고 해서 지구를 약간 불안정하게 만든다.

시간이 지나고 그 동요는 공간에 대한 우리의 조망을 조정한다. 붙박이별들의 위치는 점점 변하고, 태양은 여러 별자리들의 배경을 계속해서 이동하여 뜨고 지는 듯이 보인다.

그리스의 천문학자 히파르쿠스는 B.C. 134년에 처음으로 그 현상을 언급했다. 그 이후로 별자리들의 배경은 계속 표류하게 되었고, 이제 우리의 전통적인 참고자료와는 한 달 정도 맞지 않는다. 이는 트로피컬 황도대로 알려진 것이다.

트로피컬 어스트랄러지에서 춘분점, 즉 봄의 첫날에 각 천체력이 시작된다. 에리즈의 출발로서 그 날짜를 언급하는데, 태양이 별들 사이에서 실제로 뜨거나 지는 곳은 문제될 것이 없다. 그것은 대부분 편의상으로, 트로피컬 황도대 또한 신화와 서양 문화의 상징과 아주 잘 일치하기 때문이다. 에리즈를 하늘에서 표시했다면, 우리는 단순히 각각 30도씩 12부분으로 싸인을 유지하도록 측정한다.

어스트랄러지의 한 분파인 베딕 어스트랄러저들은 실제 시간과 함께 계속 유지하고 있는데, 이는 대개 사비안sidereal 황도대를 사용하는 인도에서 실행하며, 지구에서 관찰한 별들의 현재 위치를 정확하게 반영한다.

어느 쪽의 체계가 옳은 것도 아니고 그른 것도 아니다. 사실 두 체계 모두 똑같이 효과적인데, 트로피컬과 사비안 어스트랄러저 모두 대부분 같은 어스트랄러지의 원리에 의존하기 때문이다.

싸인들의 동물상이 중요하다. 황도대라는 단어는 '동물들의 원'을 상징하고, 각 피조물의 특성은 성격에 대한 귀한 단서가 될 수 있다.

싸인 언어

싸인의 상징은 의미의 다양한 층을 포함한다. 앞서 우리는 각 싸인에 상응하는 카드를 탐구했다. 이제 모든 싸인이 공통적으로 가진 그 특성을 살펴보자.

양태, 특징, 사중성

어스트랄러지는 달력에 기초한 연구로, 12싸인은 일 년의 12달과 같고, 사계절로 분류할 수 있다. 즉 봄·여름·가을·겨울이다. 각 계절은 세 달 동안이고, 시작, 중간, 끝이 있다.

싸인에는 세 가지 상응하는 양태가 있다. 즉 카디널, 픽스드, 뮤터블이다. 그 양태는 각 계절의 시작, 중간, 끝에 순응한다. 그래서 그들—상응하는 카드들—은 일 년의 순환을 균일한 시간으로 에워싸고 있다. 양태는 가끔 사중성이라 하는데, 각 상태에 네 싸인이 있기 때문이다.

카디널 싸인의 탕 하는 소리와 함께 각 계절이 시작한다. 각각은 일 년의 사이클에서 시작하는 지점을 명확하게 표시한다. 그래서 그들은 새로운 시작에 상응한다. 에리즈의 첫날은 봄의 첫날을 나타낸다. 캔서의 첫날은 여름의 첫날이다. 리브라의 첫날은 가을의 첫날이고, 캐프리컨의 첫날은 겨울의 첫날이다.

카디널 싸인은 본성의 멈출 수 없는 힘이다. 그들은 책임감을 받아들이고, 유능한 태도를 지닌 리더다. 그들은 용감하고, 자기 동기화가 되어 있으며 재빨리 시작하고 활기차다. 그들은 빠르다. 그들은 빨리 대응하고, 즉시 행동한다. 그들은 갑작스러운 영감의 폭발로 인해 변화한다. 전체적으로 보면 카디널 싸인은 영감의 감각과 새로운 출발을 전한다.

픽스드 싸인은 각 계절의 절정이다. 당신도 알다시피 한여름 낮은 뜨겁고 한겨울밤이 추운 것처럼, 픽스드 싸인들—토러스, 리오, 스콜피오, 어퀘리어스—은 명확하게 규정된다. 그들은 철저하고, 막을 수 없고, 참을성이 강하다. 픽스드 싸인들은 열심히 일하고, 확실한 무엇을 성취하기 위해 목표를 안정되게 유지할 수 있다. 그들은 변화하기 힘든데, 완고한 존재로 평판이 나 있지만 그만큼 매우 신뢰할 만하다. 그들은 자신들의 믿음과 목표를 존중한다. 그들은 어떤 것들을 꿰뚫어보려는, 그리고 현상을 유지하려는 강함과 인내력이 있다. 그들은 안정된 가정, 직업, 파트너십이 필요하고, 불확실한 것보다는 이미 알려진 것을 더 좋아한다.

뮤터블 싸인—제머나이, 버고, 쌔저테리어스, 파이씨즈—은 유통성이 있고, 적응하며, 변하기 쉽다. 전형적으로 계절의 변화를 알리기 때문이다. 그들은 변화를 가능케 하고, 종결에 대한 감각을 제공한다. 그들은 과도기적이다. 그래서 그들은 새로운 계절이 시작하기 전에 옛 계절의 몰락을 나타내고, 본성에 대해 혼란의 기운이 있다. 그들은 재주가 많지만, 또한 흩뿌리고, 변덕스럽고, 일정치 않고, 침착하지 못할 수 있다. 그들은 소통의 달인을 만드는 많은 인식으로부터 삶을 볼 수 있고, 성공적인 결론으로 이끄는 변화의 기간을 통해 프로젝트를 조종할 수 있다.

4원소의 3조

12싸인은 또한 원소에 따라 묶을 수 있다. 원소는 가끔 3조라고 불리는데, 각각에 세 싸인들이 있기 때문이다.

불 싸인—에리즈, 리오, 쌔저테리어스—은 불 자체만큼 매혹적이다. 그들은 무시하기가 불가능하고 억제하기 힘든 열과 빛을 낸다. 그들은 활기차고, 열광적이며, 자발적이고 충동적이며 낙천적이다.

흙 싸인—토러스, 버고, 캐프리컨—은 발 아래 땅만큼 안정적이다. 그들은 단단하고, 지지하며, 믿음직스럽고, 실제적이며, 물질적이고, 감각적이며 능력이 있다. 그들은 또한 조심스럽고, 천천히 움직이고, 철저하고, 신중하다.

공기 싸인—제머나이, 리브라, 어퀘리어스—은 재치 있고, 바람만큼 빠르며, 아이디어와 상상으로 넘친다. 그들은 가볍고 섬세하다. 그들은 누구와도 허튼소리를 할 수 있다. 그들은 좌담가이고 수다스럽다. 가끔은 파악하기 어려울 수 있다.

물 싸인－캔서, 스콜피오, 파이씨즈－은 정서적이고 직관적이다. 기분은 파도처럼 오르내릴 수 있다. 그들은 동요하고 소용돌이칠 수 있고, 아니면 깊고 고요하게 될 수 있다. 물은 여전히 깊게 흐르고 대부분의 물 싸인은 잔잔하다. 그러나 분노의 태풍에 영향을 받기 쉽다.

이중성

세상은 서로 반대쪽에 있는 것을 끌어당긴다. 모든 싸인에는 남성성과 여성성의 특성이 있다. 또는 다른 말로 하면 적극적이든지 수용적이든지, 외향적이든지 내향적이든지, 원기왕성하든지 자력적이든지, 선형이든지 원형이든지, 또는 음이든지 양이든지.

남성성 불과 공기 싸인은 남성성이다. 그들은 솔직하고, 확신하며, 공격적이고 용감하고 대담하다. 결과를 기다리지 못한다. 그들은 뭔가를 일어나게 만든다.

여성성 흙과 물 싸인은 여성성이다. 그들은 조용하고 반응적이며, 직관적이고 이해한다. 그들은 참을성이 있고 강하며, 결과를 통해 사건을 꿰뚫어 보는 기술이 있다.

이제 각 싸인에 상응하는 메이저 아르카나 카드를 살펴보자.

에리즈 ♈

— 황제

에리즈는 황제의 형태로 활기를 띤다. 당신이 그를 어스트랄러지의 싸인으로 생각하든 타로카드로 생각하든, 그는 카드 한 벌의 지도자다.

황제는 에리즈의 전형이다. 즉 두려워하지 않고, 확신하며, 용기 넘치고, 완전히 통제하려 한다. 그는 마스터이고 명령자이며, 확실한 비전의 지배자이고, 모든 군주를 내려다본다. 그는 혼돈을 정복해서 자신이 계획한 제국과 문명으로 바뀌게 만든다.

황제는 곧바로 자신의 영역을 보호하고 방어하기 위해 준비한다. 그리스 전쟁의 신 에리즈처럼. 로마인들은 마스라 불렀고, 마스의 명예로 이름 붙은 행성은 탑 카드에 배당된다. 오늘날에도 이 호전적인 신은 '무술'과 '계엄령' 같은 것으로 생각된다.

첫 번째 싸인의 화신으로서 황제는 리더십과 시작을 상징한다. 그는 모험적이고, 선구자이며, 단호하다. 그는 힘이 있고, 무뚝뚝하며, 직선적이다. 모든 다른 싸인들을 이끄는 에리즈처럼 황제는 왕국, 땅, 영토 점령의 최정상으로 이르게 한다.

당신은 황제 카드에 대한 대부분의 버전에서 황제의 에리즈 본성에서 단서를 발견할 것이다. 에리즈 그림문자는 양의 뿔처럼 보인다. 사실 양과 양의 뿔 이미지는 황제 카드에 대한 많은 미술가들의 해석에서 통합되었다. 위자드 타로에서 에리즈의 영향은 양의 뿔이 있는 전사의 투구에 두드러지게 나타나 있다.

에리즈는 머리를 다스린다. 관례대로 황제는 심장이 아니라 머리를 다스린다. 그는 외고집이고, 완고하고 강하다. 그리고 논리와 이성을 통해 다스린다. 그는 엄격하고 강직하다. 그의 말이 곧 법이다.

그 연결은 건강과 물질적인 문제들에 제한되지 않는다. 넓게, 그리고 상징적으로 생각하라. 황제는 국가의 수장이다. 황도대의 첫 번째 싸인인 에리즈는 차트에서 첫 번째 하우스를 점유한다. 또한 황도대 하우스의 선두다. 첫 번째 하우스는 어스트랄러저들이 첫 인상과 신체적인 외모에 대한 정보를 찾는 곳이다.

에리즈는 불 싸인이다. 어스트랄러지와 타로 모두에서, 불 원소는 영적인 에너지를 상징한다. 결과적으로 황제는 성급할 수 있다. 모든 불은 자신이 믿는 동기에 대해 열렬하다. 그는 대담하고, 무모하고, 과신한다. 그는 잠깐이라도 자신을 의심하지 않고, 그 동기의 정당함에 의문도 갖지 않는다.

차트에서 에리즈의 영향을 강하게 받는 사람은 양처럼 보인다. 그리고 황제처럼 보인다. 그들은 박치기를 하거나 또는 머리를 공성망치(battering ram : 집이나 벽을 허무는 데 쓰는 금속봉)로 사용하는 데 두려워하지 않는다. 무모한 황제는 논쟁에서 어떤 상대라도 거의 압도하고, 허를 찌르고, 위협할 수 있다. 그는 자신의 뜻을 밀어붙이는 실제적인 배터리를 갖고 있다. 또한 고집불통이다. 그래서 자신의 마음을 바꾸는 것이 쉽지 않다. 가끔 황제는 백성을 위해 또는 자신의 동기를 위해 자신의 삶을 포기하도록 요구받기도 한다. 어쨌든 양은 고대에서 희생적인 동물이었다.

에리즈는 붉은 행성인 마스가 지배하고, 전통적으로 억제할 수 없는 에너지와 전쟁의 열정, 공격, 자기방어와 행동과 관련된다. 신화적 교차 연결은 거기서 멈추지 않는다. 신화에서 마스와 비너스는 연인이었고, 타로에서 비너스는 여황제 카드와 연관된다. 여황제는 풍요롭고 비옥한 정원에서 숭배자와 이야기를 나누는 반면, 황제는 좀 더 먼 곳에서 스파르타를 다스린다. 그는 모든 것이 비즈니스다.

타로에서 마스는 탑 카드와 상응한다.

썬은 3월 21일과 4월 20일 사이에 에리즈를 통해 여행한다. 이 싸인은 어스트랄러지의 일년에서 봄의 첫 달 첫날을 나타낸다. 에리즈는 카디널 싸인이고, 창시자이고 자발적으로 계획을 실행하는 사람을 만든다. 황제는 행동을 취할 때를 기다리지 않고, 누가 앞장서고 있는지 둘

러본다. 에리즈는 새로운 시작을 받아들이는 반면, 다른 싸인들은 황제가 그들의 추종자로부터 요구하는 수행을 제공하도록 개입할 것이다.

에리즈는 자기에 대한 첫 번째 하우스를 지배하는데, 어스트랄러저들이 신체적인 외모와 첫 인상에 대한 정보를 찾는 곳이다.

토러스 ♉

— 신비 사제

토러스는 유지를 위한 역할을 하는데, 특히 영적인 가치의 문제일 때 그렇다. 그것이 신비 사제와 아주 완벽하게 짝을 이루는 싸인이 되는 것이고, 이는 유서 깊은 가치와 신념에 대한 카드이다.

토러스는 안정과 관습의 싸인인 반면, 신비 사제는 충실하고, 일부일처, 출산을 가치 있게 여기는 전통주의자다. 토러스와 신비 사제는 모두 영적인 재산을 나타내는 안락함과 아름다움의 대상과 더불어 구조와 예의범절에 전념한다.

고대 그리스에서 신비 사제는 페르세포네의 이야기를 상연함으로써 엘레우시스의 신성한 신비의식(고대 그리스의 엘레우시스에서 해마다 거행된 데메테르와 페르세포네의 제사인 신비 의식)—죽음과 재탄생의 신화 시나리—을 통해 신봉자들을 안내했던 성직자였다. 페르세포네는 지하세계의 신 하데스가 납치한 여신이었다. 그녀의 실종은 세상을 혹독한 추위와 궁핍한 긴 겨울로 몰아넣었다. 그러나 그것은 사후세계에 대해 반추하기에 풍부한 자료였다. 오늘날 신비 사제의 역할은 모든 영적 스승이며 추종자를 희망과 경험의 시기를 통해 인도하는 안내자로 사는 것이다.

'신비 사제'라는 말은 '성직자 계급 제도'의 말과 같은 어원을 공유하는데, 이는 권위의 다양한 수준과 조직을 의미한다. 신비 사제는 신념의 문제에 대한 최종 권위자다. 그는 신을 대신하여 말하는, 신성한 지혜의 가르침을 설명하는, 이승과 내세 사이의 다리로서 봉사하는 힘을 가진다.

토러스의 그림문자는 황소의 머리처럼 보이고, 또는 황소의 코뚜레처럼 보인다. 대부분의 신비 사제 카드는 교회의 기둥, 또는 황소나 코끼리와 같이 무겁고 세속적인 동물들로 새겨져 있는 황소 상징의 특징을 이룬다.

풀밭에 있는 황소처럼 토러스와 신비 사제는 안락함에, 또 오래 계속된 의식과 수행의 편안함에 전념한다. 둘 모두는 완고할 수 있다. 고집 세고 확고하기 때문에 회유하기가 거의 불가능하다. 둘은 자신의 신념을 수행하게 될 때 완고할 수 있다. 그러나 또한 어려운 시기에 결속과 편안함의 견고한 토대가 될 수 있다. 그들은 단호하고 충실하며, 봉헌적이고, 참을성이 강하다. 어떤 의미에서 신비 사제는 영적인 일꾼이다.

토러스는 두 번째 싸인이다. 그것은 황도대의 두 번째 하우스를 지배하는데, 어스트랄러저들이 돈과 소유, 또 그들이 보여주는 영적인 가치에 대한 정보를 찾는 곳이다.

토러스는 사랑, 아름다움, 매력의 행성인 비너스가 지배한다. 타로에서 비너스는 여황제 카드에 해당된다. 즉 그녀는 신비 사제의 영적인 훈련을 보완하는 물질적인 양육의 형태를 제공한다.

토러스에서 썬은 4월 21일과 5월 20일 사이에 있다. 토러스는 봄의 두 번째 달을 나타낸다. 그것은 픽스드 싸인이다. 토러스가 활동할 때 봄이 만발한다.

토러스는 또한 흙 싸인이다. 어스트랄러지와 타로 모두에서 흙 원소는 물질적인 에너지를 상징한다. 그것은 실제적이고 확실하며, 인내심이 강하고 참을성이 있다. 그것은 여성성이고 수용적이다. 그것은 성장과 발전을 위해 기름진 땅을 제공한다.

토러스는 목과 인후를 다스린다. 이는 토러스가 말하고 노래하는 것으로 주목할 만한 표현을 할 수 있다는 것을 의미한다. 비슷하게 신비 사제는 항상 그들의 신봉자를 안내하고 향상시키기 위해 연설, 설교, 찬송에 의지한다.

▶ 우주의 연결 : **키론, 상처 입은 힐러** ⚷

위자드 타로 덱에서 신비 사제는 신화와 전설에서 상처 입은 힐러인 키론이다. 켄타우로스–반은 사람, 반은 말–는 사람과 짐승, 신체와 영혼, 동물의 형상에서 지성과의 마법적인 혼합을 나타낸다.

키론은 고대 그리스와 로마에서 스승 역할을 한 불사신이었다. 그는 전설적인 영웅 헤라클레스도 가르쳤다. 그러나 헤라클레스가 사고로 그에게 독화살을 쏘았을 때, 키론의 불멸의 본질은 그에게 끝없는 고통을 받도록 선고받았다. 키론은 자신의 불구가 된 상처가 덜해지는 것을 보았을 때, 그는 방대한 의학적인 지식을 풍부하게 쌓았다. 그는 다른 사람들과 지혜를 공유했는데, 이를 통해 상처 입은 힐러로서 전설적인 명성으로 이끌었다. 마침내 신들은 키론의 고통을 가엾게 여겼다. 그들은 치명적인 형상에서 그를 구원했고, 그에게 별자리로 천상의 안식처를 주었다.

어스트랄러지에서 키론은 독특하고 불안정한 궤도를 도는 혜성이다. 현대 어스트랄러저들은 모든 사람의 출생 차트에서 힐링과 회복을 향한 상응하는 노력과 함께 하는 것으로 존재하는, 상처 입은 힐러에 대한 정보를 위해 키론을 본다.

키론의 그림문자는 천상의 왕국에 이르는 신비 사제의 열쇠처럼 보인다.

제머나이 Ⅱ
— 연인

제머나이 싸인으로 태어난 사람은 종종 황도대에서 대단한 의사소통자라 불린다. 그들은 만족을 모르는 호기심, 이야기하기 좋아하고, 경박하고 쾌활하다.

누군가는 제머나이를 타로카드의 '연인'과 같은 것이라고 말한다. 연인은 쌍둥이 영혼으로 광범위한 생각을 가지고 관심, 경험을 공유하고 비교한다. 그들은 또한 재빠른 사고를 하고 똑똑하다. 그리고 그들은 다재다능하고 낙천적이며, 모험을 즐기고, 또한 호기심이 많다.

이 카드가 로맨틱한 암시를 갖는 한편, 같은 언어를 말하고 사고와 아이디어를 자유롭게, 그리고 개방적으로 교환하는 연인들과 유사한 영혼들임에 주목하는 것이 훨씬 더 중요하다.

대부분의 사람들은 연인 카드에 대해 로맨틱한 해석을 하고, 어스트랄러지의 의미에서는 형제에게 적용한다. 당신은 깊은 영적인 짝의 연결로서 형제 관계에 대해 생각할 수도 있다. 사실 대부분의 사람들은 남편, 부인, 로맨틱한 파트너와의 관계보다는 형제 자매와 훨씬 더 길고 지속적인 관계를 갖는다.

제머나이 그림문자는 카스토르와 폴룩스를 묘사한 것인데, 제우스의 유혹으로 관계를 가진 레다가 낳은 쌍둥이들이다. 그들은 위대한 전사였고, 서로에게 헌신했던 것으로 유명하다. 제우스는 그 명예를 위해 쌍둥이 별자리를 만들었다.

제머나이의 그림문자는 서로 팔을 두르고 나란히 서 있는 두 사람처럼 보인다. 쌍둥이는 설형문자의 서판에 그 이미지를 처음 새겼던 예술가에게 미소 짓고 있을 것이다.

싸인은 세로로 나란히 서 있는 둘로 분리된 개별성에 대한 이중성을 나타낸다. 하나는 대부분 두 개성, 두 이상, 두 관점의 교차점을 만든다. 제머나이 쌍둥이와 타로카드에서 두 연인은 모두 파트너십이 어떤 상황을 가져올 수 있는 사고와 경험의 다양성, 다재다능과 확장된 관점을 나타낸다.

싸인은 또한 그것이 지배하는 의사소통을 통해 근본적으로 그들의 관점에 대한 교차를 설명한다. 사람들은 다양한 방식에서 정보를 주고받는다. 제머나이는 말하기, 글쓰기, 몸짓언어를 망라한다.

제머나이와 연인의 결합으로 백짓장도 맞들면 낫다는 것을 증명한다. 그리고 두 관점이 조화롭게 공존할 수 있다.

제머나이는 의사소통을 다스린다. 그것은 자유와 아이디어에 대한 개방적인 표현을 통제하고, 글과 말의 전달에 마법의 느낌을 빌린다. 제머나이는 형제 관계를 다스린다. 그 이유는 형제 자매와 관련된 동료집단과 상호작용에 기초한 다른 사람들과 어떻게 의사소통하는지를 배우기 때문이다. 제머나이는 또한 짧은 여행과 근거리 여행을 다스리는데, 그것은 아이가 세상을 항해하기 위해 처음 배울 때와 관계하는 종류다.

제머나이는 세 번째 싸인이다. 그것은 황도대의 세 번째 하우스를 지배하는데, 어스트랄러저들이 의사소통, 형제관계, 기초교육에 대한 정보를 찾는 곳이다. 그리고 제머나이는 빠르기와 의사소통의 행성인 머큐리가 지배한다. 타로에서 머큐리는 마법사 카드와 상응한다.

제머나이 또한 공기 싸인이다. 타로에서처럼 어스트랄러지에서 공기 원소는 지성적인 에너지를 상징한다.

제머나이는 양손잡이다. 즉 그것은 팔과 손의 이중의 포옹과 관련된다. 또한 폐의 두 방을 다스리는데, 우리가 공기를 호흡하고 의사소통을 사용하는 것을 다스리는 것이다.

제머나이에서 썬은 5월 21일과 6월 20일 사이에 있다. 싸인은 봄의 세 번째이며 마지막 달을 표시한다. 제머나이는 뮤터블 싸인이다. 뮤터블 싸인은 유연하고 자발적이고 적응적이어서 한 계절에서 다음 계절로 쉽게 바뀌게 하는 역할을 한다.

캔서 ♋

— 전차

전차 카드는 캔서에 상응하고, 캔서는 모성, 가정, 가족과의 삶의 싸인이다.

얼핏 보면 캔서는 전차 카드의 모험적인 영성과 큰 공통점이 없는 듯 보인다. 그러나 다시 보라. 그러면 곧 높이 날고 있는 전차를 모는 전사가 결코 자신의 가정과 가족을 오랫동안 떠나지 않는다는 것을 발견할 것이다.

전형적인 캔서 사람은 당신이 기대하는 것보다 훨씬 더 전사와 닮았다. 어쨌든 우선 전사는 이동식 주택의 초기 버전으로 여행했다. 캔서와 전사는 모두 기략이 풍부하고, 직관적이며, 보호적이다. 그것은 끊임없이 활동하는 여행자를 위한 모든 가치 있는 자원이다.

카드의 거의 모든 버전에서 전차는 모험적이지만 그 탐색은 실제적인 목적을 가지고 있다. 몇몇은 전사로서 자신의 그룹을 보호하고 지키기를 결심한다. 몇몇은 비즈니스와 무역을 위해 여행하는데, 가족을 위해 좀 더 나은 삶을 만들기 위해서다. 몇몇은 지식과 경험을 찾아서 여행하는데, 이는 세상의 다른 지역에 사는 사람들과 새로운 연결을 만들기 위한 것이다.

그러나 그들이 어디를 여행하더라도 캔서 전사는 재미삼아 가정의 작은 일면을 가져온다. 카드의 대부분 버전에서 전차는 여행지에서의 가정 자체이다. 위자드 타로에서 전차는 난로와 가정의 중요한 도구이고 가사에 필요한 빗자루다.

캔서의 그림문자는 게의 집게발처럼 보인다. 캔서와 전차 둘 모두는 방어할 수 있다. 게의 딱딱한 껍질은 외부세계의 위험과 내면의 상처입기 쉬운 피조물 사이에서 거칠고, 거의 뚫을 수 없는 장벽을 제공한다.

게는 옆으로 허둥지둥 달아난다. 직진으로 움직이는 경우는 거의 드물다. 여행해야 하는 방향을 느끼기 위해 방향을 타진하기도 한다. 위험할 때는 날카롭게 집을 수 있는 집게발로 강타하여 위협하거나 괴롭히는 사람에게 상처를 입힐 수 있다.

물의 피조물인 캔서는 민감하고 직관적이다. 그들은 변덕스럽다. 마치 달이 매일 변하고, 파도가 그 영향으로 일어섰다가 사라지는 것처럼, 주변 환경에 동요하여 격렬하게 반응할 수 있다.

그들은 수동적이고 극단적으로 방어적이 될 수 있다. 그러나 전반적으로 캔서는 민감하고, 친절하고, 부드러우며, 상상력이 풍부하고, 호의적이고 양육에 강하다.

캔서는 네 번째 싸인이다. 캔서는 황도대의 네 번째 하우스를 지배하는데, 어스트랄러저들이 가정과 가족 삶, 또 양육에 대한 단서를 찾는 곳이다. 캔서는 달이 지배한다. 달은 반영, 직관, 영감의 행성이다. 달은 고위 여사제 카드와 관련 있는데, 그와 같은 특징을 나타내는 것으로서 잘 맞는 곳이다.

캔서에 있는 썬은 6월 21일과 7월 21일 사이에 있다. 이 싸인의 시작인 하지는 여름의 첫날이다. 또한 리더십과 새로운 시작에 대한 카디널 싸인이다. 캔서와 전차 카드 둘 모두 새로운 경험과 모험에 뛰어드는 것이 두렵지 않은 지도자를 나타낸다.

캔서는 또한 물 싸인이다. 타로에서처럼 어스트랄러지에서 물 원소는 정서적인 에너지를 상징한다.

캔서는 유방과 위를 다스리는데, 자녀의 생명을 양육하는 존재로서 어머니의 일생의 역할을 분명하게 나타내는 곳이다. 어머니에게 자신의 아이를 양육하는 것은 그들의 일 중 으뜸이다. 우선, 자신의 아이를 양육하는 것이고, 그 후에 가정에서 만든 음식으로 아이의 위를 채우는 것이다.

리오 ♌

— 힘

힘은 용기와 자기 훈련의 카드이다. 그것은 용감하고 결단적이고, 압도적인 장애물에 직면하는 것을 상징한다. 또한 두려움을 극복하는 데서 오는 자기 확신과 고요함을 암시한다.

카드에서 젊은 여성은 두려움이 없는 듯이 보이지만, 이 경우에 그것이 반드시 필요한 것은 아니다. 그녀는 모든 야생 생물의 힘을 두려워하고 존중하라고 당신에게 먼저 말하려고 할 것이다. 그러나 자신의 침착함을 유지하는, 두려움에도 직면하는 것을 배우게 된다.

그녀는 또한 몇몇 동물들이 두려움으로 살아가는 것을 배우게 되고, 그래서 어떤 약점의 낌새도 나타내기를 거부한다. 대신 그녀는 좌절에서 승리를 잡아챈다.

오래된 타로 덱에서 힘은 불굴의 정신이라 했다. 그것은 절제, 정의, 신중과 일치하는 중요한 미덕이다. 비슷한 기질로 리오 또한 용기, 대담무쌍, 의지력의 싸인이다.

리오와 힘 둘 모두는 관대하고, 따뜻하고, 극적이고, 화려하고, 자력적이며, 마음이 강하고, 낙천적이며, 존경할 만하고, 충실하며, 솔직하고, 활력 있으며 제왕답다.

황도대에서 강하고 자신감 있는 흥행사인 대부분의 리오들은 서커스의 중앙 무대에 올라가는 것에 주저함이 없는데, 그것은 찬미하는 군중에게 자신들의 용기와 능력을 드러낼 수 있을 때뿐이다. 힘 카드에 있는 용감하고 젊은 사자 조련사처럼 그들은 스포트라이트를 받는 자신의 능력에 자부심을 가진다.

사실 힘 카드의 대부분 버전에서 사나운 짐승은 단지 리오의 상징 동물인 사자를 생각나게 한다. 리오는 힘 카드가 암시했던 것처럼 대개 강하고, 용감하고, 영감적이며 화려하기 때문이다. 또한 허영심이 강하고, 자부심이 강하며 거만하게 굴 수 있다. 그러나 사자임에도 불구하고 유순한 사자로 길들여졌다면 아마도 약간의 과시하는 권리를 얻었을 것이다.

리오는 신랄함, 비난, 또는 후회 없이 자신들의 사냥감을 사냥하고 죽인다. 리오는 또한 금과 유황과 함께 썬–리오의 지배성–의 원형적인 상징이다.

리오의 그림문자는 사자의 꼬리나 갈기처럼 보인다. 카드의 대부분 버전은 그림문자와 리오 둘 모두의 특징을 이룬다–또는 호랑이나 용과 같은 야생의 무서운 피조물. 위자드 타로에서 힘 카드는 날개 달린 용을 묘사한다–두 날개와 두 다리와 뱀의 꼬리를 가진 용을 닮은 위험한 피조물. 날개 달린 용이 그에게 먹이를 주는 손을 물 것 같지 않더라도, 그 피조물은 위험하기 때문에 어느 정도 친밀한 상호작용이 필요하다.

리오는 황도대에서 다섯 번째 하우스를 지배한다. 어스트랄러저들이 창조성에 대한 정보–창조, 출산, 레크리에이션–를 찾는 곳이다.

리오는 우리 태양계의 빛나는 중심인 썬이 지배한다. 일반적으로 리오는 중심 무대의 스포트라이트에 있는 것을 좋아한다. 어스트랄러지에서 썬은 자아와 개별화를 상징한다.

썬은 리오에 7월 22일에서 8월 22일 사이에 있다. 리오는 지구가 태양에 가장 가까이 있고, 낮이 가장 길고 매우 뜨거울 때인 여름의 가장 더운 달을 지배하는데, 여름이 절정일 때이다. 리오는 픽스드 싸인이다. 픽스드 싸인은 확실하고, 분명하게 규정되고, 틀림없이 열렬하다.

리오는 또한 불 싸인이다. 어스트랄러지와 타로 둘 모두에서 불은 영적인 에너지, 열정, 충동을 나타낸다. 리오는 가장 화려한 싸인 중 하나이고, 하늘의 무리 중 가장 빛나고 두드러지려고 결심한다.

리오는 심장과 척추를 다스린다. 우리가 영웅의 용감함과 결단력을 설명하기 위해 심장과 척추라는 용어를 사용하는 것은 우연이 아니다.

버고 ♍
– 은둔자

어떤 은둔자는 정상에 있는 것이 외로운 것이라고 당신에게 말하기도 한다. 특히 사람들이 자신들을 안내해 줄 지혜와 경험의 빛을 비추어 주기를 당신에게 기대할 때이다.

은둔자는 평범한 문명의 한 부분이 아니라, 자신의 은둔 동굴에서 세상을 계속 관찰하는데, 그 동굴은 우주의 지혜와 배움의 쌓음을 유지하는 곳이다. 그는 은둔하고 있지만 배타적이지는 않다. 그를 따르는 사람들은 그가 어디 있는지 알고 있다. 그는 지표와 안내자로서 봉사할 수 있는 지혜의 등불도 쥐고 있다.

어스트랄러지에서 버고는 의무, 일, 다른 사람에 대한 봉사의 싸인이다. 은둔자는 버고의 특징을 나타낸다. 곧 자기 훈육적이고, 양심적이며, 신뢰할 만하고, 엄격하다. 결점을 간파할 수 있고 그것들을 고칠 수 있는 분쟁해결사이다.

은둔자 카드는 대개 지혜, 신중, 깨달음, 또 철학, 자기성찰, 명상을 나타낸다. 이 카드는 이를 통해 고독, 침묵, 리더십의 개념을 보여준다.

버고는 육체적인 것보다는 좀 더 영적인, 신성하고 순수한 처녀를 나타낸다. 사실 버고의 그림문자는 천사의 양 날개처럼 보이고, 또는 'V'와 'M'처럼 보인다. 성모 마리아Virgin Mary의 첫 글자처럼.

은둔자는 독신의 삶이 운명으로 정해져 있음을 의미하는 것이 아니다. 라틴어에서 '처녀Virgo'는 '결혼하지 않은' 또는 '침착한'을 의미한다. 버고는 의무의 느낌에서가 아니라 선택에 의해 스스로를 맡긴다. 그들은 성실하고, 항상 스스로에게 진실하려고 한다. 역사적으로 신전의 성녀들은 공적인 봉사와 개인적인 책임감으로 살아가는 모범적인 삶으로 공동체에 헌신했다. 은둔자들은 또한 고독하고 침착했지만, 다른 사람들이 따르는 지혜의 빛을 가져왔고, 구도자들과 신봉자들이 따르는 매력적인 대상이다.

그 중심에서 버고는 어느 정도 고립된다. 그것은 일터에서 합리적이고, 실제적이며 분석적인 본성이다. 높은 표준으로 살기 위해 버고는 종종 근면하고, 기략이 풍부하고, 잘 조직된 사람들로부터 자신을 분리해야 한다. 그들은 꼼꼼하고, 그래서 비판적일 수 있다. 대개는 자기 스스로에 대해 가장 비판적이다. 그들은 또한 보다 큰 도움을 주기 위해 노력한다. 당신이 한번 그를 찾아내면, 그는 자신의 여정에서 쌓았던 지혜를 기꺼이 공유하려 한다.

버고는 황도대에서 여섯 번째 싸인이고 여섯 번째 하우스를 다스리는데, 어스트랄러저들이 일과 다른 사람을 위한 봉사의 정보를 찾는 곳이다.

버고는 의사소통의 행성인 머큐리가 지배한다. 타로에서 머큐리는 마법사 카드에 상응한다. 지혜로운 늙은 은둔자와 경솔한 젊은 마법사의 결합은 다른 사람들을 가르치고 도우려는 버고의 열망과 직접적으로 관련된다.

버고에 있는 썬은 8월 23일과 9월 22일 사이에 있다. 이 싸인은 여름의 세 번째이며 마지막 달을 나타낸다. 버고는 뮤터블 싸인이다. 그것은 변하기 쉽고, 다양하며, 한 계절에서 다음 계절로 이동하기 쉽다.

버고는 또한 흙 싸인이다. 어스트랄러지와 타로 모두에서 흙 원소는 안정과 실용성을 상징한다.

버고는 신경계, 소화계와 관련된다. 대부분의 버고는 자신들의 건강을 매우 의식하고, 식이요법과 깨끗한 생활을 하는 데 주의를 기울인다.

▶ 우주의 연결 : **새턴의 망토**

당신이 어스트랄러지에서 타로로 향하고 있다면, 새턴을, 즉 시간과 수확의 고대 신 크로노스와 연관된 은둔자를 생각할 것이다. 당신은 완전히 잘못한 것이 아니다. 즉 타로의 원형에서 겹쳐지는 많은 여지가 있다. 이 카드의 몇몇 초기 버전들은 그를 새턴의 모래시계를 쥐고 있는 망토와 수염이 있는 남자로 묘사했다. 그러나 **라이더 웨이트**는 은둔자를 신중함의 변형으로 묘사했는데, 이는 버고와 이 카드를 관련시킨 것이다.

리브라 ♎
— 정의

정의의 여신은 고대 이집트에서의 초기 화신으로부터 현대 법정에서의 두드러진 위치까지 많은 형상으로 꾸며져 있다. 그녀는 정의 카드에서 활기를 띠는데, 그녀가 저울의 원형에서 균형을 맞추고, 정직과 진실의 중요성을 위해 목격을 강요하는 역할을 하는 곳이다.

당신은 이집트의 진실의 여신 마트Ma'at로서 그녀를 인식할 수 있다. 마트는 사람들이 사후세계로 지나가기 전에 사체의 심장의 무게를 달았던 여신이다. 저울 위에 있는 순수한 심장은 깃털의 무게 이하일 것이다. 리브라처럼 마트는 우주 질서의 화신이었다. 그래서 그녀는 우주가 일련의 규칙과 일치하고, 예언할 수 있도록 보장하기 위해 책임져야 했다.

당신은 또한 고대 그리스의 정의의 여신 테미스Themis로서 그녀를 알고 있다. 그녀는 유아였던 제우스를 자신의 모든 창조물들을 파괴했던 시간의 신인 그의 아버지 크로노스를 피해 안전하게 지낼 수 있도록 도왔다. 또한 영적인 구도자들에게 진리의 비전과 빛을 제공했던 곳인 델포이의 신탁에서 잠시 봉사했던 천부적인 예언자였다.

오늘날 정의의 여신은 거의 항상 천칭 저울과 함께 묘사된다. 천칭 저울은 리브라 싸인의 상징이다. 도상의 형상은 리브라의 개념인 균형, 동등, 은총, 개인적이고 정치적인 모두에 이 카드와 연결된다.

리브라는 문제 해결에 능숙하고, 어떤 갈등이라도 타협하고 외교적인 해결로 조정한다. 때때로 어떤 문제도 두 가지 측면을 보려고 하는 리브라의 필요는 그것을 우유부단하게 만들 수 있다. 그 매력은 원만히 수습하는 것이다.

리브라는 사람들과의 관계를 통해 자신의 균형을 맞출 필요를 타고났다. 그들은 일반적으로 친절하고, 사교적이며 매력적이다. 그들은 특별히 비전 있는 사회적이고 인도주의적인 이상을 가진 사회적인 피조물이다. 그들은 예술적인 추구를 통해 자신을 표현하려는 경향과 예술의 아름다움과 조화에 대한 감상력이 있다.

리브라는 일곱 번째 싸인이다. 황도대의 일곱 번째 하우스를 다스리고, 어스트랄러저들이 결혼, 파트너십, 친밀한 관계에 대한 정보를 찾는 곳이다.

리브라는 비너스가 지배한다. 비너스는 사랑, 끌림, 아름다움과 조화에 대한 애정의 행성이다. 그런 이유로 리브라는 연극에서 콘서트홀, 미술관까지 모든 예술을 다스린다.

타로에서 비너스는 여황제 카드와 상응한다. 이 조합은 균형과 동등함의 사자使者로서 리브라의 역할에 배려와 양육하는 특징을 부여한다.

썬은 리브라에 9월 23일과 10월 22일 사이에 있다. 가을의 첫날이 시작하는 시기로, 카디널 싸인이다. 즉 리더십의 위치, 변화의 시작, 앞으로의 움직임을 취한다. 앞서 있던 에리즈와 캔서처럼 리브라는 변화와 확고한 행동의 대리자이다.

리브라는 공기 싸인이다. 어스트랄러지와 타로에서 공기 원소는 지성적인 에너지를 상징한다. 리브라는 외향적이고, 말하기를 좋아하며, 말을 잘한다. 다른 사람들에게 흥미를 갖고 있다. 그래서 아주 매력적인 방식으로 관심을 표현할 가능성이 있다.

리브라는 인체에서 힘의 장소를 다스린다. 즉 허리와 함께 정화하는 두 신장과 몸의 균형을 맞춘 엉덩이다.

스콜피오 ♏

– 죽음

믿거나 말거나 '죽음' 카드는 나쁜 징조가 아니다. 그것은 운명의 징조나 급박한 파괴가 아니다. 대신 변화의 카드다. 대부분 실제적이고 신체적인 죽음과 관련이 없다. 실제적인 면에서 좀 더 이완하고, 형태의 변화, 변형, 또는 섹스와 수면의 '작은 죽음'을 암시하는 것과 비슷하다.

대부분의 사람들은 죽음을 두려워하는 반면, 스콜피오의 영향 아래에서 태어난 사람들은 암흑을 두려워하지 않는다. 대신 그들은 죽음과 성의 신비가 서로 연결된 것에 홀린다.

스콜피오는 어떤 다른 싸인보다도 죽음을 더 잘 이해할 수 있다. 죽음은 항상 스콜피오의 중요한 상징과 관련된 독침을 가지고 있지 않다.

가끔 스콜피오는 포획의 새 독수리, 죽어서 자신의 재에서 다시 태어나는 신비의 새 불사조로 표현된다(독수리는 네 황도대 피조물 중 하나로, 또 다른 카드에서 함께 출연한다. 운명의 수레바퀴와 세계의 많은 버전들은 리오의 열렬한 사자, 토러스의 현실적인 뿔, 어퀘리어스의 쾌활한 인간 형상, 축축한 스콜피오의 독수리 특징을 이룬다). 그 새는 불로 파괴되고 정화되는 것, 재에서 계속해서 다시 태어나는 것의 상징이다. 그것은 변형과 변화, 변성작용과 재생의 은유이다. 그것은 에너지의 상실을 나타내는 것이 아니다. 대신 변환을 나타낸다.

다시 태어나는 불사조와 같이 죽음 카드는 삶의 한 시기의 완결과 또 다른 새로운 시작의 흥분을 예고한다.

죽음 카드가 타로 리딩에서 보기 싫게 머리를 쳐들고 있을 때, 그것은 또한 이미 일어났던 죽음을 표현할 수 있다. 특히 주의하지 않았거나 인지하지 못하고 지나갔던 것이라면. 그것은 오랜 습관, 오랜 패턴, 그들의 목표에 도움이 되었던 오랜 관계에서 놓여나도록 요청하는 것이고, 이제는 역사의 페이지로 이관되어야 한다고 요구하는 메시지일 수도 있다.

스콜피오는 여덟 번째 싸인이다. 황도대의 여덟 번째 하우스를 지배하고, 어스트랄러저들이 성, 죽음, 공동 자원, 다른 사람들의 돈에 대한 정보를 찾는 곳이다.

스콜피오는 플루토가 지배한다. 플루토는 죽음, 재생, 불가피한 변화를 상징하는 행성이다. 고대 어스트랄러지에서 마스는 스콜피오의 지배자였지만 현대 어스트랄러저들은 플루토를 이 싸인에 할당하고, 타로에서도 또한 그렇게 한다.

타로에서 플루토는 심판 카드와 상응한다. 죽음과 심판 카드의 결합은 삶의 깊은 신비에 대한 스콜피오의 일견을, 또 새로운 삶이 오는 것에 대한 감사를 재확인한다. 이 싸인은 성, 죽음, 유산에 대해 변화시킬 수 있는 힘과 밀접하게 연결된다.

스콜피오는 물 싸인이다. 어스트랄러지와 타로에서 물 원소는 깊은 정서적인 에너지를 상징한다.

썬은 스콜피오에 10월 23일과 11월 22일 사이에 있다. 가을의 두 번째 달이고 밤과 낮이 완전히 균형을 맞출 때, 가을이 절정에 달해 있을 때이다. 스콜피오는 픽스드 싸인이다. 픽스드 싸인은 확실하고, 분명히 규정짓고, 가을의 에너지에서 부정할 수 없는 강력한 힘이다.

스콜피오는 생식기와 연관되는데, 이는 탄생과 죽음의 결코 끝나지 않는 주기가 계속되는 것을 보장하는 것이다.

쌔저테리어스 ♐

— 절제

대부분의 타로 덱에서 '절제' 카드는 본질적으로 다른 원소들을 섞고 혼합하는 연금술적인 과정을 묘사한다. 축축하고 건조하고, 뜨겁고 차갑고, 남성과 여성……. 우리가 탐색할 수 있는 다양한 결합과 변경에는 끝이 없고, 대부분의 경우에는 발견의 모험은 어떤 최종적인 결과보다 더 충족된다.

장거리 여행, 고등교육, 철학 등을 의미하는 쌔저테리어스 싸인에게 여행은 목적지보다 더 중요한 것이다. 쌔저테리어스들은 항상 그저 수평선 너머를 기다리는 모험과 흥분을 좇는다. 그 경계선이 문자적이든 비유적이든.

쌔저테리어스의 궁수는 꾀바른 피조물, 침착하지 못한 모험가, 엉뚱한 철학자이다. 반은 사람, 반은 말인 그는 사람과 짐승의 매끄러운 혼합이다. 그는 정직하고 공상적인 동료를 찾아서 세계를 여행하는 낙천적인 탐구자이다. 그는 열정적이고, 독립적이며, 가고 싶은 곳에 갈 수 있고, 아직 사랑을 모른다.

쌔저테리어스의 그림문자는 화살처럼 보인다. 단순한 움직임으로 궁수는 그의 무기를 풀어놓고, 화살을 새로운 수평선으로 높이 날아오르도록 보낸다. 화살은 그저 시간과 공간을 지나 날아가고, 물질적이고 지성적인 여정은 마음을 넓게 하고 우리의 영역을 넓힌다.

쌔저테리어스는 아홉 번째 싸인이다. 황도대의 아홉 번째 하우스를 다스리고, 어스트랄러저들이 고등교육, 철학, 장거리 여행에 대한 정보를 찾는 곳이다.

쌔저테리어스는 주피터가 지배한다. 주피터는 행운과 확장의 행성이다. 타로에서 주피터는 '운명의 수레바퀴' 카드와 관련된다. '절제'와 '운명의 수레바퀴의 결합'은 쌔저테리어스의 균형 잡히고 낙천적인 본성을 묘사한다.

절제는 고대 그리스에서 다섯 가지 주요한 덕목 중 하나였고, 가톨릭교회의 네 가지 덕목 중 하나이다. 한편 그 단어의 현대적인 해석은 절대 금주를 암시하고, 또한 의학적인 과정을 표현한다. 그것은 강철이 불과 얼음에 의해 담금질되는 것처럼 사람은 시간과 경험에 의해 부드럽고 좀 더 단단하고 튼튼하게 된다.

썬은 쌔저테리어스에 11월 23일과 12월 21일 사이에 있다. 이 싸인은 가을의 세 번째 달이며 마지막 달을 나타내고, 뮤터블 싸인이다. 뮤터블 싸인은 변하기 쉽고 가지각색이고, 한 계절에서 다음 계절로 이동하기 쉽다.

쌔저테리어스는 불 싸인이다. 어스트랄러지와 타로에서 불 싸인은 영적인 에너지를 나타낸다.

쌔저테리어스는 엉덩이와 허벅지와 관련된다. 시간과 공간의 장거리를 가로질러 무게를 견딜 수 있고 승객을 실어 나를 수 있는 '말'과 관련되어 있다.

캐프리컨 ♑

— 악마

악마는 첫인상을 어떻게 만드는지를 안다. 그리고 그는 상대를 어떻게 위협하는지를 안다.

그러나 누군가 카드 게임에서 악마를 이긴다면, 캐프리컨일 것이다. 캐프리컨은 전형적인 사업가이고, 악마는 중요한 특성을 공유하기 때문이다. 따라서 둘은 물질세계의 흔적과 유혹을 모두 아주 잘 이해하고 있다.

캐프리컨은 비즈니스, 직업, 세속적인 성공, 사회적인 지위에 대한 싸인이다. 캐프리컨은 유형재산, 물질적인 자원, 물질적인 존재의 싸인이다. 캐프리컨 썬에서 태어난 사람은 대개 일터와 집에서 열심히 일하고, 높은 성취자이며, 책임감 있는 파트너이다.

그러나 어둠의 주인인 악마 카드는 모든 사람들의 어두운 면에서 비밀스러운 정보를 제공한다. 그는 명백히 죄와 유혹과 연결되고, 또 욕망, 폭음폭식, 탐욕, 게으름, 분노, 질투와 자만심과 연결된다. 그는 부와 물질적인 성공은 우리를 해방할 수도 있고, 또는 우리를 노예로 만들 수도 있다는 것을 안다.

대부분의 캐프리컨들은 자신의 사회적인 지위에 대해 예민하게 알아차린다. 그들의 상징인 발을 단단히 딛고 산양처럼 계속해서 산을 오르고, 끊임없이 더 푸른 목초지를 찾고 있다. 그들은 야망이 있고, 의도적이고, 규범적이며, 부지런하다. 그들은 신중하고, 인내심이 강하며, 안정적이고 잘 참으며, 싫은 사람이라도 인정할 것은 인정한다.

캐프리컨은 새턴이 지배하는데, 새턴은 경계와 제한의 행성이다. 타로에서 새턴은 '세계' 카드와 연결된다. 이 결합은 효율적이다. 악마는 세속적인 피조물로, 물질세계에 확고하게 발을 딛고 있고, 기쁨과 물질적인 존재의 고통 모두와 가깝게 연결되어 있다.

대체로 캐프리컨 영향이 강한 사람들은 비즈니스와 사회에서 스스로를 의도적으로 입증하도록 몰아대는 것을 느낀다. 그러나 이 경우에 악마는 겉모습이 물질세계에 구속된 영혼일 수 있는 강박관념을 드러낸다.

악마는 기독교의 발명이다. 그러나 그 특성의 많은 현상은 음악, 자연, 양, 양치기 신화의 신 판Pan으로부터 유래되었을 것이다. 판의 머리와 상체는 인간을 닮았지만, 하체는 털로 덮인 염소였다.

판은 성, 음식, 술을 포함한 육체적인 만족의 신이었다. 그는 와인의 신인 디오니소스와 비슷하게 연상되었다. 그 결과 악마 카드는 가끔 알코올과 약물 중독을 나타낸다. 판은 길들여지지 않았다. 그는 패닉을 일으킬 수도 있다. 판과 연관되었기 때문에 악마는 애욕적인 쾌락, 거친 행동, 억제할 수 없는 욕망을 상징하기도 한다.

몇몇 어스트랄러저들은 캐프리컨을 혼혈의 피조물로, 즉 반은 염소, 반은 물고기로 묘사한다. 그 상상은 괴물 티폰에게 도망쳐서 나일 강에 뛰어들었던 판에 대한 신화로 거슬러 올라간다. 물속에 잠긴 하체 다리는 물고기 꼬리로 변하고, 반면 상체는 염소를 닮은 형상을 유지했다. 캐프리컨의 그림문자는 염소와 물고기의 모습처럼 보인다.

악마 카드는 또한 켈트의 뿔 모양의 본성과 다산의 신 케루누스와 연관 지을 수 있다. 그 신은 바포메트로, 즉 가끔 거꾸로 된 피라미드에 염소의 머리를 덧붙인 것으로 묘사되는 상상의 피조물이다. 때로 악마 카드는 플루토나 하데스와 연관되는데, 하데스는 지하세계의 주인이고 명계의 왕이다.

캐프리컨은 황도대에서 열 번째 싸인이다. 그것은 직업과 사회적인 지위의 열 번째 하우스를 지배한다. 이 둘은 종종 막대한 비용이 소요되어 성취되는 것이다. 아무도 캐프리컨보다 더 나은 희생을 이해하지 못하는데, 캐프리컨은 권력이 가져올 수 있는 특권을 위해 거의 어떤 대가라도 치를 수 있다.

캐프리컨은 새턴이 지배한다. 새턴은 경계와 제한의 고리 모양의 행성이다. 타로에서 새턴은 '세계' 카드와 상응한다.

캐프리컨이 흙 싸인인 것은 놀랄 일이 아니다. 어스트랄러지와 타로 모두에서 흙 원소는 안정과 실용성을 상징한다. 그것은 유형재산과 물질적인 자산, 물질적인 존재의 싸인이다.

썬은 캐프리컨에 12월 22일과 1월 19일 사이에 있다. 이 싸인은 겨울의 시작을 나타낸다. 캐프리컨은 리더십과 시작의 카디널 싸인으로, 계절의 변화와 새로운 시작을 받아들인다.

캐프리컨은 무릎, 정강이, 발목과 연관된다. 이 셋의 구성은 가파른 산을 오르기를 원하고, 직업과 사회적인 성공의 정점에 도달하기를 바라는 누군가에게는 중요하다.

어퀘리어스 ♒

— 별

무엇이 별보다 더 어스트랄러지적일 수 있을까? 황도대에서 별자리와 싸인은 인간의 마음, 바로 그것을 이해할 수 있도록 돕는다.

타로에서 빛나는 별 카드는 어퀘리어스와 연관되고, 어퀘리어스는 사회적인 의식과 미래의 사고 싸인이다. 어퀘리어스의 별은 이타주의적인 비전이고, 혁명적이고, 좀 더 밝은 내일을 꿈꾸는 선각자다.

어퀘리어스는 예기치 못한 싸인일 수 있다. 어퀘리어스는 대개 비인습적인 자유로운 사고자이고, 가끔 괴짜일 수 있다. 인류에 대한 사랑에도 불구하고, 그들은 가끔 친밀한 1:1 관계를 퇴짜 놓는다. 심지어 초연하다. 그것을 성격으로 받아들이지 마라. 대부분의 어퀘리어스는 있는 그대로 미래에 초점을 맞추는 사람으로서 그냥 약간의 선견지명이 있는 것이다.

'별' 카드는 신화의 힘을 설명하고 있다. 새벽에 이야기꾼들은 캠프파이어 주위로 모여서 자신의 가장 비밀스러운 희망과 꿈을 설명할 때 별을 덧붙이곤 했다. 밤하늘에 있는 모든 별자리는 신화와 관련이 있다.

어퀘리어스는 가끔 그리스 신들 중 술잔을 따라 올리는 미소년 가니메데와 연관된다. 그는 신의 음식, 즉 생명수, 신의 감로주, 불멸의 음료수로 가득 채워진 컵을 지켰다.

위자드 타로 별 카드에서 묘사된 여신은 밤하늘의 이집트 여신인 누트일 것이다. 그녀의 이름 자체가 밤을 의미한다. 즉 그녀는 별을 덮어 가려 땅 위를 보호하려고 아치 모양으로 몸을 굽혔고, 혼돈과 우주의 순종하는 작업 사이에 울타리 역할을 했다. 밤마다 해를 삼켰는데, 그래서 아침을 생겨나게 했다.

이집트인들은 누트와 동일시한다. 이집트인들은 모든 여성이 작은 여신인 누트리트였다고 말하곤 했다.

별 카드는 또한 포스포로스와 헤스페로스와 연관된다. 이는 아침과 저녁에 뜨고 지는 별의 두 이름이다. 이 별은 또한 시리우스, 개자리인 베들레헴, 마태복음의 별자리, 또는 밤을 항해하는 항해사들을 안내하는 북극성이다. 몇몇 전통에 따르면 모든 별은 아직 태어나지 않았거나 사라진 영혼이다.

수천 년 동안 사람들은 안내를 받기 위해 밤하늘을 보았고, 별은 여전히 방향을 상징한다. 항해사들은 북극성으로 항해한다. 어린이들은 저녁별을 보고 소원을 바란다. 젊은 연인들은 유성을 바라보며 행복을 바란다. 어스트랄러저들은 내담자의 삶의 과정을 차트로 그릴 때 별들을 본다.

어퀘리어스는 황도대에서 열한 번째 싸인이다. 그것은 열한 번째 하우스를 다스리고, 어스트랄러저들이 사회집단, 사회 동기, 이상적인 비전, 기술에 대한 정보를 찾는 곳이다.

어퀘리어스는 유레너스가 지배한다. 유레너스는 자유, 반항, 개혁의 행성이다. 유레너스는 '바보'와 상응한다. 별과 바보의 결합은 가슴을 따르는 것을 두려워하지 않는 몽상가에 대한 확실한 묘사이다.

썬은 어퀘리어스에 1월 20일과 2월 18일 사이에 있다. 이 싸인은 겨울의 가운데 달을 나타낸다. 어퀘리어스는 픽스드 싸인이다. 그래서 붙박이별처럼 움직이지 않으며 확실히 정해져 있다.

어퀘리어스는 공기 싸인이다. 어스트랄러지와 타로에서 공기 원소는 지성적인 에너지를 나타낸다. 어퀘리어스에는 물이 등장한다. 그래서 그림문자는 공기와 물의 파동을 나타낸다.

어퀘리어스는 정강이, 장딴지, 발목을 다스린다. 우리가 시간의 강을 간신히 지나갈 때 빠지는 신체 부분이다.

파이씨즈 ♓

– 달

파이씨즈는 종종 황도대에서 가장 신비로운 싸인이라고 알려져 있다. 대부분의 사람들이 현실의 마른 땅에서 전적으로 살아가는 동안, 파이씨즈는 똑같이 직관적이고 영적인 변형의 깊은 물을 통과하여 편안하게 헤엄치고 있다.

땅 위에서 파이씨즈는 침착하지 못하고, 변덕스럽고, 자멸적일 수 있다. 물에서 그 에너지는 좀 더 적절하게 연결되어 흐른다. 그것은 모험적이고, 상상적이며, 창조적이고 예술적이다.

이 초월적인 특징들은 파이씨즈 카드인 달에 반영된다. 그것들은 카드에 있는 여신에서 충분히 설명된다.

달처럼 파이씨즈는 변덕스럽다. 민감하고, 동정적이고, 이기적이지 않고, 직관적이다. 또한 침착하지 못하고, 자기 파괴적이며, 자기 연민적이고 비밀스럽게 될 수 있다.

신화와 역사를 통해 달은 대개 여성성의 상징이 되었다. 그것은 태양빛을 반영하기 때문이다. 달은 종종 태양의 짝이나 동반자로 인식된다. 또한 지구의 동료이고, 시간과 공간의 파트너이다. 달은 부분적으로 자신을 드러내고, 본성에 대한 어두운 면은 숨긴다.

타로에서 달 카드는 그리스 사냥의 여신인 아르테미스와 연관된다(로마인들은 그녀를 디이아나로 알고 있다). 아르테미스의 사냥개들은 그녀의 쌍둥이 남매인 태양의 신 아폴로와 함께 하늘을 장난스럽게 가르는 추적놀이를 함께 했다.

사냥의 역할에서 아르테미스는 명확하고 기탄없이 생명을 취한다. 그러나 그녀는 죽음의 여신이 아니다. 사실 출산의 여신이었고, 세상에서 새 생명을 지키기 위해 헌신했다. 그녀는 태어난 직후, 자신의 쌍둥이 남매를 낳는 것을 도왔다. 고대 그리스 시대에 분만 중인 여성들은 고통을 덜기 위해 아르테미스에게 울부짖곤 했다. 그녀가 자신들의 고통을 끝낼 것이라고, 또는 그 고통을 끝내려고 그들을 죽일 것이라고 믿었다.

달은 또한 존재의 변하는 본성과 삶의 주기를 나타낸다. 매월 모든 싸인을 통과해서 움직이고, 사실 실제로 일 년에 한 번 각 싸인을 완전히 지나간다. 음력과 양력은 완전히 일치하지 않는데, 달은 28일마다 지구 주위를 완전히 한 바퀴 돌고, 태양은 30일마다 뒤쫓아 가기 때문이다.

달은 다산과 창조성을 상징하는데, 이 28일 주기는 전형적으로 여성의 생리 주기이기 때문이다. 또한 임신과 출산과 연관되고, 그 국면이 임신한 여성의 형상과 분명히 걸맞기 때문이다. 즉 홀쭉하고, 그다음 둥글게 배부르고, 다시 홀쭉해진다.

위자드 타로 달 카드에 있는 여신은 이 세 형상이 하나로 된 여신의 의인화이다. 즉 소녀, 어머니, 할머니다. 그 인물은 젊은 여성처럼 홀쭉하다. 그러나 배는 곡선이고 가슴은 풍만하다. 최근에 분만했든지, 아니면 임신 초기다. 동시에 머리는 은발인데, 이는 할머니의 지혜와 경험을 암시한다.

파이씨즈는 물 싸인이다. 어스트랄러지와 타로에서 물 원소는 정서적인 에너지를 나타낸다. 달은 조수간만을 다스림으로써 물을 움직인다.

파이씨즈는 열두 번째 싸인으로, 황도대의 열두 번째 하우스를 다스린다. 어스트랄러저들이 심연, 가장 어두운 비밀과 야망에 대한 정보를 찾는 곳이다. 모두 기억, 꿈, 반영의 물에 잠겨 있다.

파이씨즈는 넵튠이 지배한다. 넵튠은 신비와 환상의 행성이다. 타로에서 넵튠은 거꾸로 매달린 사람과 상응하는데, 공상가의 몸으로 대체 현실을 통해 여행하는 그의 영혼을 자유롭게 해준다.

썬은 파이씨즈에 2월 19일과 3월 20일 사이에 있다. 이 싸인은 겨울의 세 번째 달이면서 마지막 달을 나타낸다. 파이씨즈는 뮤터블 싸인이다. 변덕스럽고 가지각색이며 한 계절에서 다음 계절로 쉽게 이동한다.

파이씨즈 그림문자는 두 물고기의 꼬리처럼 보인다. 그리스 신화에서 두 물고기는 아프로디테와 그녀의 아들 에로스이다. 그들은 괴물 티폰에게서 도망가기 위해 물고기로 변했다. 서로를 잃지 않기 위해 꼬리를 묶었다.

파이씨즈는 발을 다스린다. 발은 지구의 땅에 가장 많이 접지하는 인간 형상의 한 부분이지만, 항상 정서의 눈물어린 영역과 싸울 준비를 하고 있다.

어스트랄러지 실행 : **문 페이스 스프레드**

문 페이스에 기초를 둔 이 배열은 특별히 프로젝트 계획에 좋다. 그것은 목표를 정하고, 어떤 사업의 창조적인 성장과 발달을 다루도록 도울 수 있다.

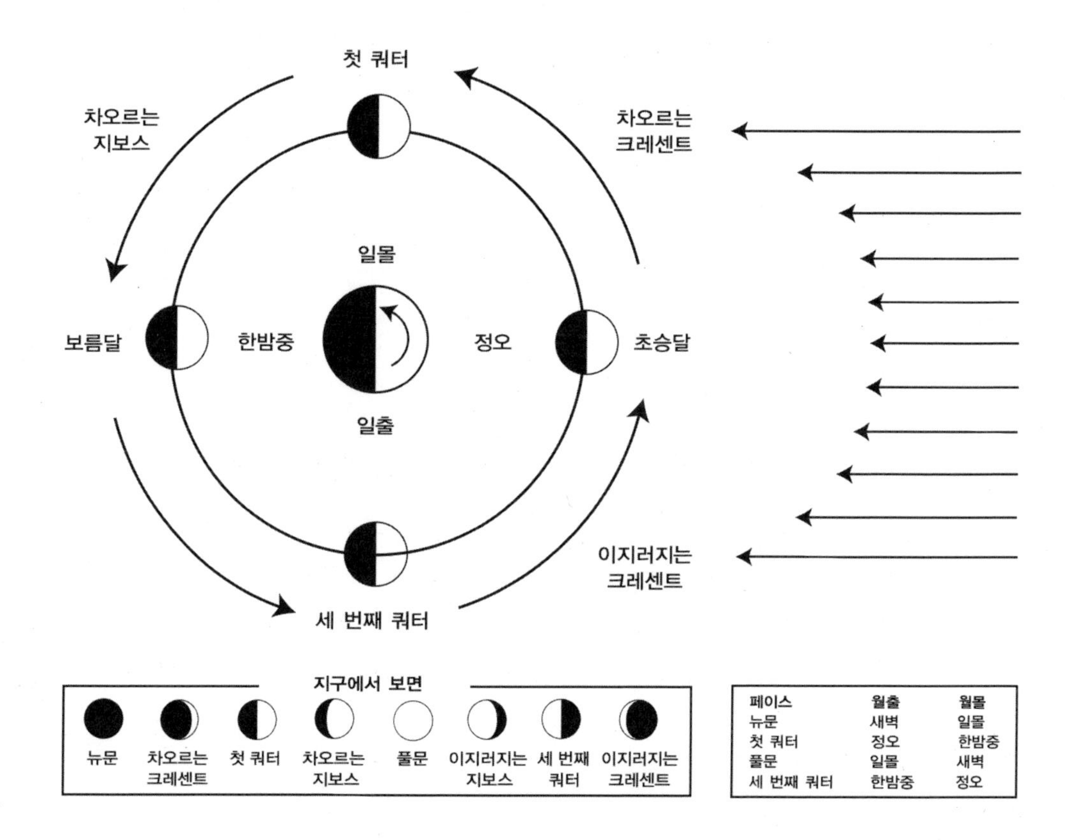

시작을 위해 시그니피케이터(significator : 사람의 운명을 가리키는 별), 즉 리딩의 주제를 나타내는 카드를 선택하라. 시그니피케이터 카드는 사고에 초점을 맞추기 위해, 질문을 명료화하기 위해, 리딩에서 출발점을 생생하게 마음에 떠오르도록 도울 것이다.

덱을 섞어 무작위로 시그니피케이터를 선택할 수 있다. 또는 그 문제를 나타내는 카드를 집을 수 있다. 그 순간의 달 에너지에 조율하고 싶다면, 천체력을 참조하여 달의 현재 싸인과 상응하는 카드를 선택할 수 있다. 다음 풀문을 미리 찾는다면, 당신이 다루거나 해야 하는 일의 타입이 무엇인지도 볼 것이다.

나머지 덱을 섞어서 시그니피케이터 주위에 네 카드를 놓아라. 뉴문 위치에 있는 카드부터 시작하여 시계반대 방향으로 계속하라. 비좁은 공간에서 작업하고 있다면 시그니피케이터 바로 아래에 그 카드를 놓을 수 있다. 그래서 네 개의 주요 카드를 사용할 수 있거나 또는 전력을 다하여 차오르고 이지러지는 크레센트와 지보스를 위해 별도의 카드를 놓을 수 있다. 별도의 카드는 네 개의 주요 카드에 명료하고 향상된 정보가 될 것이다.

● 뉴문은 시작점을 나타낸다. 달 중에서 가장 어두운 것이지만 또한 2주 기간의 시작을 나타내는 것으로, 달이 해에서 물러날 때이고 빛에서 강해질 때이다. 문자적으로 은유적으로 모두 식물의 씨앗을 심기에 좋은 때이다.

◐ 차오르는(첫 쿼터) 달은 날마다 더 크게 자란다. 여기에 놓여 있는 이 카드는 프로젝트의 성장과 결과를 위해 가장 건강한 방법을 결정하도록 도울 것이다.

○ 풀문은 그 계획의 강렬한 정상을 묘사하는데, 그것이 가장 충만한 잠재력에 도달했을 때이다. 이 위치에 놓인 카드는 성취를 희망할 수 있는 최고의 결과를 설명할 것이다.

◑ 이지러지는(세 번째 쿼터) 달은 이 계획을 끝낼 때 선택할 필요가 있는 단계를 상징하고, 다음의 계획을 위한 가능성을 제안하기도 한다.

실제 삶에서 진행을 측정하기 위해 이 달을 보라. 그리고 달 여신의 도우미 훈련견을 그려라. 한 달의 과정을 지나라. 달의 굽은 부분이 낱말 '개Dog'의 철자일 것이다. D는 차오르는 달이고, O는 풀문이며, G는 이지러지는 달이다.

리딩 예 : **신비한 달빛**

제인은 미니애폴리스에서 번화한 오컬트 숍을 소유하고 있다. 그녀는 가게를 확장하기 위해 팟캐스트를 만들고 싶지만 어디서부터 시작해야 할지, 어떻게 진행해야 할지 알지 못한다. 그녀의 계획에서 어떤 빛이 그 달을 비출 수 있는가?

첫 쿼터 : 운명의 수레바퀴

풀문 : 여황제

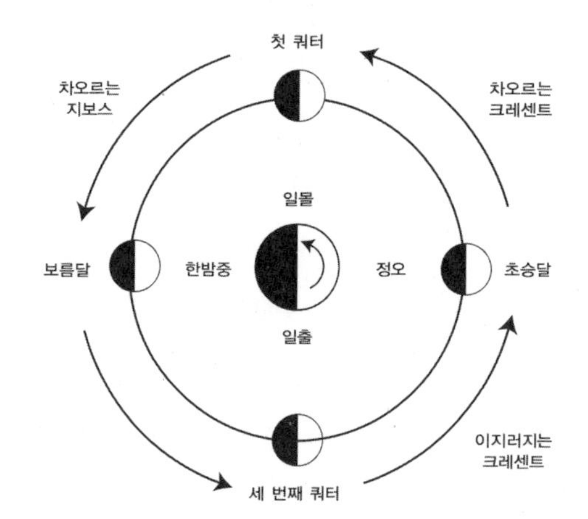

뉴문 : 소드 6

세 번째 쿼터 : 연인

● **뉴문** : 소드 6은 저승사자로서 보조자 역할에서 신의 메신저 머큐리를 묘사한다(영혼의 안내자). 제인의 팟캐스트와 관련지어 볼 때, 그것은 성공적인 라디오 프로그램의 마스터, 즉 프로듀서로서 경험이 상당히 축적된 안내자를 모집하는 것이 좋은 아이디어가 될 것이다.

◐ **차오르는(첫 쿼터) 달** : 운명의 수레바퀴는 주피터와 연결되는데, 성장과 확장의 카드이다. 제인이 가능한 많은 사람들과 닿을 수 있는 어떤 기회의 모험을 해야 한다는 것을 제안하는 것으로, 시작의 국면도 보여주고 있다. 그녀는 자신의 가게 웹사이트만이 아니라 유용하고 다양한 출구를 통해 녹음을 해야 한다.

○ **풀문** : 여황제는 사랑, 끌림, 즐거움의 행성인 비너스에 상응하는 카드다. 라디오 방송이 단순히 듣기 위한 매체인 반면, 제인은 다른 매체의 프로그램에 어필할—제작하는—계획을 원할 것이다. 그녀는 다운로드할 수 있는 매력적인 영상을 개발할 수 있다. 다운로드 중에 가수의 라이브 스튜디오 공연, 주제가, 연결음과 함께 녹음된 인터뷰로 확대할 수 있다. 그리고 자신의 가게의 향기로운 오일과 향초에 초점을 맞출 수 있는 프로그램 아이디어를 고안할 수 있다.

◑ **이지러지는(세 번째 쿼터) 달** : 파트너십과 의사소통의 제머나이가 주제인 카드 '연인'은 그녀가 좀 더 성공적으로 성장하는 것을 보여주는 것으로, 제인이 동업자를 포함시킬 필요가 있다는 메시지인 듯하다. 이 경우에 백짓장도 맞들면 나을 것이다. 즉 팟캐스트를 위해 동업자와 협력하면 긍적적인 시너지 창출에 큰 도움이 될 것이다.

요약 : 메이저 아르카나 상응

그림문자	행성 또는 싸인	의미	타로 카드
☉	태양	깨달음, 자기, 자아. 그림문자는 태양계의 중심에 있는 태양처럼 보인다. 남성성의 상징인 태양은 남편, 아버지, 권위적인 인물을 나타낼 수 있다.	태양
☽	달	주기, 반영. 그림문자는 초승달처럼 보인다. 여성성의 상징인 달은 어머니나 모성을 나타낼 수 있다.	고위 여사제
☿	머큐리 (수성)	빠르기, 의사소통. 그림문자는 날개 달린 헬멧을 쓴 신의 메신저 머큐리처럼 보인다.	마법사
♀	비너스 (금성)	사랑, 끌림, 영적 보물, 다산. 그림문자는 여성의 손거울처럼 보인다.	여황제
♂	마스 (화성)	에너지, 공격, 자기방어, 행동. 그림문자는 방패와 창처럼 보인다.	탑
♃	주피터 (목성)	행운, 성장, 확장, 열광. 그림문자는 행운의 숫자 21이나 '행운fortune'과 운 같은 소리인 숫자 4four처럼 보인다.	운명의 수레바퀴
♄	새턴 (토성)	규율, 한계, 경계, 전통. 그림문자는 교회와 뾰족탑처럼 보인다.	세계
♅	유레너스 (천왕성)	독립, 모반, 자유, 기술. 그림문자는 인공위성과 안테나처럼 보인다.	바보 (입문자)
♆	넵튠 (해왕성)	매혹, 환영, 민감성. 그림문자는 넵튠의 삼지창처럼 보인다.	거꾸로 매달린 사람
♇ ♇	플루토 (명왕성)	죽음, 재생, 피할 수 없는 변화. 한 그림문자는 부활과 환생을 상징하는 성배와 동전처럼 보인다. 대체 그림문자는 플루토의 첫 두 철자처럼 보인다.	심판

♈	에리즈	(3월 21일~4월 20일) 창시자. 마스가 지배. 그림문자는 숫양의 뿔처럼 보인다.	황제
♉	토러스	(4월 21일~5월 20일) 유지자. 비너스가 지배. 그림문자는 황소의 머리처럼 보인다.	신비사제
♊	제머나이	(5월 21일~6월 20일) 질문자. 머큐리가 지배. 그림문자는 두 사람이 나란히 있는 것처럼 보인다.	연인
♋	캔서	(6월 21일~7월 21일) 양육자. 문이 지배. 그림문자는 게의 집게나 여성의 가슴처럼 보인다.	전차
♌	리오	(7월 22일~8월 22일) 충신. 썬이 지배. 그림문자는 사자의 갈기나 꼬리처럼 보인다.	힘
♍	버고	(8월 23일~9월 22일) 수정하는 사람. 머큐리가 지배. 그림문자는 천사의 날개나 성모 마리아의 머리글자인 V, M처럼 보인다.	은둔자
♎	리브라	(9월 23일~10월 22일) 재판관. 비너스가 지배. 그림문자는 저울이 균형 잡힌 것처럼 보인다.	정의
♏	스콜피오	(10월 23일~11월 22일) 촉매자. 플루토가 지배. 그림문자는 전갈의 꼬리에 있는 독침처럼 보인다.	죽음 (변형)
♐	쌔저테리어스	(11월 23일~12월 21일) 모험가. 주피터가 지배. 그림문자는 화살처럼 보인다.	절제 (연금술사)
♑	캐프리컨	(12월 22일~1월 19일) 실용주의자. 새턴이 지배. 그림문자는 염소의 머리와 몸처럼 보인다.	악마 (어둠의 신)
♒	어퀘리어스	(1월 20일~2월 18일) 개혁가. 유레너스가 지배. 그림문자는 물이나 공기의 물결치는 파동처럼 보인다.	별
♓	파이씨즈	(2월 19일–3월 20일) 몽상가. 넵튠이 지배. 그림문자는 두 마리 물고기의 입맞춤 또는 꼬리에 의해 함께 튀어 오르는 것처럼 보인다.	달

※ 카드는 종종 덱마다 다양한 이름을 붙인다. 이 차트 목록은 각 카드의 표준인 라이더-웨이트 이름이다. 괄호 안은 위자드 타로와 상응하는 것을 따른 것이다.

제 2 부

마이너 아르카나

이 부분에서, 어스트랄러지가 어떻게 매끄럽게
마이너 아르카나로 확장되어 다다르는지를 발견할 것이다.

- 에이스는 4원소, 즉 불·흙·공기·물과 상응한다.
- 숫자 카드는 각 싸인에서 10도씩 세분된 데칸과 상응한다.
- 코트카드는 일 년의 바퀴를 순환한다.

4
기본 어스트랄러지

타로 덱의 모든 카드는 4원소 중 하나와 상응한다. 즉 불·흙·공기·물이다. 메이저 아르카나에서 원소의 상응은 황도대의 싸인에 기초한다. 마이너 아르카나에서 원소의 상응은 네 수트의 본성에 기초한다.

에리즈, 리오, 쌔저테리어스의 불 싸인은 영성의 카드인 완즈에 상응한다. 완즈 카드는 일반적으로 불같은 색깔을 포함하고, 밝고, 햇빛이 빛나는 전경이다. 완즈 카드는 영적인 삶, 에너지, 충동을 묘사한다. 대부분의 타로 덱에서 완즈는 잎이 무성한 나뭇가지를 생생하게 자른 것처럼 보인다. 완즈는 불태울 수 있다는 것이 단서이다. 당신은 불타오르는 횃불이 빛과 열에 사용될 수 있는 타오르는 불길로서 각각의 완즈를 묘사하기를 바란다. 또는 다른 말로 하면 깨달음과 영감이다. 영적인 삶은 불을 댕기는 것이다. 영적인 발전은 우리의 이상으로 불을 붙일 수 있고, 열정, 희망, 두려움, 야망으로 연료를 공급할 수 있다.

토러스, 버고, 캐프리컨의 흙 싸인은 물질적이고 육체적인 생존의 카드인 펜타클에 상응한다. 대부분의 타로 덱에서 펜타클은 별 모양으로 디자인된 동전처럼 보인다. 펜타클은 물질적인 삶의 유형적인 실재를 상징한다. 그것들은 우리가 만질 수 있고 느낄 수 있는 것이다. 그들은 돈이나 재산, 그리고 또 영적이고 정서적인 보물들이다. 우리가 소중히 여기는 가치들, 늘 생각하고 있는 기억들, 우리가 가장 사랑하는 사람들과 우리가 항상 가지고 다니는 것들이다.

제머나이, 리브라, 어퀘리어스의 공기 싸인은 지성적인 영역과 의사소통의 카드인 소드와 상응한다. 소드 카드는 우리가 생각하고 다른 사람들과 우리의 생각을 의사소통하는 방식을 설명한다. 실생활의 칼처럼 그 카드는 종종 예리한 것이 될 수 있다. 그래서 그것은 빈번하게 바로 요점을 자른다. 최소한 상징적인 수준에서 그것은 상처를 입힐 수도 있다. 소드의 수트에서 그 카드는 대체로 바람에 노출된 경관, 구름, 날아가는 새와 같이 공기 상징의 특징으로 한다.

캔서, 스콜피오, 파이씨즈의 물 싸인은 관계와 정서적인 애정의 카드인 컵과 상응한다. 컵은 물-삶의 본질-을 담을 수 있고, 실제로 와인이나 샴페인과 같은 어떤 액체든 감상적인 중요한 것을 담는다. 정서와의 연결은 분명하다. 즉 우리는 축하하기 위해, 종교적인 의식을 치를 때 다른 사람들과 교감하기 위해 컵을 사용하고, 가끔 슬픔을 달랠 때 컵을 사용한다. 컵 카드는 인간의 정서가 깊이 흐르는 우물을 상기시키는 역할을 한다. 인간의 몸은 75퍼센트가 물이고, 정신은 바람, 욕구, 충동, 야망에 대해 압도적으로 정서적인 결합을 통해 가동된다.

원소의 균형

수세기 동안 철학자들은 전 우주가 4원소로 구성되어 있다고 믿었다. 그것은 불, 물, 공기, 흙이다. 그들은 각각의 원소가 어떻게 잘 섞이고 어울리는지에 따라 결정한 일차적인 특징과 이차적인 특징이 있다는 데 동의했다.

그 체계에 따르면 다음과 같다.

- 불은 뜨겁고 건조하다.
- 물은 차갑고 축축하다.
- 공기는 축축하고 뜨겁다.
- 흙은 건조하고 차갑다.

상징적으로 원소들은 서로 지탱하고 보완한다. 예를 들어 공기는 불을 살리고, 물은 흙을 양육한다. 그들은 또한 적이 될 수 있다. 그래서 물은 불을 끄고, 공기는 흙에 바람을 일으킨다. 그들은 엇갈리게 작동할 수 있다. 즉 물은 불을 끄고, 공기는 물을 증발시킨다. 보완하는 원소일지라도 균형이 맞지 않으면 파괴적인 효과를 가질 수 있다. 즉 흙과 공기는 불을 끌 수 있고, 불은 물을 증발시키고, 물은 흙을 진흙으로 바꿀 수 있다. 이상적인 우주—이상적인 어스트랄러지 차트처럼—는 모든 4원소의 균형을 함유한다.

몇몇 타로 리더들은 리딩을 향상시키기 위해 카드 배열에서 기본적인 품위를 언급하는 것으로 원소를 사용한다.

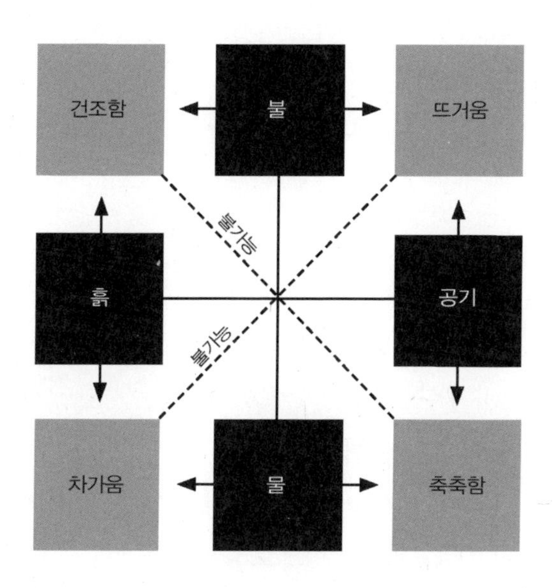

기본적인 품위 배열(이 배열은 본래 코린 켄너의 위자드 타로 핸드북(Liewellyn, 2011)에 있었다.)

이 배열은 4원소의 작동이 어떻게 되는지를 아는 데 도움을 줄 것이다. 카드 자체에 그려져 있는 어떤 원소들에 대해 생각하지 마라. 실제적인 리딩을 위해, 배열에서의 위치만으로 작업하라.

1. 네 장의 중심 카드를 놓는 것으로 시작하라. 각각의 원소에 해당하는 하나의 카드를 놓아라. 즉 불, 공기, 물, 흙이다.
2. 모서리에 원소의 특성을 나타낼 수 있는 네 장의 카드를 더 놓아라. 즉 건조하고, 뜨겁고, 차갑고, 축축한 것.

3. 그 카드가 원소 수준에서 서로 어떻게 관계하는지를 결정하기 위해 그림을 사용하라.

- 불처럼 뜨겁고 건조한 것과 같이 어떤 한 면을 따르는 세 카드는 서로 함께 잘 작업할 것이다. 더구나 다른 면에 있는 두 카드는 가운데에 있는 카드를 보완할 것이다.
- 모퉁이 카드와 공유하는 두 원소 카드—불과 공기, 공기와 물, 물과 흙, 흙과 불—는 또한 함께 작업할 수 있다.
- 불과 물의 위치에 있는 카드—또 흙과 공기에 있는 카드—는 서로에게 정반대로 대항하지만 가운데에서 만날 수 있다.
- 반대 모퉁이에 있는 카드—건조하고 축축한, 또 뜨겁고 차가운—는 조정하기가 불가능할 것이다.

기본적인 에이스

기본적인 결합은 에이스 카드에서 분명하게 설명된다.

이론적으로 에이스는 순수한 잠재성을 나타낸다. 에이스는 마이너 아르카나의 나머지 카드에서 씨앗을 싹트게 할 것이고 약속과 가능성으로 충만하다.

완즈 에이스 △

– 불의 힘

고대 신화에서 프로메테우스는 불뿐만이 아니라 인류를 위해 신들의 능력을 많이 훔쳤다. 우리를 대신하여 그는 창조하고 파괴하는 능력의 통제를 가져왔다. 이는 밤을 밝게 비추기 위해서, 어둠을 극복하기 위해서, 문명을 개선하기 위해서였다. 불은 인간을 짐승과 분리시켰고, 사람들은 도구와 기술을 만들고 발전시키는 것이 가능해졌다.

오늘날 우리는 에너지, 충동, 야망, 깨달음에 대한 은유로써 불을 사용한다. 어스트랄러지와 타로 둘 모두에서 불은 우리의 타는 열정, 기본적인 본능, 가장 열렬한 열망을 상징한다. 어떠한 도구처럼 그것은 건설적인 목적에, 즉 열을 내고 밝게 비추는 것에 사용될 수 있다. 또는 혼란시키고, 불태우며, 손해, 파괴로 잘못 사용될 수도 있다.

완즈 자체는 주의 깊게 사용하고, 고려하고, 의지와 의도를 적용하는 것을 상징한다. 종종 마법 지팡이의 힘을 통해 소환되고 연결될 때이다.

완즈는 적극적이다. 완즈는 컵의 물 같은 수용성에 탁월한 대응물을 만든다.

완즈 에이스는 불의 모든 힘을 상징한다. 에리즈, 리오, 쌔저테리어스의 불 싸인도 마찬가지다. 태양처럼 불은 주의집중을 위한 중심이고, 또 깨달음과 이해의 본질이다. 불은 뜨겁고, 빠르고, 적극적이고, 억제할 수 없으며, 자동적, 충동적, 즉각적이다. 당신은 이런 특징들을 모든 완즈 카드에서 어느 정도 또는 다르게 발견할 것이다. 대부분의 완즈 카드는 불같은 붉은색과 오렌지 색깔이며 심상적인 것이 특징이다.

불 원소의 그림문자는 위를 가리키는 삼각형이다. 그 형상은 캠프파이어처럼 보인다. 완즈 에이스는 여름에 상응한다.

펜타클 에이스 🜃

— 흙의 힘

우리는 이 지구의 아이들이다. 우리는 삶의 대부분을 완전히 중력의 힘에 의해 그 지표면에서 꼼짝없이 어머니 행성에 속박되어 보내고, 그래서 우리는 무게를 지지해 줄 땅에 의지한다. 흙은 단단하고, 실제적이며, 지지하고, 신뢰할 만하고, 물질적이며, 확실하고, 실재적이다.

그러나 흙은 우리의 기반 이상이다. 그것은 우리의 육체를 구성하는 물질이다. 우리는 재에서 재로 돌아간다. 먼지에서 먼지로 바뀐다. 흙은 또한 별들에 대한 우리 비전의 관점이다. 그래서 그것은 우주 공간으로 우리를 실어 나른다.

펜타클 에이스는 흙의 모든 힘을 상징한다. 토러스, 버고, 캐프리컨의 흙 싸인도 마찬가지다.

그것들은 동전 모양의 펜타클에 상응한다. 돈처럼 펜타클은 보물을 나타낸다. 둘은 모두 물질적이며 영적이다. 펜타클은 우리가 귀중하게 여기는 유형의 대상들이 중요하고 덧없는 가치를 훨씬 초월하는 의미가 있다는 것을 상기시키는 데 유용하다. 각 카드의 두드러진 동전과 더불어 수트에 있는 그 이미지들은 종종 흙의 혜택을 상기시키는 것으로 부유하고, 생기가 넘치고, 정원과 같은 장면을 포함한다.

펜타클은 수용적이고, 소드의 공기 같은 에너지에 뚜렷한 대응물을 만든다.

흙 원소의 그림문자는 아래를 보고 있는 삼각형이다. 그것은 중력처럼 강력한 원소의 실제적인 것을 나타내는 수평선이 특색이다.

펜타클 에이스는 겨울에 상응한다.

소드 에이스 🜁

— 공기의 힘

우리의 첫 호흡에서 마지막 호흡까지 공기는 영혼을 육체의 형상과 계속 연결시켜주는 눈에 보이지 않는 힘이다. 공기는 생명의 맥박을 유지시키는 눈에 보이지 않는 영혼의 속삭임이다.

공기는 사고와 의사소통의 영역이다. 우리의 사고와 아이디어는 문자적으로 상징적으로 모두 공기를 통해 전달된다. 우리는 공기를 통해 방송을 전송하고 수신하는 소식과 속보를 받는다.

공기 파장은 순수한 철학적인 구조물이다. 오늘날 대중매체의 시대에서 위성으로 발송되고, 무선 소통이 현실이다.

그러나 상징적으로 말하면 공기는 여전히 지성적인 개념이다. 공기 원소는 마음, 빛, 파악하기 어려운, 들어갈 수 없는, 말하기 좋아하는, 사교적인 특성을 지닌다.

소드 에이스는 모든 공기의 힘을 상징한다. 제머나이, 리브라, 어퀘리어스의 공기 싸인도 마찬가지다. 소드는 말처럼, 그리고 말 없는 생각처럼 공기를 통해 움직인다.

소드는 적극적이다. 그것은 방패 같은 펜타클의 흙 에너지에 확실한 대응물을 만든다.

소드 카드는 종종 노란색으로 구체화하는데, 그것은 공기의 원소를 나타내는 것이다. 또한 바람에 노출된 경관, 구름, 날아가는 새와 같은 공기의 상징을 두드러지게 한다.

공기 원소의 그림문자는 위로 보는 삼각형으로, 칼끝과 비슷하다. 그것은 흙의 표면에서 일어나는 공기와 같이 수평선의 특색을 나타낸다.

소드 에이스는 봄에 상응한다.

컵 에이스 ▽

— 물의 힘

물은 여전히 깊이 흐르고, 컵 에이스는 느낌, 정서, 야망, 기쁨과 슬픔의 깊이를 알 수 없는 원천이다. 그것은 정서적인 삶과 관계의 중요성을 반영하는 의미 있는 카드다.

사람은 감정과 느낌의 피조물이다. 우리는 대부분의 시간을 자신의 느낌을 평가하고, 반응을 측정하고, 다른 사람들이 우리에 대해 어떻게 느끼는지를 걱정하는 데 보낸다. 그 비율은 인체에 있는 물의 실제적인 점유 정도와 비슷할 수 있다. 약 60~70퍼센트의 물이 인체를 이루고, 이와 비슷하게 바다는 지구 표면의 약 75퍼센트를 덮고 있다.

이 카드는 사랑의 치유하는 힘, 또 자비와 용서의 은총을 나타낸다. 그것은 또한 직관의 힘을 생각하는 것에 알맞은데, 이는 우리가 인간의 정서 아래로 흐르는 것을 두드림으로써 성취하는 것이다. 더군다나 그것은 창조성과 다산을 나타내는 자궁과 같은 모양이다.

컵은 수용적이다. 그것은 완즈의 불과 같은 에너지의 멋진 대응물이다.

정서의 물 세계에서, 캔서, 스콜피오, 파이씨즈는 모두 물 싸인이다. 그들은 컵 수트에 상응한다.

물 원소 그림문자는 물이 떨어지는 것과 같이 아래로 향한 삼각형이다.

컵 에이스는 가을에 상응한다.

5

타로, 어스트랄러지, 카발라

황금새벽회의 타로 디자이너들은 기초적으로 고대 유대인에 의해 처음 개발된 신비주의 철학인 카발라에 자신들의 어스트랄러지를 결합시켰다.

본질적으로 카발라는 우주의 창조를 설명하는 신념체계이고, 또 세상에서 인간의 위치를 설명하는 신념체계이다. 그것은 당신이 상상할 수 있는 거의 모든 형이상학적인 주제를 위한 뼈대와 정리체계이다.

사실 황금새벽회의 신비가들은 이 책에서 실제로 사용했던 타로에 어스트랄러지의 상응을 발달시켰던 사람들이며, 카발라의 생명나무에 대한 형이상학적인 사고의 몇몇 분야들을 통합하는 방식으로 타로를 사용했다.

카발라적인 사고의 몇몇 기본 원리들은 대부분의 타로 덱의 표준을 통해 나타난다. 예를 들면 다음과 같다.

- 카발라의 믿음에 따르면, 우주는 번개가 번쩍 하는 것처럼 한 번에 창조되었다. 우주의 '빅뱅'. 당신은 탑 카드의 대부분의 버전에서 번갯불을 볼 수 있다.
- 창조의 그 순간에 순수한 사고의 에너지가 물질적인 물체로 즉시 변형되었다.
- 비록 창조적인 과정이 실제적으로 즉각적이었음에도, 우주의 창조에는 분리된 10단계가 있었다. 그 에너지는 지그재그 과정을 따랐다. 즉 처음엔 오른쪽, 다음은 왼쪽, 그 다음은 다시 오른쪽(생명나무는 유대인의 구조물이고, 그것은 히브리어처럼 오른쪽에서 왼쪽으로 읽는다.)으로 진행되었다. 이 세 에너지는 앞뒤와 옆으로 흐르고, 그것이 물질세계에서 완벽한 균형을

잡기 위해 마지막까지 조화롭게 유지되고 있다.

- 이 방식과 함께 창조의 10단계가 있었다. 한 단계마다 전환점이다.
- 생명나무라 불리는 그림은 우주 창조의 10단계를 묘사한다. 생명나무에서 각 단계는 세피로트 또는 스피어스로 설명되는데, 그것은 나뭇가지에 있는 열매처럼 매달린 것이다. 10세피로트는 타로에서 각 수트의 10개 숫자 카드에 상응한다.
- 각 세피라의 숫자 위치는 상징적인 의미가 있다. 첫 번째 세피라는 에이스 카드처럼 순수한 에너지와 잠재성이다. 각각 다음의 멈추는 지점으로 그 에너지는 물질적인 존재의 현실에 의해 좀 덜 정제되고, 영향력이 좀 더 많이 줄어든다.
- 인류는 열 번째 세피라인 물질세계에서 산다. 어떤 의미에서, 물질세계는 존재에서 가장 낮은 영적인 세피라이다. 그러나 다른 의미에서, 물질세계는 신의 창조적인 노력의 정점을 나타낸다.
- 카발라의 사고에 따르면, 생명나무는 실제로 꼭대기에서 바닥까지 연결된 하나에 네 개의 나무가 있다. 네 개 나무의 네 개 세계가 다음의 마이너 아르카나의 네 개 수트에 상응한다.

1. **아찔루트**Atziluth는 원형의 세계로, 이상, 그리고 창조와 열정과 영감의 불의 완즈 수트에 상응한다.
2. **브리아**Briah는 풍요와 창조의 대천사 세계로, 아이디어가 차차 성장할 수 있고 모양을 잡아가는 물의 컵 수트에 상응한다.
3. **예찌라**Yetzirah는 사고와 형상의 아스트랄계로, 구체적인 양식과 디자인이 입안될 수 있는 공기의 소드 수트에 상응한다.
4. **앗시아**Assiah는 물질계로, 영감, 창안, 디자인이 물질적인 존재로 연합될 수 있는 펜타클의 물질세계에 상응한다.

- 생명나무의 10개 영역은 22경로와 연관되는데, 또한 히브리어 22철자에 상응하고 메이저 아르카나의 22카드와 상응한다. 22 메이저 아르카나는 그 영역들과 연결되는 경로에 대한 수호자와 안내자의 역할을 한다.
- 창조의 에너지가 꼭대기에서 아래로 흐르는 동안, 카발라의 철학자들은 인간은 생명나무

를 거꾸로 올라가서 그들의 창조자와 재결합하는 것으로 그 경로를 사용할 수 있다고 믿는다.

- 유대교의 전통에 따라, 신의 이름은 네 개의 히브리 철자로 구성된다. 그것은 요드 헤 바브 헤Yod Heh Vau Heh이다. 영어로 이 글자들은 대체로 '야훼Jehovah'로 발음된다. 또한 테트라그라마톤Teragrammaton으로 언급된 그 철자들은 4원소와 타로의 네 수트와 상응한다. 요드는 불, 헤는 물, 바브는 공기, 헤는 흙이다.
- 마이너 아르카나의 40펍 카드—코트카드가 제거되었을 때 남은 것들—또한 신의 이름에 있는 네 철자에 상응한다.
- 이들 네 철자는 또한 마이너 아르카나의 코트카드에 반영되는데, 각각의 네 구성원의 네 가족들로 이루어진다.

숫자 카드와 생명나무

우리가 마이너 아르카나의 규칙적인 숫자가 매겨진 카드로 옮겨갈 때, 카발라의 생명나무에 대한 의미가 역할을 할 것이다. 각각의 카드에 있는 숫자들은 모두 생명나무에 있는 숫자들을 떠올리도록 고안되었기 때문이다.

영역 (세피로트)	카 드	어스트랄러지와의 관련	설 명
1. 케테르 왕관	네 에이스	에테르, 영성의 영역	에이스—모든 수트의 첫 번째 카드—는 특이성을 나타낸다. 단일성, 하나의 목표, 기원의 유일점을 상징한다. 에이스는 모든 창조의 근원이고, 카발라의 네 개의 세계에 있으며, 각각의 분리된 원소를 나타낸다. 즉 불·물·흙·공기이다. 그러나 원소들은 물질의 형태로 나타나지 않는다. 여전히 순수한 잠재력의 상태로 있다. 씨앗처럼 그것은 약속과 다음에 오는 모든 숫자의 가능성을 담고 있다.
2. 호크마 지혜의 영역	왕과 2	순수한 원소	2는 이중성을 나타낸다. 2는 분할, 나눔, 한 지점과 대비적인 요소를 표시한다. 그것은 어떤 개념을 비교하고 대조할 가능성을 나타낸다. 또한 지혜와 이해를 위한 시작점이다. 2는 또한 반영을 상징하는데, 그것은 자기 자각으로 이끈다. 타로에서 2는 파트너십과 끌림을 나타내고, 사랑, 기쁨, 조화의 개념에 상응한다.
3. 비나 이해의 영역	3과 여왕	새턴, 구조의 행성	자궁처럼 제3영역은 창조를 위한 그릇이다. 새턴의 에너지는 모양과 형태를 제공한다. 타로에서 3은 창조를 상징하는데, 마치 아이가 어머니와 아버지의 결합에서 나타나는 것과 같다.
4. 헤세드 자비의 영역	4와 시종	주피터, 확장의 행성	제4영역에서 창조는 물질적이고 단단하게 된다. 성장과 확장의 행성인 주피터는 계속되는 발전을 위해 밀어붙인다. 그것은 이 우주가 항상 확장하는 하나의 이유이다. 타로에서 4는 성장과 안정을 상징하는데, 공간의 4차원과 함께한다. 즉 길이, 넓이, 높이, 시간이다.
5. 게부라 힘과 권력의 영역	5	마스, 전쟁의 행성	제5영역은 존재의 10단계에서 중간 지점이다. 대부분의 경우에, 자연의 창조물은 그들의 생존권을 위해 싸워야 한다. 그들은 그 과정에서 좀 더 강하게 된다. 그것이 삶의 순환의 모든 부분이다. 주피터가 확장하는 동안 마스는 수축하고, 그 붉은 행성의 공격적인 에너지는 억제할 수 없는 창조성의 통제되지 않은 혼란에 대해 다른 방법으로 군림한다. 타로에서 5는 위기와 갈등의 카드이다. 그들은 기술과 재능을, 영성과 의지의 도전을 점검한다.

영역 (세피로트)	카 드	어스트랄러지와의 관련	설 명
6. 티페레트 아름다움의 영역	6과 기사	썬, 인식의 빛	제6영역은 영원히 죽고 살며 부활하게 되는 신의 영역으로, 마치 해가 매일 떠오르고 지는 것과 같다. 마스의 제5영역에서 점검받은 사람들은 제6영역에서 다시 각성될 수 있다. 그것은 융합과 재결합의 영역으로, 반대의 힘을 만나서 융합시키는 곳이다. 제6영역은 균형과 조화를 재건한다. 타로에서 6은 성취를 상징한다.
7. 네짜흐 승리의 영역	7	비너스, 사랑과 매력의 행성	제7영역은 삶에서 아름다움과 기쁨을 음미하도록 우리를 돕는다. 그것은 기쁨과 열정을 구현한 것으로, 다른 사람들과 상호작용하도록 우리를 움직인다. 불행하게도 타로에서 7카드는 약하게 되고 불균형하게 될 수 있는데, 우리는 가끔 비너스가 고무시키는 비현실적인 정서와 환영인 비너스의 마력에 희생되기 때문이다.
8. 호드 영예와 영광의 영역	8	머큐리, 사고와 의사소통의 행성	제8영역은 물질적인 현실에서 항상 확고하게 붙잡고 있지 않는 가볍고 빨리 지나가는 머큐리가 지배한다. 머큐리가 정신적인 명료함을 제공하는 동안 그것은 합리적인 시작과 생각의 깊은 이해를 소개할 뿐이다. 그것은 우리가 정서와 경험을 흡수하기 시작하는 장소이다.
9. 예소드 기초의 영역	9	문, 반영의 천체	제9영역은 달빛이 지배하는데, 그것은 그림자 같은 환영으로부터 현실을 구별하기 힘들게 한다. 달은 우리 세계의 부분이다. 그러나 동시에 그것은 우리 세계가 아니다. 그것은 상상과 꿈의 장소이다.
10. 말쿠트 왕국	10과 시종	지구, 우리 현실세계	제10영역—그리고 각 수트의 마지막 카드—에서 원소는 발달의 에너지를 다 써버렸고, 물질적인 존재의 고착된 현실에서 휴식으로 간다. 타로에서 10은 완성을 나타내고, 또한 삶과 세상 경험의 다음 순환을 위해 준비한다.

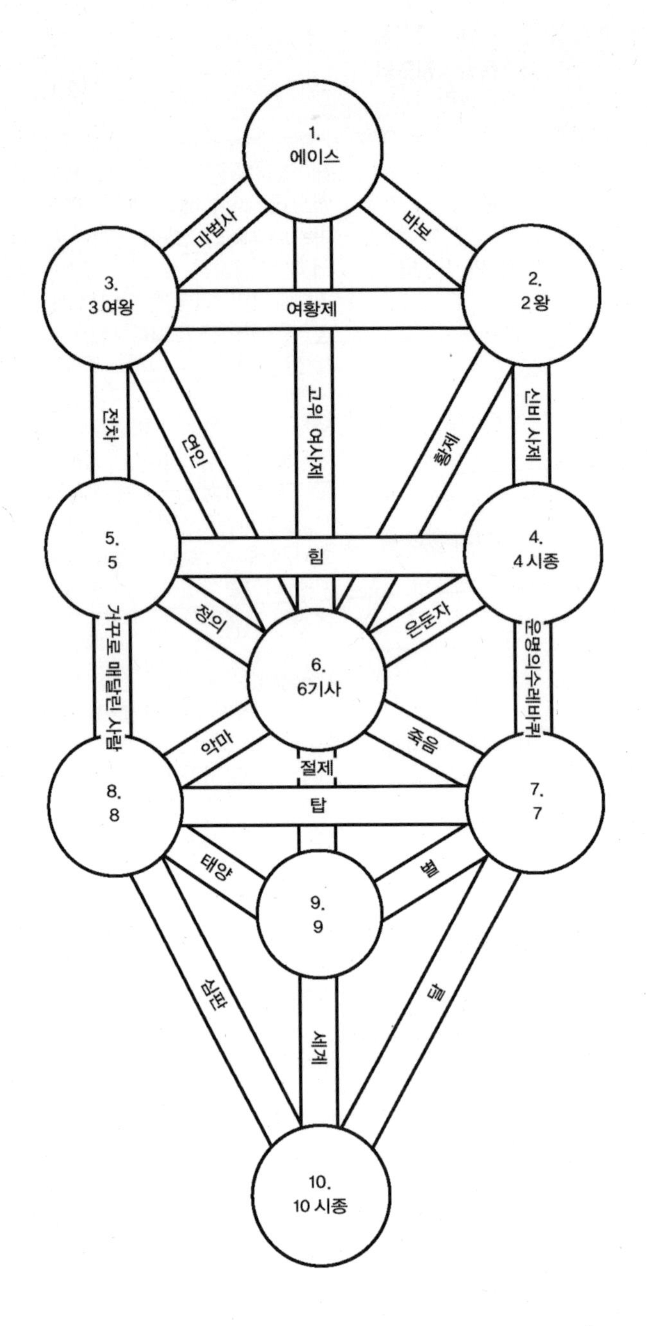
1.
에이스
마법사
바보
3.
3 여왕
여황제
2.
2 왕
전차
연인
고위 여사제
황제
신비 사제
5.
5
힘
4.
4 시종
정의
은둔자
거꾸로 매달린 사람
6.
6기사
운명의수레바퀴
악마
죽음
절제
8.
8
탑
7.
7
태양
별
9.
9
심판
세계
달
10.
10 시종

22경로

22경로는 카발라 생명나무의 세피로트와 연결된다. 22 메이저 아르카나 카드와 상응한다.

- 알레프Aleph — 바보
- 베트Beth — 마법사
- 기멜Gimel — 고위 여사제
- 달레트Daleth — 여황제
- 헤Hé — 황제(크롤리는 황제와 별을 바꾸었다.)
- 바브Vau — 신비 사제
- 자인Zain — 연인
- 헤트Cheth — 전차
- 테트Teth — 적응
- 요드Yod — 은둔자
- 카프Kaph — 행운
- 라메드Lamed — 욕망
- 멤Mem — 거꾸로 매달린 사람
- 눈Nun — 죽음
- 싸메흐Samekh — 예술
- 아인Ayin — 악마
- 페Pé — 탑
- 싸디Tzaddi — 별
- 쿠프Qoph — 달
- 레쉬Resh — 태양
- 쉰Shin — 영겁
- 타우Tau — 세계

6
숫자 카드

어스트랄러지에서 마이너 아르카나의 숫자 핍 카드는 메이저 아르카나 카드만큼 풍부하고 복잡하다. 각각은 황도대 싸인, 행성, 지배자와 상징적으로 연관되는 한 벌이다. 모두 일 년의 바퀴 주변에 체계적으로 배치된다.

이 연관성을 고안하기 위해 초기 덱 디자이너들은 어스트랄러지 차트 주변에 카드를 분배했다.

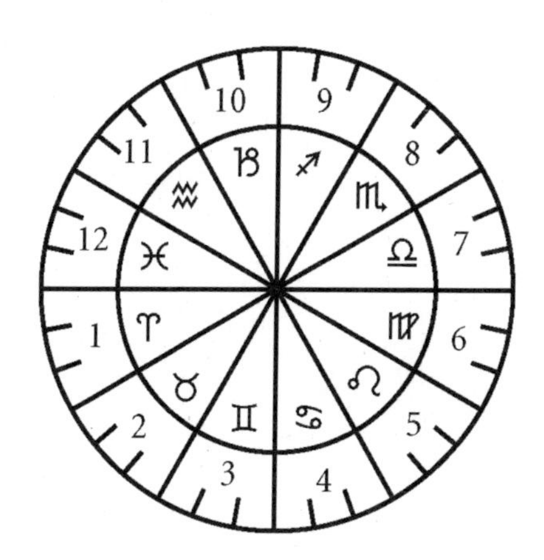

▶ 우주의 연결 : **분점의 세차**

모두 대부분 같은 어스트랄러지의 원리에 의존한다.

	2, 3, 4 (카디널)	5, 6, 7 (픽스드)	8, 9, 10 (뮤터블)
완즈(불)	에리즈	리오	쌔저테리어스
펜타클(흙)	캐프리컨	토러스	버고
소드(공기)	리브라	어퀘리어스	제머나이
컵(물)	캔서	스콜피오	파이씨즈

황도대

일 년의 바퀴를 이해하는 것은 마이너 아르카나와 어스트랄러지의 연결을 이해하는 열쇠이다.

황도대는 12싸인으로 나뉜다. 일반적인 바퀴에서 각 싸인은 파이 모양으로 30도씩 차지한다. 각 조각은 데칸이라 불리는 10도씩의 세 부분으로 다시 나뉜다.

데칸에 대한 공부는 고대 이집트로 거슬러 올라가는데, 초기 어스트랄러저들이 하늘을 가로질러 36별자리를 추적한 곳이다. 그 별자리는 나타났다가 시계태엽장치처럼 떨어져 나갔다. 즉 새로운 별자리가 10일마다 나타난다. 고대 천문학자들은 그 해year에 태양이 지나가는 것을 계산하기 위해 달력처럼 그것들을 참조했다.

뒤에 그리스 사람들은 황도대 싸인에 데칸을 배당했다. 썬은 각 싸인을 지나 여행하는 데 약 30일이 걸리기 때문에 각 데칸에서 약 10일을 보낸다.

바퀴가 360도기 때문에 각각 10도씩 36데칸이 있다. 마이너 아르카나의 36개—2부터 10까지—숫자 핍 카드는 이들 데칸에 배당된다.

카드 다루기

언뜻 보기에 마이너 아르카나 카드의 분배는 임의적인 듯이 보인다. 그러나 이해할 수 없는 방식이 있다. 카드는 자신들의 수트의 원소, 덱에서의 숫자 위치, 각 싸인의 양—카디널, 픽스드, 뮤터블—에 따라 할당된다.

자세하게 살펴보자.

원소의 결합

우리는 카드와 싸인 사이에 원소의 결합으로 시작할 것이다. 기억하기 쉽기 때문이다. 사실 그 결합은 카드 위에 바로 그려져 있다.

에리즈, 리오, 쌔저테리어스의 불 싸인은 불의 완즈 수트에 속한다. 이 수트에 있는 카드는 대개 빛, 열, 영감으로 타오르게 할 수 있고 불타게 할 수 있는 나무 곤봉이나 나뭇가지의 특징을 이룬다.

캔서, 스콜피오, 파이씨즈의 물 싸인은 물의 컵 수트에 속한다. 컵은 물, 생명의 본질을 담는다. 기쁨을 축하하고 슬픔을 달랜다.

제머나이, 리브라, 어퀘리어스의 공기 싸인은 공기의 소드 수트에 속한다. 그것은 말이나 생각처럼 공기 원소를 통해 재빨리 확실하게 움직인다.

토러스, 버고, 캐프리컨의 흙 싸인은 흙의 펜타클 수트에 속한다. 펜타클은 현실 세계의 동전, 유형 재산의 상징, 물질적인 소유, 물질적인 존재인 돈처럼 보인다.

4원소의 양태와 계절

일단 원소의 결합은 적절하고, 개별 카드를 싸인에 연결하여 계절과의 상응을 이용한다. 그것은 카드를 황도대의 일 년의 바퀴에 위치하도록 끼우는 쉬운 방법이다.

카디널 싸인 : 어스트랄러지에서 봄의 첫날은 썬이 에리즈로 움직일 때 시작한다. 캔서의 첫날은 여름의 첫날이다. 리브라의 첫날은 가을의 첫날이고, 캐프리컨의 첫날은 겨울의 첫날이다. 따라서 카디널 싸인은 '처음'을 나타낸다. 각 수트의 2, 3, 4의 처음 세 숫자 카드에 배당된다.

픽스드 싸인 : 토러스, 리오, 스콜피오, 어퀘리어스는 각 계절의 가운데 달로, 가운데 카드 5, 6, 7이다.

뮤터블 싸인 : 제머나이, 버고, 쌔저테리어스, 파이씨즈는 각 계절의 마지막 달이다. 각 수트

의 8, 9, 10의 마지막 세 카드이다.

지배성과
부지배성

마이너 아르카나 카드가 그 바퀴 주변에 배당되고, 각각은 하우스와 싸인에 떨어진다. 예를 들어, 세 카드는 첫 번째 하우스에 놓는데, 에리즈 영역에서 찾는다. 또 그들의 지배성이다. 즉 에리즈는 마스가 지배한다. 우리는 메이저 아르카나 카드에서 그 영역의 지배성에 대해 모두 다루었다.

이제 마이너 아르카나에서 그 싸인에는 더 이상 직접 지배성이 없고 부지배성을 갖는다. 사실 각 데칸—싸인에서 각각 10도씩 다시 나눔—은 부지배성이 있다.

그것은 계층구조이다. 즉 부지배성은 지배성의 후원으로 작업한다. 마치 사장의 감독 하에서 부사장이 일하는 것과 같다. 부지배성을 어스트랄러지의 중간 관리자로서 생각하면 된다.

그러나 어떤 위계에서 최초의 흐름도는 혼란스러울 수 있다. 더 나아가기 전에 당신이 알아야 할 기술적인 자세한 것이 있다. 지배성에 사용했던 같은 공식을 부지배성에게 결정적으로 사용하지 않는다. 메이저 아르카나로 돌아가서 지배성은 현대 어스트랄러지에 따라 배당했다. 지금은 마이너 아르카나로 작업하고 있다. 그러나 데칸의 부지배성은모두 고대 어스트랄러지에서 기원을 찾는다.

다시 말하는데 그것은 중요한 차이가 있기 때문이다. 현대 아스틀롤지의 지배성을 사용하여 메이저 아르카나에 상응시켰지만, 마이너 아르카나에서는 고대 어스트랄러지로 되돌아간다.

그것은 실제로 기품 있는 체계이다. 고대 어스트랄러저들은 우리의 육안으로 볼 수 있는 일곱 개의 빛과 행성들로 작업했다. 그것은 썬, 문, 머큐리, 비너스, 마스, 주피터, 새턴이다. 그들은 행성 지배자를 바퀴의 아래에서 시작하여 동시에 두 면이 움직이는 것으로 나란히 배열했다. 고대 지배자의 이 차트를 보고, 그 규칙을 알게 될 것이다.

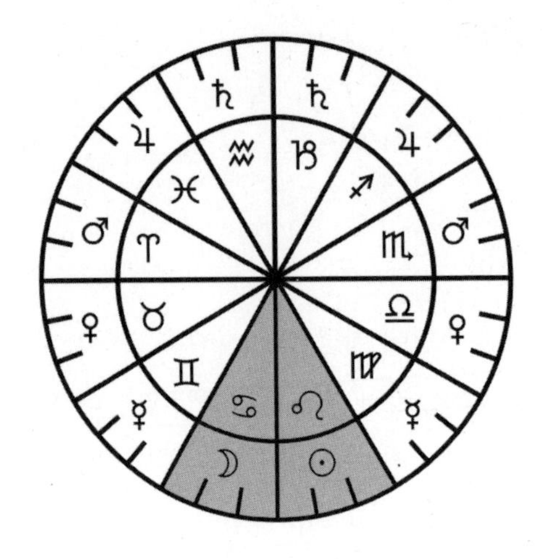

고대인들은 달에게 캔서의 지배권을, 그리고 태양에게 리오의 지배권을 주었다. 이 둘은 밤과 낮에 지구에 빛을 제공하고 따뜻하게 해주는 발광체이다. 캔서와 리오는 일 년 중 가장 길고, 가장 더운 날을 나타내는 것과 일치하지 않는다.

나머지 배당은 태양과 다른 행성들 간의 거리를 기초로 했다. 머큐리는 가장 짧은 궤도를 돌고 있다. 그래서 항상 썬에서 한 싸인 이내에 있다. 즉 머큐리는 버고나 제머나이에 할당했다. 또한 비교적 작은 궤도인 비너스는 썬에서 두 싸인 이내에 있다. 그래서 비너스는 리브라와 토러스에 배당되었다. 마스는 스콜피오와 에리즈에 배당된다. 주피터는 쌔저테리어스와 파이씨즈, 가장 차갑고 먼 거리에 있는 새턴은 어퀘리어스와 캐프리컨에 해당된다. 두 싸인은 리오와 캔서와 정반대에 있다.

그러나 현대 어스트랄러지에서는 유레너스, 넵튠, 플루토가 포함된다. 이 세 행성은 망원경의 도움으로 발견되었다. 20세기에 고대 어스트랄러지 체계에서는 이들 외행성들을 포함시켜 개정했다. 현대 어스트랄러지에서는 플루토는 스콜피오, 유레너스는 어퀘리어스, 넵튠은 파이씨즈를 지배한다.

다음 차트 그림은 고대와 현대의 지배성의 차이를 나타낸다. 현대의 지배성은 모두 차트의 안쪽에 보인다. 고대 지배성들—현대 지배성들에 의해 배치되었던—은 차트의 바깥쪽에 그려져 있다.

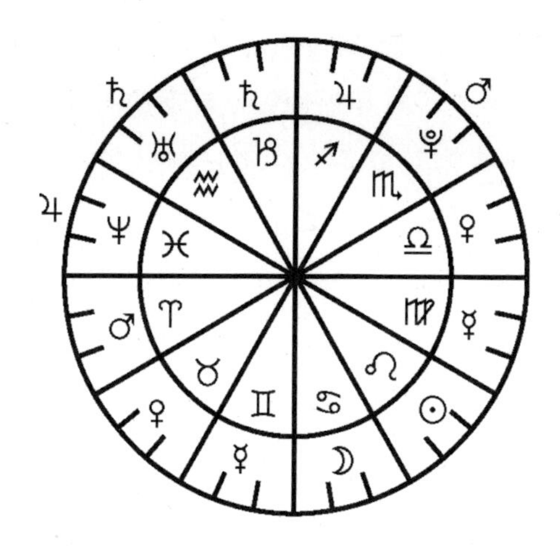

부지배성

황금새벽회 덱 디자이너들은 마이너 아르카나 카드의 부지배성들을 선택하기 위해 어스트랄러지의 가장 초기 시대로 거슬러 올라갔다. 그들은 아주 먼 옛날로 되돌아가서 여행하면서 칼데아 체계를 선택했다.

고대 바빌론의 칼데아 사람들은 이 세상 최초의 어스트랄러저들 중 몇몇이었다. 그들은 속도에 기초하여 행성들을 분류했다. 태양을 우리 행성들의 중심에 두고, 외행성들을 한쪽에 두고, 내행성들—태양과 지구 사이에 있는 행성들—은 다른 쪽에 두었다(현대 어스트랄러지를 공부할 때, 각 싸인의 원소에 각각의 데칸에 해당하는 지배성들을 배당한다면 타로와의 상응은 정확하지 않은 듯하다. 혼란스러워하지 마라. 타로에 관한 한 그냥 기억하라. 마이너 아르카나 지배자는 행성의 순서가 고대 어스트랄러지와 칼데아 체계의 행성에 기초한다는 것을).

공교롭게도 칼데아 체계는 카드에서 매끄럽게 바뀐다.

덱 디자이너들은 에리즈를 첫 데칸의 주인공으로 선택했다. 그들은 차트의 시작으로 에너지와 활동의 행성인 마스를 선택했다. 그다음 칼데아 행성들의 질서에 따라 데칸의 나머지에 부지배성들을 배당했다.

전체 체계가 어떻게 되는지 보기 위해, 마이너 아르카나 카드 배당을 보라.

▶ 우주의 연결 : **고대의 영감**

덱 디자이너들은 여러 세기 동안 각자 다른 사람들의 작업을 참고해서 카드를 디자인했다. 그러나 오늘날 대부분의 타로 리더들은 그들이 익히 알고 좋아하는 마이너 아르카나 카드가 고대 주제와 특색의 변화가 아니라는 것을 알아차리지 못한다. 사실 많은 것이 데칸과 연관된 고대 어스트랄러지의 상징에 기초를 두고 있다.

〈타로의 신비로운 기원Mystical Origins of the Tarot〉에서 저자 폴 후손은 현대 덱 디자인의 역사적인 기초를 설명한다. 그는 14세기경에 아라비아어에서 라틴어로 번역된 어스트랄러지의 마법에 대한 책 〈피카트릭스Picatrix〉처럼 기본 자료에서 발췌했다. 타로와 어스트랄러지의 원천으로 깊이 뛰어들고 싶어 한다면 후손의 책은 읽을 가치가 매우 높다.

아서 에드워드 웨이트와 파멜라 콜먼 스미스는 라이드-웨이트 타로를 작업하기 위해 데칸의 고전적인 설명을 참고했다. 뒤에 토트 타로를 개발했던 알레이스트 크롤리와 프리다 해리스 역시 마찬가지다. 사실 웨이트와 크롤리 모두 카드를 디자인했는데, 카드의 어스트랄러지의 의미에 대한 그림의 열쇠로서 도움이 되기 위해서였다.

마이너 아르카나 카드 배당

데 칸	대략적인 날짜	마이너 아르카나 카드	부지배성
1st 0–10° ♈	3월 21~30일	완즈 2(불)	마스
2nd 10–20° ♈	3월 31일~4월 10일	마완즈 3(불)	썬
3rd 20–30° ♈	4월 11~20일	완즈 4(불)	비너스
1st 0–10° ♉	4월 21~30일	펜타클 5(흙)	머큐리
2nd 10–20° ♉	5월 1~10일	펜타클 6(흙)	문
3rd 20–30° ♉	5월 11~20일	펜타클 7(흙)	새턴
1st 0–10° ♊	5월 21~31일	소드 8(공기)	주피터
2nd 10–20° ♊	6월 1~10일	소드 9(공기)	마스
3rd 20–30° ♊	6월 11~20일	소드 10(공기)	썬
1st 0–10° ♋	6월 21일~7월 1일	컵 2(물)	비너스
2nd 10–20° ♋	7월 2~11일	컵 3(물)	머큐리
3rd 20–30° ♋	7월 12~21일	컵 4(물)	문
1st 0–10° ♌	7월 22일~8월 1일	완즈 5(불)	새턴
2nd 10–20° ♌	8월 2~11일	완즈 6(불)	주피터
3rd 20–30° ♌	8월 12~22일	완즈 7(불)	마스
1st 0–10° ♍	8월 23일~9월 1일	펜타클 8(흙)	썬
2nd 10–20° ♍	9월 2~11일	펜타클 9(흙)	비너스
3rd 20–30° ♍	9월 12~22일	펜타클 10(흙)	머큐리

데 칸	대략적인 날짜	마이너 아르카나 카드	부지배성
1st 0–10° ♎	9월 23일~10월 2일	소드 2(공기)	문
2nd 10–20° ♎	10월 3~12일	소드 3(공기)	새턴
3rd 20–30° ♎	10월 13~22일	소드 4(공기)	주피터
1st 0–10° ♏	10월 23일~11월 2일	컵 5(물)	마스
2nd 10–20° ♏	11월 3~12일	컵 6(물)	썬
3rd 20–30° ♏	11월 13~22일	컵7(물)	비너스
1st 0–10° ♐	11월 23일~12월 2일	완즈 8(불)	머큐리
2nd 10–20° ♐	12월 3~12일	완즈 9(불)	문
3rd 20–30° ♐	12월 13~21일	완즈 10(불)	새턴
1st 0–10° ♑	12월 22~30일	펜타클 2(흙)	주피터
2nd 10–20° ♑	12월 31일~1월 9일	펜타클 3(흙)	마스
3rd 20–30° ♑	1월 10~19일	펜타클 4(흙)	썬
1st 0–10° ♒	1월 20~29일	소드 5(공기)	비너스
2nd 10–20° ♒	1월 30일~2월 8일	소드 6(공기)	머큐리
3rd 20–30° ♒	2월 9~18일	소드 7(공기)	문
1st 0–10° ♓	2월 19~28일	컵 8(물)	새턴
2nd 10–20° ♓	3월 1~10일	컵 9(물)	주피터
3rd 20–30° ♓	3월 11~20일	컵 10(물)	마스

▶ 우주의 연결 : **하늘의 보호자**

현대 황금새벽회의 타로 덱 디자이너들은 네 개의 에이스를 매우 강조한다. 에이스는 각 수트의 출발점을 나타내는 것뿐 아니라 또한 씨앗과 같다. 수트에 있는 다른 모든 카드의 미개발된 중심으로 포함시킨다.

오히려 일 년의 바퀴에 두기 위해 에이스를 배당하기는커녕, 디자이너들은 황도의 북극과 함께 네 개의 에이스를 배치한다. 그 위치를 보기 위해, 우주의 중심에 지구를 그리고, 하늘의 모양을 그 주위에 원으로 그려라. 마치 원 안에 있는 원처럼, 또는 공 안에 있는 공처럼. 황도의 북극은 천구의 꼭대기에 표시한다. 그 위치에서 네 개의 에이스는 하늘을 보호한다.

에이스는 황도대에도 위치하지 않는 네 시종(pages)에 의해 현실에 발을 붙인다. 대신 네 시종은 불, 흙, 공기, 물의 4원소를 상징하고, 그들은 에이스의 '왕좌' 역할을 한다.

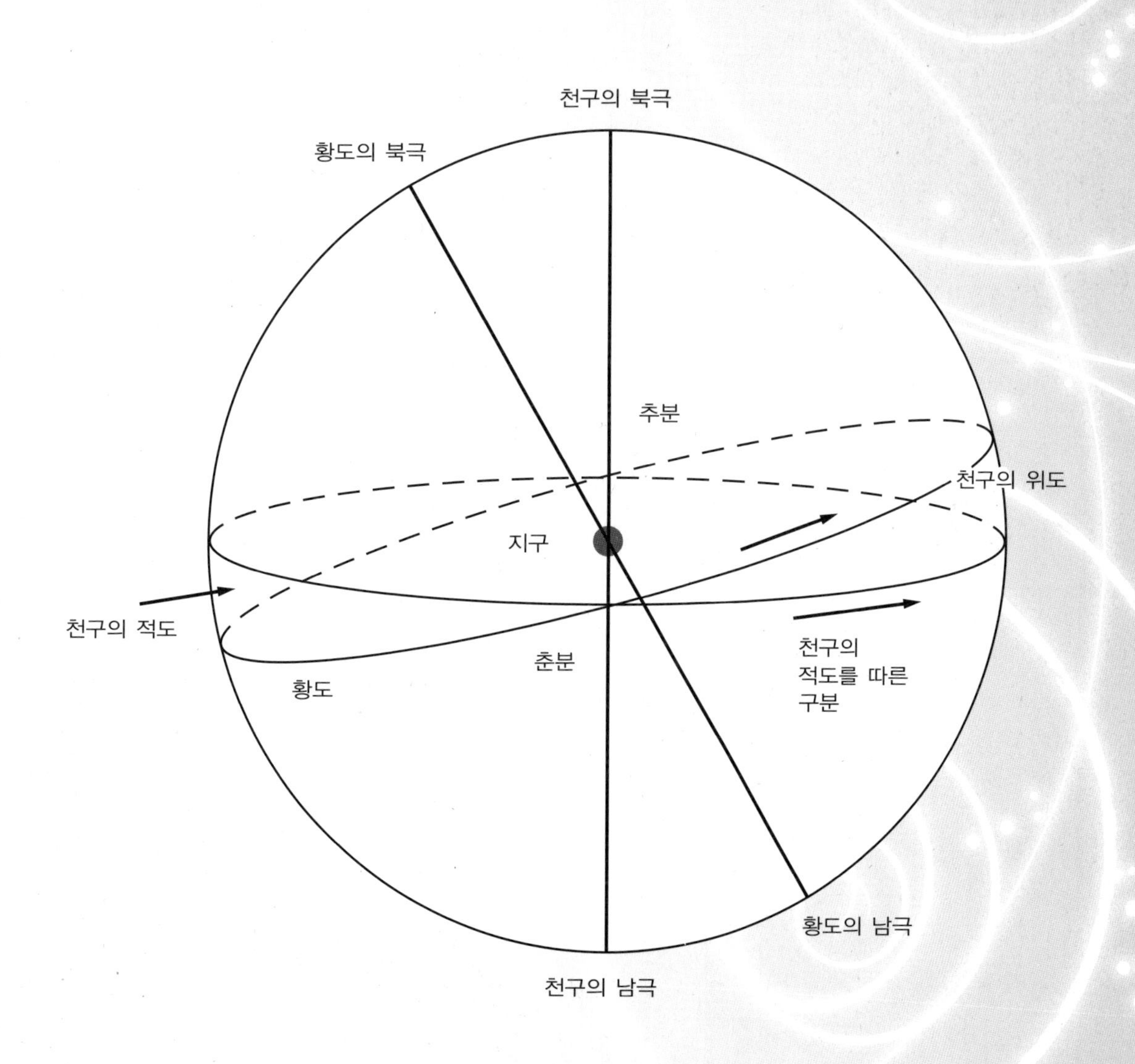
천구의 북극
황도의 북극
추분
천구의 위도
지구
천구의 적도
춘분
천구의
적도를 따른
구분
황도
황도의 남극
천구의 남극

7

싸인에 있는 행성들

마이너 아르카나의 구조는 기술적이고 건조한 듯 보이지만, 배치는 카드의 심상에서 살아 움직이는 것으로, 상응하는 모든 것에 가능하도록 만든다.

행성

그리기

당신은 이미 행성과 싸인을 만났다. 메이저 아르카나 카드로 돌아가라. 이제 마이너 아르카나 카드로 이동할 때, 다시 그것들을 만날 것이다.

행성들과 싸인들은 인간의 형상을 취하는데, 그들은 메이저 아르카나에서 했던 것과 같다. 예를 들어, 우리는 먼저 여황제의 모습으로 비너스를 만났다. 비너스는 사랑, 아름다움, 매력의 여신이다. 일반적으로 비너스는 자신의 싸인인 리브라의 특성에 초점을 맞추어, 사교적인 매력과 균형을 나타낸다. 그러나 여황제처럼 비너스가 다른 싸인에서 행성의 부지배자로서 자신을 발견할 때, 비너스는 에리즈의 세 번째 데칸 불에서 하는 것처럼, 거기서 자신의 매력을 드러내려고 노력한다.

어떤 행성들은 다른 싸인들보다 특정 싸인에 있을 때 훨씬 더 편안하다. 비너스는 리브라에 있는 것을 좋아하는데, 자신이 그 싸인을 지배하고 있다. 그러나 180도에 있는 에리즈로 비너스를 보내보라. 그러면 비너스는 다른 나라에 있는 이방인처럼 느낀다. 비너스는 자신과 완전히 다른 원소, 에너지, 환경과 함께 일하도록 강요당한다. 이는 비너스가 확실히 불리한 처지에 있다는 의미이다.

어스트랄러저들은 행성이 황도대의 다양한 싸인에서 어떻게 느끼는지—그리고 기능하는지—를 분류하는 본질적인 품위 체계를 사용한다. 당신이 싸인들 주위에 카드를 움직일 때, 즉 행성 자체가 속하지 않은 낯선 지역과 하우스를 방문하고 있을 때, 이 그림과 관련된 것을 계속 기억하거나 참조할 수 있기를 바랄 것이다(고전 어스트랄러지에 기초한 본질적인 품위 체계는 육안으로 볼 수 있는 일곱 행성만을 언급한다. 현대 행성들 —유레너스, 넵튠, 플루토—은 이 체계에 포함되지 않는다. 다행히 그것은 우리에게 문제가 되지 않는다. 마이너 아르카나 배치 또한 고전 어스트랄러지에 기초하고 있기 때문이다)

품위와
쇠약

행성	품위(거주지)	기능 항진	품위 손상	쇠퇴
썬	리오	에리즈	어퀘리어스	리브라
문	캔서	토러스	캐프리컨	스콜피오
머큐리	제머나이/버고	버고	쌔저테리어스	파이씨즈
비너스	토러스/리브라	파이씨즈	에리즈	버고
마스	에리즈/스콜피오	캐프리컨	리브라	캔서
주피터	쌔저테리어스/파이씨즈	캔서	제머나이	캐프리컨
새턴	캐프리컨/어퀘리어스	리브라	캔서	에리즈

품위(거주지) 행성은 자신들의 거주지에, 즉 그들이 지배하는 싸인에 있을 때 집에 있음을 느낀다. 예를 들면, 태양의 집은 리오, 달의 집은 캔서에 있다. 자신의 집에 있는 행성은 가장 품위 있는 형태로 존재한다고 말한다.

품위 손상 보통 행성이 위치하는 곳으로부터 180도, 집에서 가장 먼 곳에서 발견된다. 행성은 집과 정반대의 장소에서 기능하기 위해 강요당한다. 행성은 약하다. 그 장소에서 행성은 품위 손상이다.

기능 항진 전통적인 일곱 행성 각각은 황도대 싸인에서 항진되는 곳이 있다. 행성의 에너지가 편안해지는 곳이다. 기능 항진에 있는 행성들은 다른 행성의 집에서 명예로운 손님으로 대접받는다. 몇몇 어스트랄러저들에 따르면 기능 항진은 에덴동산에서 아담과 이브가 신의 은총으로부터 추락하기 전의 행성들의 본래 거주지이다.

쇠퇴 한편, 쇠퇴는 행성들이 기능 항진인 곳에서 180도 반대편 싸인에 있는 것이다. 오히려 명예로운 손님이기보다는, 환영받지 못하는 방문자이다. 행성은 초라하고 거절당하여 에너지가 가장 약화되는 곳에 있다.

행성의 힘

행성이 어떤 싸인에 있든, 당신은 황도대 싸인의 여행을 통해 행성들 사이의 주제를 상기하는 것에 주목하게 될 것이다.

- **태양**은 우주 에너지와 정체성의 핵심으로, 자신과 닿는 모든 것을 가장 밝게 하고 개별화한다.
- **달**은 반영과 직관의 천체로, 정서의 깊이와 자비를 더한다.
- **머큐리**는 스피드와 의사소통의 행성으로, 합리성, 논리, 지적인 이해를 더한다.
- **비너스**는 사랑, 매력, 아름다움의 행성으로, 자신과 닿는 모든 것에게 매력과 유익한 선물로 축복한다.
- **마스**는 공격과 주장의 전사 행성으로, 강렬함, 에너지, 충동으로 접촉하는 곳에 힘을 준다.
- **주피터**는 태양계에서 가장 큰 행성으로, 자신이 지나가는 모든 곳에 확장과 행운을 가져다 준다.
- **새턴**은 제한, 경계, 구속의 고리가 있는 행성으로, 자신에게 닿는 모든 것을 수축시킨다. 고전 어스트랄러저들은 새턴을 흉성으로 생각했지만, 항상 부정적인 영향만을 준 것은 아니다. 새턴은 지나가는 길에서 만나는 모든 것들에게 구조화와 규율을 제공한다.

▶ 우주의 연결 : **마이너 아르카나의 상응과 당신**

당신이 마이너 아르카나 카드를 조사할 때, 그것들 중 몇몇이 당신의 출생차트에 있는 행성들의 배치를 설명하고 있다는 것에 주목할 것이다. 예를 들어, 에리즈에 비너스가 있을지도 모른다. 완즈 4에 그려져 있는 커플처럼 당신이 볼룸댄스의 삶을 위해 운명되어졌다는 의미인가?

아마 아닐지도 모른다. 마이너 아르카나 상응은 내추럴 황도대와 관계가 있다. 그것은 개인의 출생차트와 그다지 상응하지 않는다. 사실 실생활 차트에서 그것이 다른 행성과 싸인과 공유하는 어떤 유사성은 단지 일치에 의한 것이다.

게다가 데칸은 단지 36개의 가능한 결합만을 다루고 있기 때문에, 그 배당률은 마이너 아르카나 카드에서 설명된 어떤 행성과 싸인도 당신의 실제 출생차트에 있는 어떤 행성과 싸인처럼 똑같은 배치를 공유하지 않을 것이다.

그럼에도 마이너 아르카나 카드 중 하나는 당신의 출생 차트와 상응할 것이다. 당신의 썬 싸인에 기반해서 말이다. 그들 중 하나는 당신 성격의 중요한 측면을 설명하거나 또는 당신의 삶 이야기에서 주제를 묘사할 것이다.

당신에게 가장 의미 있는 카드를 찾기 위해서 당신의 출생차트를 살펴보고 썬의 위치를 확인하라. 도수와 분이 분명히 표시되어 있어야 한다. 썬이 어느 싸인의 0도와 10도 사이에 있다면, 그 싸인의 첫 번째 데칸 사이에 태어난 것이다. 썬이 10도와 20도 사이에 있다면, 두 번째 데칸 중에 태어난 것이다. 당신의 데칸에 상응하는 그 카드는 당신에게 어떤 개인적인 의미가 있을 것이다.

에리즈의 세 개의 데칸

카디널 불 : 완즈 2, 3, 4

◆ ◆ ◆

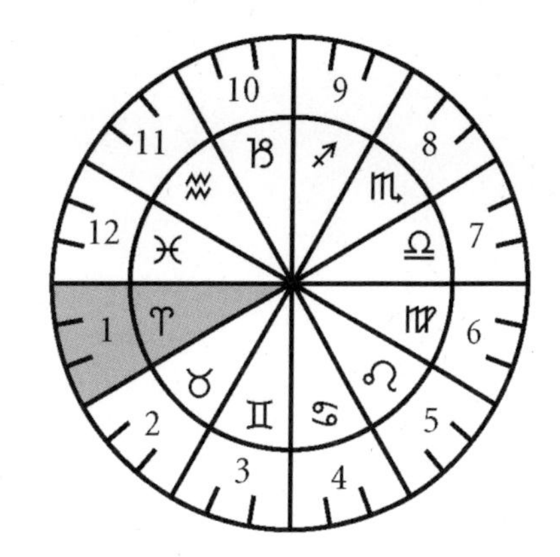

우리는 에리즈의 세 데칸으로 나뉜 것에 상응하는 카드와 함께 마이너아르카나의 여행을 시작할 것이다. 그것은 완즈 2, 3, 4이다.

에리즈는 불 싸인이기 때문에 그 카드들은 완즈의 불 수트에 속한다. 카디널 싸인이기 때문에 새로운 시작의 상징이고, 카드는 그 수트의 첫 세 카드다.

카드와 카드의 특성을 공부할 때, 그것들은 그 싸인의 똑같은 특성을 모두 공유한다는 것을 기억하라.

- **싸인:** 황도대에서 첫 번째인 에리즈는 리더십, 권위, 시작의 싸인이다. 에리즈에 있는 모든 세 카드는 지도자와 권위적인 인물을 묘사한다.
- **상태/특징:** 에리즈는 카디널 싸인이다. 카디널 싸인은 계절의 변화에서 문지기이기 때문에, 그 특성은 에리즈의 시작하는 변화에 속한다. 그것들은 결정적이고 빠르고 원기왕성하다.
- **원소:** 에리즈는 불 싸인으로, 완즈의 수트에 배당된다. 원소와 수트 모두는 충동적이고 본능적이며, 용감하고 직접적이고 활기차며, 열광적이고 자발적이다.
- **이중성:** 불 싸인은 남성성으로, 적극적이고 공격적이며, 확신적이고 직접적이며 원기왕성하다. 그들은 점 A에서 점 B로 선형으로 움직인다.
- **상응하는 메이저:** 에리즈는 황제에 상응하고, 지배하는 행성은 마스로, 탑에 상응한다.

첫 싸인의 첫 데칸을, 그리고 마이너 아르카나의 첫 숫자 카드를 유의해서 보자.

▶ 우주의 연결 : **명예 직위**

마이너 아르카나 카드의 황금 새벽회 디자이너들은 그 행성에 명예 직위를 주었는데, 그들의 힘을 각 싸인의 부지배자로 설명하기 위해서다.

이 고풍스러운 타이틀은 매력적일 수 있는 한편, 또한 혼란스럽고 불가해한 듯이 보인다. 다만 직위가 그 행성의 성격을 의미한다고만 기억하라. 그러면 우리는 그들이 하는 역할을 기억할 수 있다.

예를 들어 완즈 6은 리오에 있는 주피터를 묘사한다. 어디를 여행하든 주피터는 행운의 행성이다. 그러나 주피터가 용기와 힘의 싸인인 리오를 통해 움직일 때, 리오는 영감을 줄 수 있는 용기와 대담함을 보상한다. 그 결과 황금 새벽회 덱 디자이너들은 리오에 있는 주피터를 '승리의 주인'이라 불렀는데, 그것은 용기에 대한 보상으로서 승리를 베풀기 때문이다.

완즈 2:에리즈에 있는 마스
— 영지의 주인

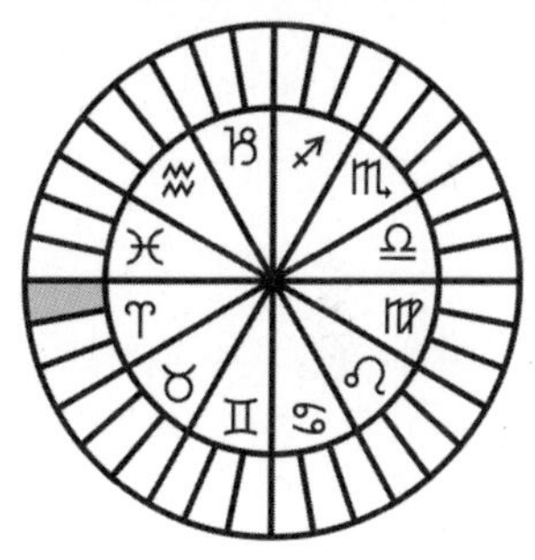

앞서 탑과 황제 카드에서 마스와 에리즈를 만났다. 이제 그 행성과 싸인은 완즈 2에서 출현을 반복하는데, 마스를 자신의 영토의 영주로 본다.

이 카드의 특성은 에리즈에 상응하는 메이저 아르카나 카드인 황제보다 젊은 버전이다. 그는 대담하고, 몹시 사납고, 단호하고 뻔뻔하다.

그는 탑의 낮은 벽인 총안이 있는 성가퀴(battlement:몸을 숨겨 적을 공격할 수 있도록 성 위에 낮게 덧쌓은 담)에 편안하게 앉아 있다. 타로에서 탑 카드는 에리즈를 지배하는 행성인 마스에 상응한다.

황제처럼 그는 자신의 손에 우주의 척도 모형을 들고 있다. 그러나 이 경우에 그의 힘과 통제의 상징은 불같은 에리즈 본성에 충실한 불덩이로, 그는 그것을 불의 공으로 주조했다.

붉은 행성인 마스는 에리즈의 지배자이다. 마스가 자신의 싸인에 있을 때, 그는 그 성의 왕이고 영토의 주인이다. 어쨌든 그는 자신의 원소에, 자신의 싸인에, 자신의 하우스에 있다. 그는 조사하는 모든 것의 주인이다. 사실 이 카드의 황금새벽회의 디자이너들은 그것을 '영지의 주인'이라 불렀다. 그리고 영지는 영토의 권위와 통제로 지배하는 것을 의미한다.

그러나 완즈 2에서 마스는 싸인의 단순한 지배자가 아니라, 첫 데칸의 지배자이다. 그것은 완즈 2에게 강력한 마스 에너지를 추가로 듬뿍 제공한다. 사실 그것이 합리적인 마스가 첫 데칸을 지배하는 것이다. 그 불같은 충동은 황도대에 활기를 불어넣고 일 년의 바퀴가 굴러가도록 밀어붙인다(황금새벽회의 덱 디자이너들 중 한 사람이 〈책 T〉에서, '36 데칸과 7행성이 있는데, 7행성 중 하나는 다른 행성들보다는 데칸을 하나 더 다스려야 한다는 것으로 이해한다. 이것이 행성 마스인데, 파이씨즈의 마지막 데칸에 할당되고, 그리고 에리즈의 첫 번째 데칸에 할당된다. 그 겨울의 긴 추위는 그것을 극복할, 그리고 봄을 시작할 많은 에너지가 요구되기 때문이다'라고 썼다).

마스는 에너지, 행동, 공격, 방어의 행성이다. 마스는 보호와 자기보존을 상징하는데, 이는 자기주장, 용기, 대담무쌍, 두려움 없음, 자발성, 열정, 모험, 폭력과 함께한다. 마스는 경쟁과 논쟁을 다스린다.

카발라에서 완즈 2는 두 번째 영역인 지혜의 호크마를 묘사한다. 그것은 아찔루트에 위치하는데, 영감의 불의 세계이다. 젊은 황제는 의식적인 창조, 반영, 비교에 적극적으로 관여한다.

타로 리딩에서 완즈 2는 종종 새로운 사업이나 기업의 설립을 상징한다.

에리즈의 첫 데칸은 대체로 3월 21일에서 30일 사이에 떨어지는데, 썬이 에리즈 0도와 10도 사이에 있을 때이다.

완즈 3: 에리즈에 있는 썬
— 안정된 힘의 주인

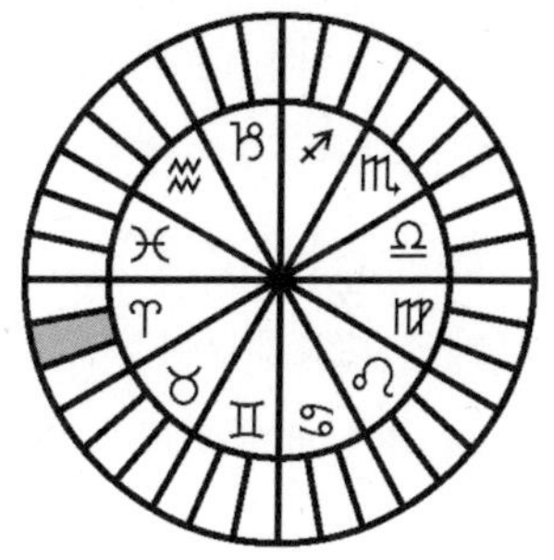

언덕의 꼭대기에서 빛나고 있는 눈부신 젊은 여성은 누구인가? 그녀는 열정적인 지배자—또 다른 에리즈 황제의 젊은 버전—이고, 그녀와 그녀의 영역에서 태양과 함께 빛나고 있으며, 확신, 용기, 낙천주의에 대한 끝없는 공급을 불어넣고 있다. 또한 자부심, 고결함, 통치자의 지위에 대한 그녀의 공정한 공유를 표현한다.

그녀는 열과 빛의 근원이고, 우리 태양계의 중심이며 생명의 제공자이다. 타로에서는 에너지, 열광, 깨달음을 상징한다. 어스트랄러지의 시각에서 태양은 에고, 의지, 자기를 나타낸다.

태양은 에리즈에서 고귀하게 되는데, 싸인의 부지배자이다. 그것은 존엄과 명예로운 손님으로 방문하는 것이다. 여기는 황도대에서 그 어느 곳보다 더 강한 썬이 강함, 지혜, 깨달음의 잠재적인 근원으로서 인식된다.

물론 에리즈는 황도대의 첫 번째 싸인이다. 그것은 리더십과 시작을 의미한다. 그리고 태양의 에너지는 솔직하고 사건을 통제하려는 에리즈의 요구를 만족시킨다.

이 카드의 황금새벽회 디자이너들은 에리즈에 있는 태양을 '안정된 힘의 주인'으로서 언급했다. 이 명칭은 태양의 권력과 힘을 설명한다. 특히 권력의 위치에 있는 사람들에게 그 빛이 빛날 때이다. 역사와 신화에서, 이 세상의 가장 영향력 있는 지도자들은 태양의 영광과 광휘로

의기양양해진다고 말했다. 아주 많은 군주들이 신성한 권력의 표시로서 황금 머리장식을 썼는데, 그것이 한 이유이다.

에리즈에 있는 태양의 그림처럼, 완즈 3의 젊은 여성은 힘의 위치에 있고, 그녀가 자신의 운명의 주인이라는 것을 믿는 모든 이유가 있다. 그녀는 언덕의 꼭대기에, 특히 이 세상 위에 높이 서 있다.

이 경우에 '3' 카드는 창조성을 상징하는데, 젊은 여성의 창조력은 어떤 높이에 도달하게 된다. 마치 에리즈의 강함이 이 싸인의 두 번째 데칸에서 그 힘의 높이에서 여기 정상에 도달하는 것처럼.

이 언덕의 산봉우리가 명령과 통제의 높은 수준을 나타내는 반면, 완즈 3는 여전히 마이너 아르카나 카드이다. 그래서 그녀가 특별히 경험하지 않은 것을 추측할 수 있고, 그녀의 힘이 충분히 점검되지 않았다는 것을 알 수 있다. 그렇다 하더라도 그녀는 자신의 배를 기다리고 있는 동안, 자신이 좋은 결정을 했다는 것을 알고, 희망이 실현될 것을 확신하는 듯하다.

카발라에서 완즈 3는 비나를 묘사하는 것으로, 이해의 세 번째 영역이다. 그것은 영감의 불 세계인 아찔루트에 위치해 있다. 세 번째 영역은 구조와 형태의 행성인 새턴에 상응한다. 이 카드에 있는 젊은 여성은 그 세계에서 자신의 위치를 이해하고 있다.

타로 리딩에서 완즈 3는 종종 사업이나 기업의 성장을 강조하는 창조적인 추진력을 상징한다.

에리즈의 두 번째 데칸은 대개 3월 31일과 4월 10일 사이에 떨어지는데, 썬이 에리즈 10도와 20도 사이에 있을 때이다.

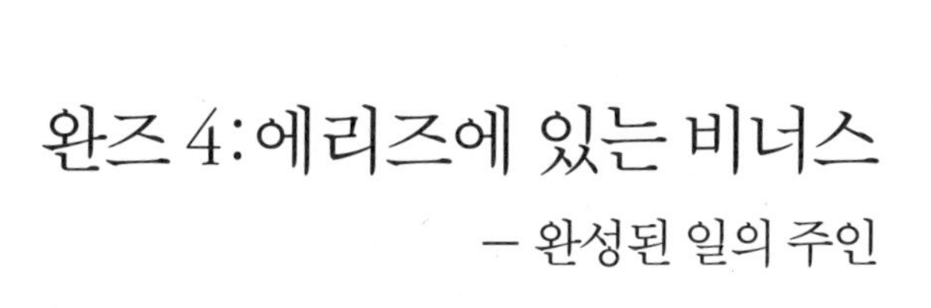

완즈 4 : 에리즈에 있는 비너스

– 완성된 일의 주인

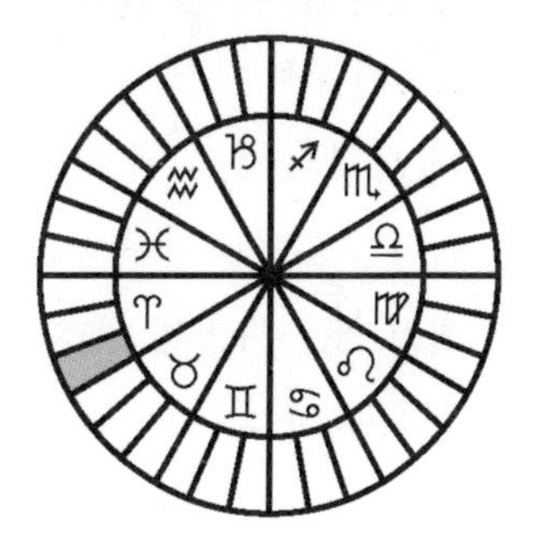

사랑과 매력의 행성인 비너스는 에리즈의 세 번째 데칸의 영역으로 긴 여정을 여행해야 한다. 사실 비너스는 여기에서 손상돼 있다. 비너스는 황도대의 다른 국면에서 자신의 집에서 180도 떨어져 있고, 에리즈의 불 에너지는 공기의 리브라적인 활기와는 완전히 다른 에너지이다. 타로의 용어로 그것을 묘사하기 위해서, 비너스의 여황제가 기름지고 비옥한 수목원을 떠나서 황제의 사막과 같은 에리즈 영향을 받는 사무실에 방문하는 것을 상상해 보라.

다행히 비너스는 항상 길성이고, 우아함과 매력은 그녀가 만나는 모든 싸인에 은총을 내린다. 이 카드의 황금새벽회 디자이너들은 에리즈에 있는 비너스를 '완성된 일의 주인'이라 불렀는데, 그것은 비너스가 에리즈에게 성급함을 일으키는 미묘한 아름다움, 스타일, 고상함을 설명하기 때문이다.

완즈 4는 춤의 카드이다. 그것은 협력과 협동에 대한 은유이다. 타로 리딩에서 완즈 4는 종종 결혼과 파트너십을 상징한다.

완즈 2의 젊은 남성과 완즈 3의 젊은 여성의 어떤 것인데, 그들은 춤 스텝을 연습하고 서로 제휴하여 일을 배우기 때문이다. 황제들이 훈련을 할 때, 그들은 움직임을 어떻게 일치시킬지를 배울 필요가 있을 것이다.

비너스는 기쁨, 음악, 춤, 창조성, 예술의 행성이다. 비너스는 아름다움과 매력, 우정과 로맨스의 행성이다. 비너스는—또한 토러스의 고착된 흙 싸인을 지배하는—또한 사랑과 파트너십을 가져올 수 있는 편안함과 안정감을 즐긴다.

게다가 비너스는 황제 카드에 상응한다는 것을 잊지 말자. 그녀는 자연스럽게 이 싸인과 상응하는 메이저 아르카나 카드인 황제 카드와 어울린다. 완즈 4에 있는 비너스는 에리즈의 목적 지향적인 에너지에 자신을 정렬하고, 그것을 춤추기 위해 가르친다. 그래서 비너스가 에리즈에서 손상돼 있음에도, 전사의 정신력으로 힘과 일에 함께 하기 위해 강요될지라도, 이 행성은 한결같은 싸인이 아니라면 낭만적인 행복감을 생각하기 위해 이용할 것이다.

완즈 4는 또한 젊은 황제의 결정을 반영하고 그가 자신의 제국을 다스리도록 도울 수 있는 여황제를 찾으려는 열망을 반영할 수도 있다.

카발라에서 완즈 4는 자비의 네 번째 영역인 헤세드를 묘사한다. 그것은 아찔루트에 위치하는데, 영감의 불의 세계이다. 네 번째 영역은 확장의 행성인 주피터에 상응한다. 젊은 커플은 그들의 지도력을 단련시키고 서로에게 도달하고 성장하기 위해 배우고 있다.

에리즈의 세 번째 데칸은 대개 4월 11일과 20일 사이이고, 썬이 에리즈 20도와 30도 사이에 있을 때이다.

토러스의 세 데칸

픽스드 흙 : 펜타클 5, 6, 7

◆ ◆ ◆

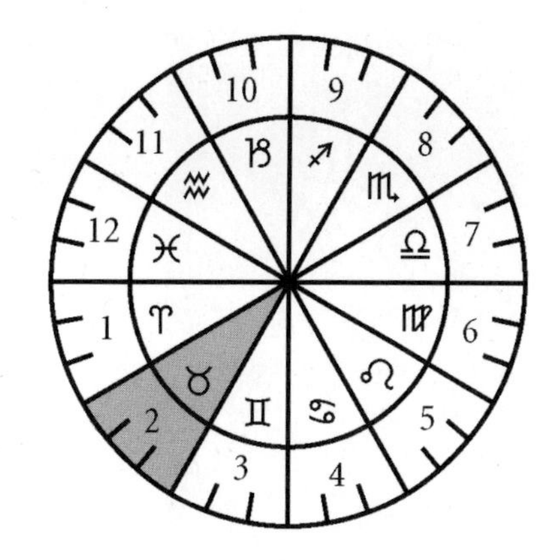

우리는 토러스의 세 데칸과 상응하는 카드와 함께 마이너 아르카나 카드의 여정을 계속할 것이다. 즉 펜타클 5, 6, 7이다.

토러스는 싸인이기 때문에 이 카드들은 펜타클의 흙 수트에 해당된다. 픽스드 싸인이기 때문에 적소에 확고하게 잘 수립되는데, 카드들은 그 수트의 가운데에 위치한다.

카드와 카드의 특성을 공부할 때, 그것들은 그 싸인의 똑같은 특성을 모두 공유한다는 것을 기억하라.

- **싸인:** 황도대의 두 번째 싸인인 토러스는 소유, 부, 영적인 보배의 싸인이다. 토러스에 있는 모든 세 카드들은 돈과 가치와 관련된 문제들을 다루고 있는 사람들을 묘사한다.
- **양태/특징:** 토러스는 픽스드 싸인으로, 봄의 중간 달month에 확실하게 배치되어 있다. 이 수트의 가운데와 상응하는 카드들은 안전하고 지속적인 에너지를 구현한다.
- **원소:** 토러스는 흙싸인으로, 펜타클 수트와 상응한다. 원소와 수트 모두 단단하고, 신뢰할 만하고, 실제적이고, 물질적이며 고정돼 있다.
- **이중성:** 흙싸인은 여성성이다. 그들은 수용적이고 반응적이며, 자력적이고, 감응하고, 인내하며 그 에너지는 원형으로 흐른다.
- **상응하는 메이저:** 신비 사제는 토러스의 싸인에 상응하는 반면, 여황제는 토러스를 지배하는 행성인 비너스에 상응한다.

펜타클 5 : 토러스에 있는 머큐리

– 물질적인 걱정의 주인

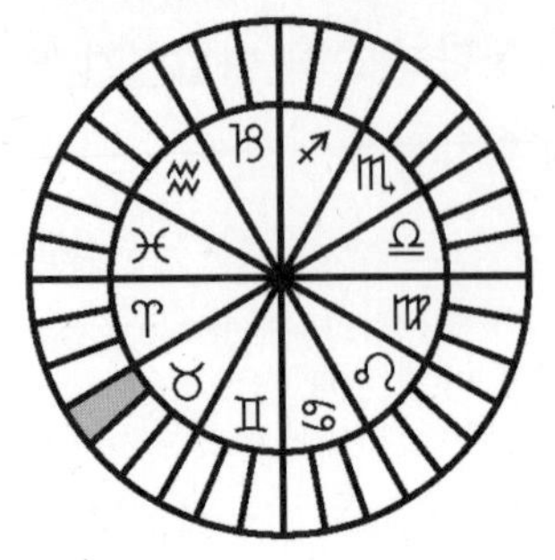

마법사 머큐리가 토러스에서 자신을 발견할 때, 그의 초점은 이동한다. 보통 그는 지적인 면에서 바쁘다. 의사소통의 싸인 제머나이와 일의 싸인이며 다른 사람들에게 봉사하는 싸인 버고에 대한 그의 지배력에 상응하는 역할이다. 그러나 여기 펜타클 5에 있는 정신의 머큐리는 갑자기 물질적인 생존을 위해 싸워야 하는 냉담하고 무자비한 세계에 놓이게 된다.

이 카드의 황금새벽회 디자이너들은 토러스에 있는 머큐리를 '물질적인 걱정의 주인'이라 불렀는데, 고공비행의 머큐리는 여기에서 물질적인 존재의 한계로 갑갑해진다. 세속적인 토러스에서 머큐리는 현실적이 된다. 그는 인간의 형상에 갇혀 물질적인 존재의 한계로 갑갑하게 된다. 그러나 그는 영적인 가르침과 전통의 영적인 영역으로 전환함으로써 물질적인 세상을 바꿀 수 있다.

토러스에 있는 모든 카드처럼 펜타클 5는 신비 사제와 연결된다. 여기서 대사제는 대성당 내부처럼 바로 가까이에 있다. 창문을 통해 빛나는 빛은 전통의 스승이 제공해야 하는 계발된 지혜를 상징한다.

많은 지혜는 이 행성에서 삶의 세속적인 현실에 초점을 두고 있는데, 우리가 인간의 형상으로 구현된 영적인 자아를 찾는 곳이다. 주의하지 않으면 물질적인 형상이 우리 존재를 규정하지 않는다는 것을 잊을 수 있다.

펜타클에 있는 모든 카드처럼 토러스는 구조와 안정성, 물질적인 안정, 영적인 가치와 연합된다. 바로 앞의 싸인 에리즈가 의식과 자기 자각에 초점이 맞춰져 있는 반면, 토러스는 물질과 육체적인 안녕과 관련된다.

그것은 자연스런 진행이다. 자신의 존재를 이해할 수 있는 사람은 누구나 자신의 도덕성을 인식할 것이다. 그리고 안전과 안정이 보증되지 않을 때, 대부분의 사람들은 고상한 철학과 영적인 묵상을 위한 시간을 갖지 않는다. 생존은 모든 살아 있는 피조물의 최우선의 일이다.

그것이 토러스가 물질적인 소유에 대해 그토록 강조를 하는 한 이유이다. 유형재산은 우리의 세속적인 존재가 계속될 것이라는 조건적인 보증과 함께 물질적인 안정을 나타낸다.

카발라에서 펜타클 5는 게부라를 묘사하는데, 이는 힘, 강함, 안전의 다섯 번째 영역이다. 그것은 전쟁의 행성인 마스에 상응한다. 추방당한 사람은 물질계 앗시야를 통해 헤매고 있고, 그들은 물질적인 존재에 대한 도전에 직면하고 있다.

타로 리딩에서 펜타클 5는 종종 물질적인 불안으로부터 영적인 은신처와 천국을 상징한다.

토러스의 첫 번째 데칸은 대개 4월 21일과 30일 사이이고, 썬이 토러스 0도와 10도 사이에 있을 때이다.

펜타클 6 : 토러스에 있는 문

― 물질적인 성공의 주인

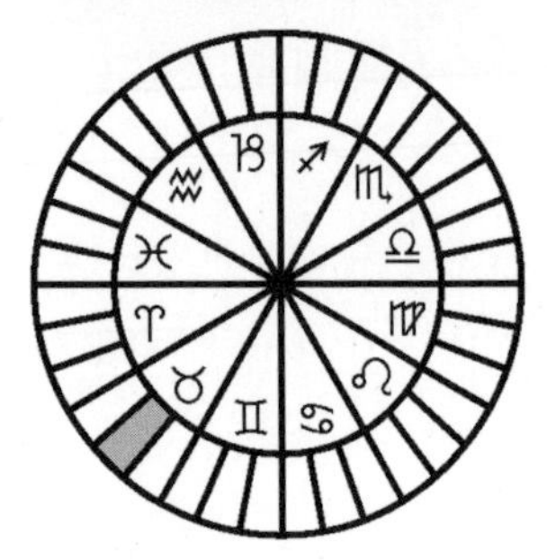

고위 여사제의 상대처럼 문은 토러스에서 고귀하게 된다. 문이 이 싸인을 방문할 때, 명예로운 손님이다. 그녀는 집들이 선물을 가지고 온다.

그녀의 출현은 이 카드에서 보이는 대로 자선 기부를 묘사한다.

이 카드의 황금새벽회 디자이너들은 토러스에 있는 문을 '물질적인 성공의 주인'이라 불렀는데, 그것은 은빛의 달이 물질과 영적인 보배의 싸인인 토러스에 부여하는 안락함과 안정감의 은총을 묘사하기 때문이다.

반영의 은빛 천체와 부(富)가 연결되는 것은 그리 흔하지 않다. 그러나 돈은 달처럼 주기적으로 자주 오고 간다. 수입과 지출은 파도처럼 조수의 간만일 수 있다. 당신의 손에 있는 은화는 달처럼 빛을 받아 반영할 수 있다. 그리고 이론일지라도 돈은 바로 밤의 침묵의 보호자처럼 매혹시킬 수 있다. 돈과 달 모두 삶의 순환적인 본성, 통로, 변이, 여성성 에너지를 양육하는 것을 상징할 수 있다.

펜타클 6에서 후원자는 은총과 함께 그의 복사(複寫, 미사 때 신부를 돕는 사람)들에게 세례를 주고 있는 신비 사제의 좀 더 젊은 버전이다. 동전은 지혜, 자비, 또는 카르마의 응보를 나타낸다. 리브라의 저울이 이 카드에서 또 나타나는데, 토러스와 리브라는 모두 비너스가 지배하기 때문이다.

카발라에서 펜타클 6은 아름다움의 여섯 번째 영역인 티페레트를 묘사한다. 그것은 광휘와 깨달음의 상징인 태양에 상응한다. 그것은 물질계인 앗시야에 위치해 있으며, 카드에 있는 세 사람은 그들의 부를 공유하는 기쁨을 발견하고 있다.

타로 리딩에서 펜타클 6은 번영, 힘, 영향을 종종 나타내고, 자선 기부는 사업 성공에서 기인할 수 있다. 이 카드는 제공자를 나타낼 수도 있고 수혜자를 나타낼 수도 있다.

토러스의 두 번째 데칸은 대개 5월 1일과 10일 사이이고, 썬이 토러스 10도와 20도 사이에 있을 때이다.

펜타클 7 : 토러스에 있는 새턴

— 실현되지 않은 성공의 주인

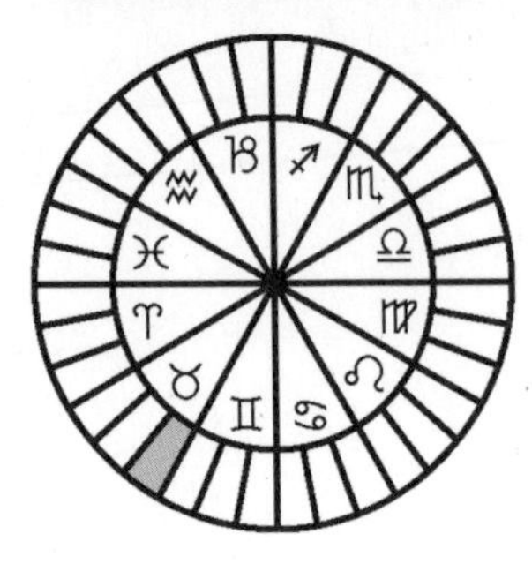

한계와 제한의 고리가 있는 행성인 새턴은 접촉하는 모든 것에 구조와 규율을 강요한다. 새턴이 성장과 풍요의 싸인 토러스에 있을 때, 그것은 수확과 보상 전에 기다리는 기간을 강요한다.

우리가 세계 카드에서 처음 새턴을 만났을 때, 틀림없는 것처럼 보이는 승리, 성취, 성공에 대한 부의 월계관이 씌어진 것을 알 수 있었다. 그러나 펜타클 7에 새턴의 등장은 실제 성공은 육체적인 인내와 영적인 강함에 대한 긴 기간의 투자를 요구한다는 것을 우리에게 상기시킨다. 이 경우 새턴은 결심과 인내의 가치를 가르치는 감독자 역할을 한다.

이 카드의 황금새벽회 디자이너들은 토러스에 있는 새턴을 '실현되지 않은 성공의 주인'이라 불렀는데, 만족과 보상의 시간을 미루기 때문이다.

시간의 신 크로노스처럼 새턴은 우리에게 자기 훈련을 배우도록, 시간을 현명하게 관리하도록, 그 자연스런 과정이 되기 위해 본성—그리고 삶—을 허용하도록 강요한다. 새턴은 우리에게 세상이 어떤 개별성보다도 훨씬 더 크다는 것을 상기시키고, 다른 사람들은 결국 우리가 자신을 통제할 수 없다면 우리에게 그들의 의지를 강요할 것이라는 것을 상기시킨다.

토러스에 대한 마이너 아르카나의 모든 카드처럼 펜타클 7은 신비 사제와 여황제에 연결된다. 신비 사제—토러스의 화신—는 우리의 소유가 우리의 가치를 반영한다는 것을 안다. 신비

사제의 지배자인 비너스의 여황제는 한 단계 더 나아가서 메시지를 전달할 수 있다. 즉 우리는 기다릴 때 그것들을 더 많이 존중한다. 출산을 한 모든 여성들—끊임없이 임신하는 여황제처럼—은 임신의 마지막 몇 달은 그들의 실제 평가보다 훨씬 미치는 듯하다고 말할 것이다. 또한 그녀는 기대는 결정적인 즐거움의 보상이라고 말할 것이다.

카발라에서 펜타클 7은 아름다움의 일곱 번째 영역인 네짜흐를 묘사한다. 그것은 사랑과 매력의 행성인 비너스에 상응한다. 물질계인 앗시야에 위치해 있으며, 젊은 정원사가 물질적인 성장과 발달의 아름다움을 예상하고 있다.

타로 리딩에서 펜타클 7은 종종 인내와 보상, 장애와 지연, 기대했던 결과에 대한 걱정을 상징한다.

토러스의 세 번째 데칸은 대개 5월 11일과 20일 사이이고, 썬이 토러스 20도와 30도 사이에 있을 때이다.

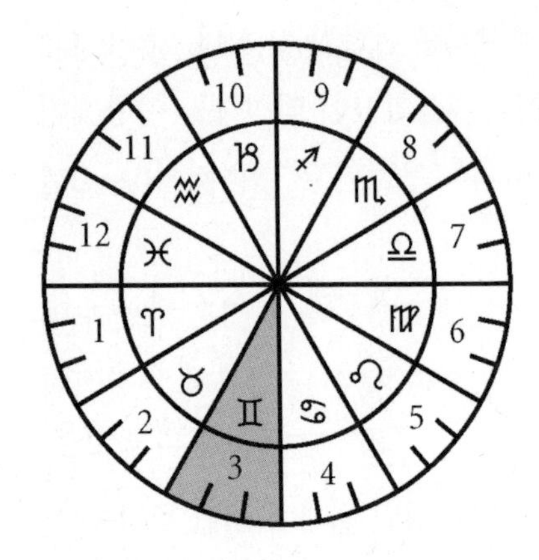

제머나이의 세 데칸

뮤터블 공기 : 소드 8, 9, 10

◆ ◆ ◆

우리는 제머나이의 세 데칸과 상응하는 세 카드와 함께 마이너 아르카나의 여정을 계속할 것이다. 즉 소드 8, 9, 10이다.

제머나이는 공기 싸인이기 때문에, 이 카드들은 소드의 공기 수트다. 그것은 마지막과 변화의 상징인 뮤터블 싸인으로, 그 수트의 마지막 세 숫자 카드들이다.

카드와 카드의 특성을 공부할 때, 그것들은 그 싸인의 똑같은 특성을 모두 공유한다는 것을 기억하라.

- **싸인:** 황도대의 세 번째 싸인 제머나이는 지성과 의사소통의 싸인이다. 제머나이에 있는 세 카드 모두는 지적인 관련성을 묘사한다.
- **양태/특징:** 제머나이는 뮤터블 싸인으로, 봄의 마지막 달로부터 여름의 첫 달까지의 변화이다. 그 수트의 마지막에 상응하는 카드들은 다재 다능, 유연성이 있는 에너지를 묘사한다.
- **원소:** 제머나이는 공기 싸인이다. 그래서 소드 수트와 상응한다. 원소와 수트 모두 지적이고, 의사소통적이며, 사회적이고, 변덕스러우며, 호기심이 있고 다재다능하다.
- **이중성:** 공기 싸인은 남성성이다. 그들은 적극적이고, 공격적이며, 확신하고, 솔직하고 원기왕성하다. 그들은 점 A에서 점 B까지 선형으로 움직인다.
- **메이저:** 제머나이는 지배성인 머큐리와 상응하는 연인, 마법사와 연결된다.

소드 8: 제머나이에 있는 주피터

– 축소된 힘의 주인

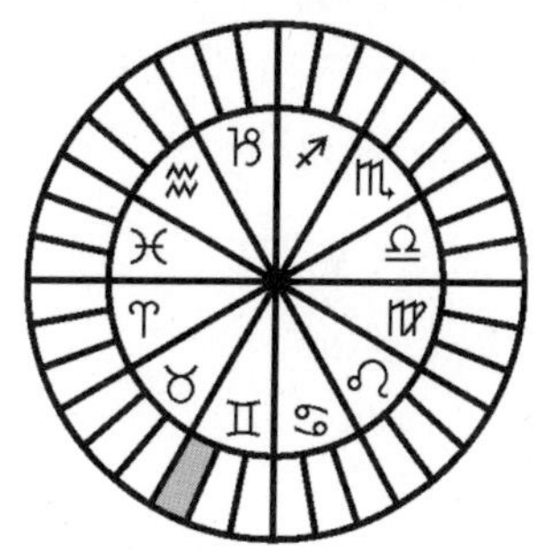

제머나이의 첫 번째 데칸은 성장과 확장의 행성인 주피터가 지배한다. 보통은 좋은 것이 될 것이라고 생각할 것이다. 이론적으로 주피터는 쾌활하고 지적인 제머나이가 그 마음이 자유롭게 방랑하도록 내버려둘 필요가 있는 모든 공간을 제공할 것이다.

그러나 제머나이는 새로운 아이디어를 떠오르게 하는 어떤 도움도 필요하지 않다. 사실 제머나이는 이미 그가 충분히 탐색할 수 있는 것보다 더 많은 흥미를 가지고 있다. 그렇다고 삶을 수월하게 살아간다는 의미는 아니다.

당신이 반쯤 끝낸 6개의 프로젝트에 둘러싸여 있고, 다음 프로젝트로 가기 전에 하나를 끝마치기 위해 충분히 오랫동안 초점을 맞추지 못하는 제머나이를 보았다면, 이해할 것이다. 제머나이에게는 새로운 시작과 기회가 반드시 마무리될 수는 없다.

소드 8은 이 문제를 설명한다. 이 카드에 있는 여성은 가능성에 의해 마비되었다. 그녀는 다양한 선택권으로 둘러싸여 있지만 나무를 위해 숲을 보지 못할 수 있다. 자신이 만든 정신적인 감옥에 갇히게 되었다. 그녀는 주피터의 운명의 수레바퀴의 가운데에 고정되었다. 또한 혼자이다. 그녀는 연인 카드의 동료로부터 떨어져 있다.

알다시피 주피터는 제머나이에서 손상돼 있다. 이 행성은 자기 집으로부터 180도 반대편에 있다. 그래서 자신과 근본적으로 다른 에너지와 작업하도록 강요받는다.

황금새벽회 디자이너들은 제머나이에 있는 주피터를 '축소된 힘의 주인'이라 불렀는데, 과유불급過猶不及은 치명적인 결과를 보여주기 때문이다.

카발라에서 소드 8은 광휘의 여덟 번째 영역인 호드를 묘사한다. 그것은 사고와 의사소통의 행성인 머큐리에 상응하며, 사고의 공기 영역인 예찌라에 위치한다. 이 카드에 있는 젊은 여성을 둘러싸고 있는 칼은 오직 그녀의 마음에만 존재하는, 그리고 그녀의 속박은 일시적인 것이 될 것이다.

타로 리딩에서 소드 8은 종종 함정수사를 나타낸다. 가끔 시작의 과정을 상징할 수 있고, 당신이 자신의 상황을 평가하도록, 당신의 목표에 초점을 맞추도록 강요될 때 발생하는 인식과 재각성을 상징할 수 있다.

제머나이의 첫 데칸은 대개 5월 21일과 31일 사이이고, 썬이 제머나이 0도와 10도 사이에 있을 때이다.

소드 9: 제머나이에 있는 마스
— 절망과 무자비함의 주인

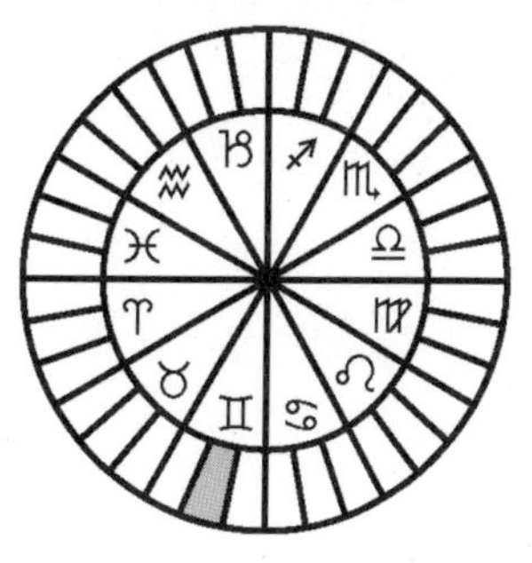

에너지와 공격의 행성인 마스는 싸인들을 지나 여행할 때 호전적인 본성을 누그러뜨리지 않는다. 사실 제머나이의 두 번째 데칸의 지배자로서 간섭할 때, 마음대로 정신적인 무기고에서 전체 무기를 찾는다. 제머나이에서 마스는 전쟁 게임을 하지 않고, 마음 게임을 한다.

언어와 지적인 무기로 충분히 무장된 마스는 완벽한 전투 정렬로 상대를 몰아세운다. 그는 절망의 탑에 상대를 감금한다. 그는 모욕과 비판, 거친 말과 사악한 사고를 퍼붓는다. 그는 믿음에 의심의 씨앗을 심고 악몽과 무의식적인 두려움의 형태와 은밀한 방법으로 공격을 풀어놓는다. 다음에는 모든 수단으로 노력할 것인데, 그가 선택한 상대에 대해 무자비한 비난을 하는 것이다.

소드 9에서 마스의 불운한 대상은 젊은 여성이다. 그녀는 침대에 똑바로 앉아 마음을 명료하게 하려고 하지만, 자신의 생각이 적지에서 경쟁하는 동안 잠을 이루지 못한다.

사랑과 미움 사이에 정교한 선이 있고, 제머나이 연인과 이 카드의 연결은 우리에게 이전의 친구들과 막역한 친구들은 가장 무자비한 상대라고 상기시킨다. 그들은 우리의 약점을 알고 기꺼이 그것을 이용하고 있다. 또한 마법사 카드와 소드 9의 연결은 머큐리의 그림자에 대해 우리에게 상기시키는데, 그것은 책략가인 신이 자신을 믿었던 사람들을 음험한 수단으로 훼

손시킴으로써 사악한 쾌락을 택했기 때문이다.

이 카드의 황금새벽회 디자이너들은 제머나이에 있는 마스를 '절망과 무자비함의 주인'이라 불렀는데, 그것은 어둠의 덮개 아래에 정신적인 폭행의 잔인한 결과를 나타내기 때문이다.

카발라에서 소드 9는 기초의 아홉 번째 영역인 예소드를 묘사한다. 그것은 반영의 천체인 달에 상응하고, 사고의 공기 영역인 예찌라에 위치한다. 젊은 여성의 걱정은 밤의 그림자일 뿐이다. 그녀의 염려는 현실에 기초한 것이 아니다.

타로 리딩에서 소드 9는 종종 잠 못 이루는 밤, 불안한 꿈, 불면증, 공황발작을 나타낸다.

제머나이의 두 번째 데칸은 대개 6월 1일과 10일 사이이고, 썬이 제머나이 10도와 20도 사이에 있을 때이다.

소드 10 : 제머나이에 있는 태양

— 몰락의 주인

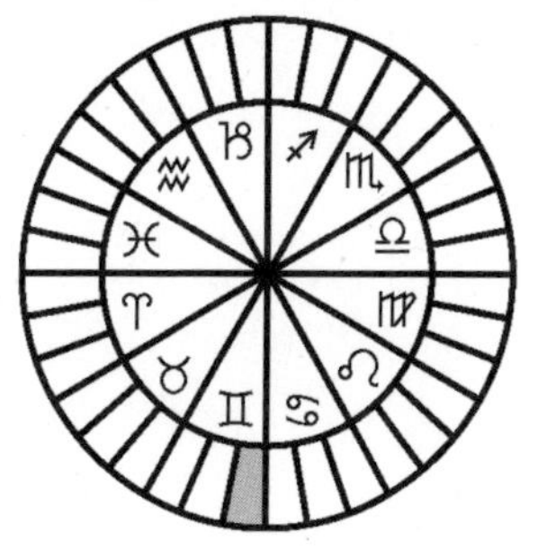

제머나이의 세 번째이자 마지막 데칸은 의식과 깨달음의 뜨거운 천체인 태양이 지배한다.

태양은 대개 우호적인 세력으로 보인다. 즉 항상 비추고 있고, 항상 빛나고 있으며, 항상 빛과 생명을 발산하고 있다. 그러나 너무 많은 태양은 불태울 수 있다. 특히 진실을 드러낼 때 말이다.

제머나이는 이야기하기를 좋아하는 싸인이다. 불행하게도 말하기는 종종 험담, 잡담, 비방, 거짓말, 악의적인 개인 공격으로 이어진다. 심지어 제머나이의 지적인 에너지가 막혀 있을 때는 자기의심의 아픔과 함께 우리의 확신을 깨뜨릴 수 있다. 그러나 태양이 지나갈 때 구름이 걷히고 그림자를 보여주어 낮의 밝은 빛에 진실을 드러낸다.

안타깝게도 가끔 진실은 상처를 입힌다. 특히 태양이 개인의 파멸의 정책을 드러낼 때이다.

소드 9이 연인으로 여자를 보여줬다면, 소드 10은 남자를 보여준다. 둘 모두 그들의 지배성의 책략에 상처받았다. 특히 젊은 남자의 상처는 잘 치유되는 종류가 아니다.

이 카드의 황금새벽회 디자이너들은 제머나이에 있는 태양을 '몰락의 주인'이라 불렀는데, 그것은 지지할 수 없는 상황의 불가피한 진실을 드러내기 때문이다.

그림이 무자비하게 보이는 반면, 또한 완전한 의식과 해방을 나타낸다. 더 이상 숨겨진 것은 아무것도 없다. 제머나이에 있는 태양은 자비의 일격을 가한다. 결정적인 자유의 일격. 고통이

끝난다. 영혼은 완전하고 전체의 깨달음으로 해방되었다. 마음은 방황에서 자유롭고 물질적인 형상에서 짐을 덜고 중력에 방해받지 않는다. 마침내 고차원의 의식은 가능하고 파멸은 재건축으로 이어질 수 있다.

카발라에서 소드 10은 세속적인 현실의 열 번째 영역인 말쿠트를 묘사한다. 그것은 사고의 공기 영역인 예찌라에 위치한다. 젊은 남자는 모든 육체적인 공격으로 쇠약해진 것처럼 언어와 지적인 공격으로 완전히 꼼짝할 수 없게 된다.

타로 리딩에서 소드 10은 종종 지나친, 죽음과 재생, 끝남과 시작의 순환을 나타낸다.

제머나이의 세 번째 데칸은 대개 6월 11일과 20일 사이이고, 썬이 제머나이 20도와 30도 사이에 있을 때이다.

캔서의 세 데칸

카디널 물 : 컵 2, 3, 4

◆ ◆ ◆

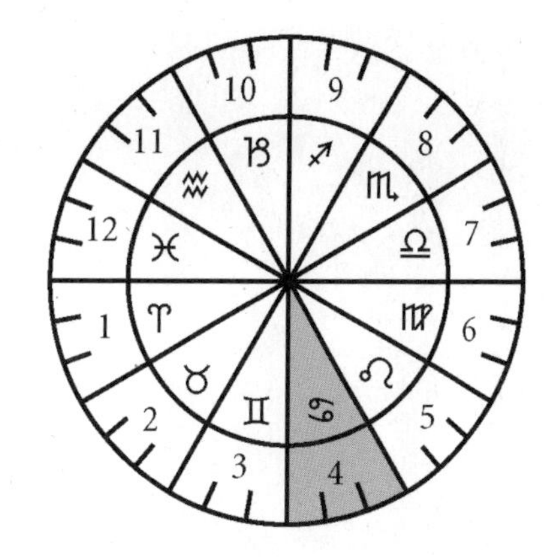

우리는 에리즈, 토러스, 제머나이의 봄의 세 달을 뒤에 남기고 캔서의 데칸과 함께 여행을 계속할 것이다. 캔서는 여름의 첫 싸인이다.

캔서는 물 싸인이기 때문에, 카드들은 컵의 물 수트에 속한다. 그리고 새로운 시작의 상징인 카디널 싸인이기 때문에, 카드는 그 수트의 첫 세 숫자 카드다.

카드와 카드의 특성을 공부할 때, 그것들은 그 싸인의 똑같은 특성을 모두 공유한다는 것을 기억하라.

- **싸인:** 황도대의 네 번째 싸인 캔서는 가정과 가족 삶의 싸인이다. 캔서에 있는 세 카드 모두 정서적이거나 관계 문제를 다루는 사람들을 묘사한다.
- **양태/특징:** 캔서 또한 카디널 싸인이다. 카디널 싸인처럼 계절의 변화를 알리고, 그 카드의 특성들은 변화에 입문하는 캔서에 속한다. 그들은 결정적이고, 재빠르며 원기왕성하다.
- **원소:** 캔서는 물 싸인이다. 그래서 컵의 물 수트에 상응한다. 원소와 수트 모두 정서적이며, 변덕스러우며, 미묘하고, 직관적이며 유연하다.
- **이중성:** 물 싸인은 여성성이다. 그들은 수용적이고, 반응적이며, 자력적이고, 감응적이며, 인내심이 많고, 에너지는 원형으로 흐른다.
- **상응하는 메이저:** 캔서는 전차와 연결되고, 그것을 지배하는 행성인 달은 고위 여사제와 연결된다.

컵 2 : 캔서에 있는 비너스
— 사랑의 주인

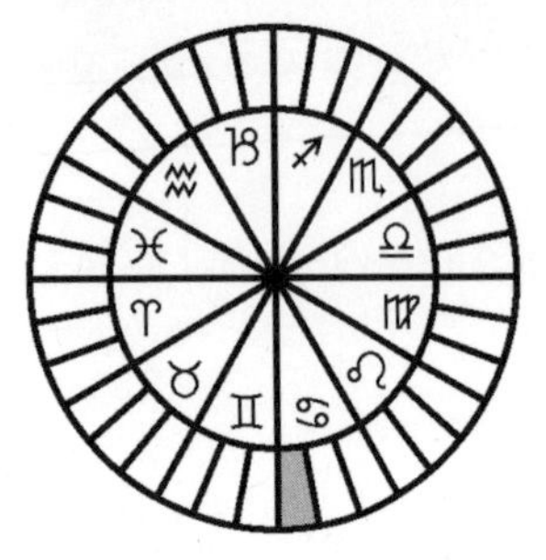

컵 2에 등장하는 젊은 연인들이 조금 열중하기 시작하는 듯이 보인다면, 그것은 우연이 아니다. 강력한 힘이 그들을 함께 끌어당겼다. 사랑과 로맨스의 행성인 비너스는 캔서의 양육하는 싸인으로 자신의 방식을 만들었다. 그리고 결혼 중매인 역할을 했다. 이 카드에 등장하는 젊은 커플은 훈련하는 전차를 모는 전사의 청년 버전으로, 그리고 언젠가 여황제의 왕좌에 앉게 될 소녀이다.

비너스는 기쁨과 매력의 행성이다. 타로에서 그녀의 한 짝은 여황제로, 캔서의 에너지에, 또 가정과 가족 삶의 네 번째 하우스에 자연스럽게 조율되는 사랑의 어머니다.

비너스는 토러스의 픽스드 흙 싸인을 지배한다. 그래서 안락함과 안정감을 즐기고 참사랑과 파트너십이 올 수 있다. 그녀가 캔서의 첫 데칸의 지배자로서 발을 들여놓을 때 몇 개의 촛불을 밝히고, 배경음악을 연주하고, 자연이 그 과정을 받아들이도록 한다.

컵 2에 있는 젊은 연인들은 로맨스의 첫 수줍음을 묘사한다. 아마 틀림없이 가장 감정적인 신호가 여기 첫 데칸에 있을 것인데, 그것은 서로에 대한 그들의 애정이 특히 건전하고 순수하고, 시간이나 경험에 의해서도 순진함과 순수성을 잃지 않는 듯하다. 그들은 서로 정반대이지만, 반대는 끌린다. 그들은 가운데에서 만난다.

이 카드의 황금새벽회 디자이너들은 캔서에 있는 비너스를 '사랑의 주인'이라 불렀는데, 그것이 참사랑의 달콤함과 순수함을 나타내기 때문이다.

캔서의 이 마이너 아르카나는 전차와 지배하는 행성인 달의 고위 여사제에 상응한다. 그 연결은 우리에게 젊은 커플이 지금은 어머니의 사랑으로 보호받게 된다고 말한다. 그러나 보호는 영원히 지속되지 못한다. 시간이 지나 그들은 지혜와 경험을 얻고, 서로의 애정을 점검하고, 두 사람은 성장하고 성숙할 것이기 때문이다. 우리 대부분은 그 길에서 경험이라는 대가를 치르고, 초기 관계는 종종 우리에게 슬픔을 남기지만 그만큼 현명함을 배울 수 있다.

카발라에서 컵 2는 종종 사랑을 나타낸다. 특히 어린 시절 연인, 마음이 맞는 사람, 영혼의 짝들 사이에서. 그것은 동등한 파트너십과 정반대 쪽의 끌림을 상징한다.

캔서의 첫 데칸은 대개 6월 21일과 7월 1일 사이이고, 썬이 캔서 0도와 10도 사이에 있을 때이다.

컵 3 : 캔서에 있는 머큐리

— 풍요의 주인

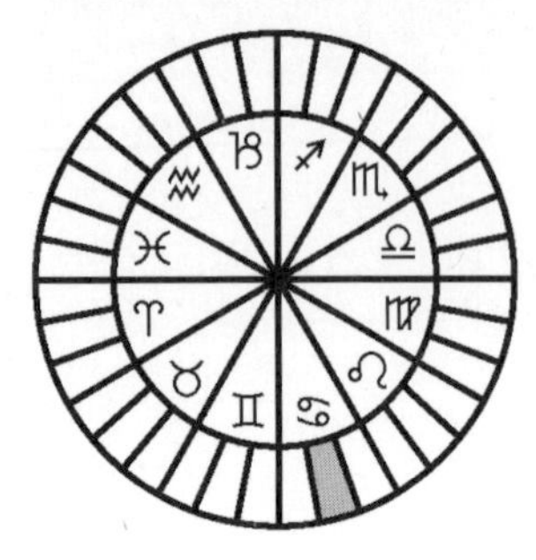

좋은 해였다. 따뜻한 봄과 온화한 여름이었다. 이제 세 여성은 풍성한 수확의 축제를 위해 모였다. 한두 잔의 와인을 마신 후 그녀들은 수확을 나눌 것이다. 모두 상업과 교환의 신 머큐리의 정신으로.

여기 캔서의 두 번째 데칸에서 머큐리는 주로 간과하게 된 자신의 측면을 드러낸다. 머큐리는 속도와 의사소통의 신인 반면, 또한 상업과 무역의 신이기도 하다. 그는 아이디어를 교환하는 데 익숙하다. 그는 또한 상품의 교환에도 전문가다.

이 카드의 황금새벽회 디자이너들은 캔서에 있는 머큐리를 '풍요의 주인'이라 불렀는데, 이 행성의 에너지가 물질적인 교환과 비축에 초점을 맞추기 때문이다.

머큐리는 제머나이와 버고의 지배자로, 소통의 사업에서 그의 전문지식은 이롭게 작용한다. 캔서 또한 그 전문지식을 환영한다. 캔서는 가정과 가족 삶의 싸인이며, 이 싸인—캔서의 전차와 그 지배성인 달—을 지배하는 어머니 같은 인물은 길고 추운 겨울을 대비하여 양식을 넉넉히 비축하고 유지하는 것의 중요성을 인식한다.

달의 영향은 이 카드의 이미지에서 미묘하게 강화된다. 컵 3의 대부분의 버전은 세 여성의 특징을 이룬다. 이 세 명은 달의 변화하는 얼굴에서 반영되는 여신의 세 국면—소녀, 어머니,

할머니—으로서 동일시하기 쉽다. 달마다 문moon 자체는 차오르는 것에서 보름달과 이지러질 때까지의 주기로 여성의 세 단계를 구현한다.

어떤 타로 리더들은 이 카드에 있는 세 여성을 세 운명, 즉 그들의 출생의 순간에서 모든 남자와 여자의 운명을 아는 신화 속 세 자매와 비교한다. 머큐리는 형제 관계를 다스리고, 그는 세 자매의 축제에서 확실한 패를 가지고 있을 것이다.

또한 파티를 좋아하는 머큐리의 또 다른 측면이 있는데, 여기에서 축제는 디오니소스의 특성을 나타낸다. 그것은 캔서의 물의 영향과 관련될 것이다. 그래서 정서의 세계에 몰두하는 사람들은 가끔 약간의 술에 몰두한 자신을 발견한다. 대단한 의사소통자이며 쾌활한 책략가인 머큐리는 행운을 찬양하고 성공을 건배한다. 가정과 양육의 싸인인 캔서는 마지막 겨울 달month을 무사히 보내기 위해 필요한 풍요로운 수확을 거두어 행복하다.

카발라에서 컵 3는 이해의 세 번째 영역인 비나를 묘사한다. 그것은 구조의 행성인 새턴에 상응하며, 풍부함과 창조의 물의 세계인 비나에 위치한다. 이 카드에 있는 세 여성은 또 다른 하나와의 깊은 정서적인 연결로 마음이 맞는 사람들이고, 그들의 물질적인 안녕에서 투자를 공유한다.

타로 리딩에서 컵 3는 종종 성공적인 수확, 축하, 노력과 열심히 일한 것에 대한 보상, 마지막 겨울을 나기 위한 번영을 나타낸다.

캔서의 두 번째 데칸은 대개 7월 2일과 11일 사이이고, 썬이 캔서 10도와 20도 사이에 있을 때이다.

컵 4 : 캔서에 있는 문

— 혼합된 기쁨의 주인

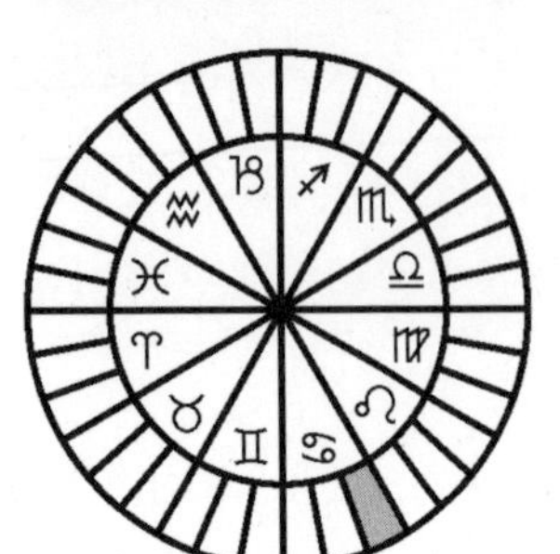

문은 캔서의 자연스러운 지배자이다. 그래서 고위 여사제는 여기에서 품위 상태에 있다. 그럼에도 당신은 어떤 공간을 그녀에게 제공하기를 바랄지도 모른다. 즉 캔서의 달은 지배자이며 부지배자이기 때문에, 컵 4는 달 에너지에 대해 두 배의 복용량을 얻는다.

적어도 한 달에 한 번 문moon은 숨는 것이 필요한데, 황도대 주변의 여행 과정에서 생기는 정서의 압력을 줄이고 훌훌 털어버리기 위해서이다. 자연스러운 사이킥과 감정이입하는 고위 여사제는, 자신의 주변의 모든 사람들로부터 에너지와 정서를 반영하는—그리고 흡수하는—데 대부분의 시간을 보낸다. 민감성과 자기 보호의 싸인 캔서에서 문은 그녀의 강함을 재건할 수 있고, 배터리를 재충전할 수 있으며, 자연계의 리듬과 순환에 자신을 재조율할 수 있다. 여행하는 전차를 몰고 있는 전사를 위해 안내하는 빛으로서 그녀의 완곡한 방법을 회복할 수 있다.

이 카드의 황금새벽회 디자이너들은 캔서에 있는 문을 '혼합된 기쁨의 주인'이라 했는데, 자신의 싸인에서 재빨리 변화하는 문의 기분을 나타내기 때문이다. 캔서에게 얼마간의 시간을 주어라. 그러면 마침내 행복한 얼굴을 할 것이다.

카발라에서 컵 4는 자비의 네 번째 영역인 헤세드를 묘사한다. 그것은 확장의 행성인 주피터에 상응하며, 풍요와 창조의 물 세계 비나에 위치한다. 이 카드에 있는 젊은 남성은 정서의 분출을 경험하고 있다. 그러나 그 과정에서 그는 자각과 강함의 엄청난 선물을 제공받는다.

타로 리딩에서 컵 4는 종종 실망, 환멸, 각성을 나타낸다. 종종 자원의 풍요로움에도 불구하고 가끔 이 풍부는 슬픔의 원인이다. 자신의 소유에 있는 것은 좀처럼 기쁨의 근원이 되지 않는다. 바꾸어 말하면 돈은 행복을 살 수 없는 것이다.

캔서의 세 번째 데칸은 대개 7월 12일과 21일 사이이고, 썬이 캔서 20도와 30도 사이에 있을 때이다.

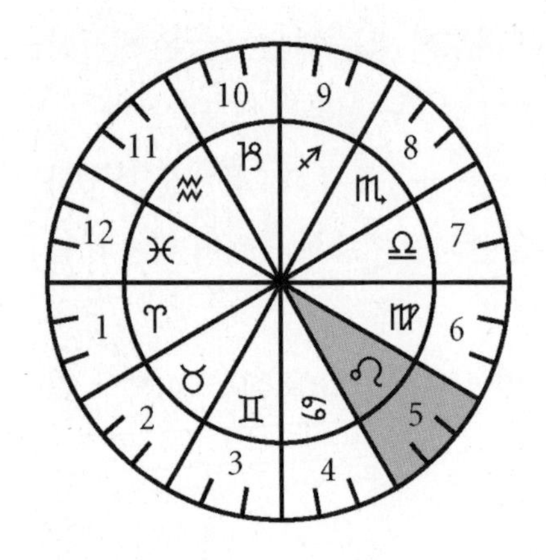

리오의 세 데칸

픽스드 불 : 완즈 5, 6, 7

◆ ◆ ◆

우리는 리오의 세 데칸에 상응하는 세 카드와 함께 마이너 아르카나의 여행을 계속할 것이다. 즉 완즈 5, 6, 7이다.

불 싸인이기 때문에 이 카드들은 완즈의 불 수트에 속한다. 그리고 픽스드 싸인이기에 그 수트의 가운데 카드이다.

카드와 카드의 특성을 공부할 때, 그것들은 그 싸인의 똑같은 특성을 모두 공유한다는 것을 기억하라.

- **싸인:** 황도대의 다섯 번째 싸인 리오는 창조성, 레크리에이션, 출산의 싸인이다. 리오에 있는 세 카드 모두 창조성의 문제를 다루는 사람을 묘사한다.
- **양태/특징:** 리오는 픽스드 싸인으로 여름의 가운데 달을 지배한다. 이 수트의 가운데 카드들과의 상응은 안정되고 지속적인 에너지의 구현이다.
- **원소 :** 리오는 불 싸인이다. 그래서 완즈 수트에 상응한다. 원소와 수트 모두 충동적이고, 주동적이며, 용감하고 솔직하며 원기왕성하고 열광적이며 자발적이다.
- **이중성 :** 불 싸인들은 남성성이다. 그들은 적극적이고, 단언적이며, 확신적이고 솔직하며 원기왕성하다. 그들은 점 A에서 점 B까지 선형으로 움직인다.
- **상응하는 메이저:** 힘 카드는 리오에 상응하고 태양 카드는 리오의 지배성인 썬에 상응한다.

완즈 5: 리오에 있는 새턴
— 분쟁의 주인

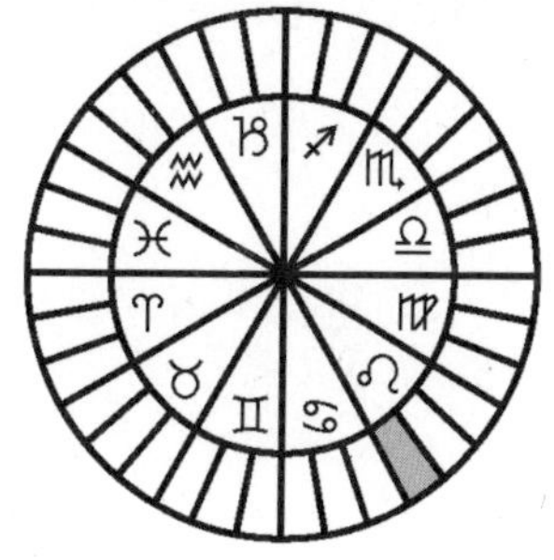

리오의 첫 데칸은 경계, 한계와 제한의 고리가 있는 새턴이 지배한다. 압박으로 들린다고 생각할지도 모르지만 이 카드를 또 다르게 보는 것을 받아들여라. 여기 다섯 명의 고독한 수행자들이 힘을 합치기 위해 노력하고 있다. 그리고 몇몇 지침이 분명히 차례대로 있다.

리오는 자기중심적이 될 수 있는데, 이 카드에서 다섯 개의 자유와 독립적인 정신들이 각자 자신의 길을 가고 있다. 보통 리오는 쇼의 스타다. 그것은 또한 힘 카드와 상응하는 것처럼 용기와 불굴의 정신의 싸인이다. 이 싸인은 태양—우주의 중심—이 지배하고, 그래서 리오는 관심의 중심에 있곤 했다. 가장 나쁜 경우의 시나리오에서 어스트랄러지의 영향은 대담하고, 무자비하고, 색욕이 있으며, 폭력적으로 이끌 수도 있다.

젊은 마법사가 집단의 일부분으로 어떤 것이든 성취하기를 바란다면, 구조의 행성인 새턴이 가져올 수 있는 규율과 구조가 필요할 것이다.

물론 경쟁이 계속해서 일어날 수도 있다. 그러나 이 경우에 새턴은 통제된 연결을 통해 그들의 에너지를 조종할 것이다. 경쟁의 결과는 그들의 기술이 가장 충실한, 자기 동기화된 학생 혼자 스스로를 위해 달인이 되는 것보다 더 빠르고 더 능률적으로 좋아지도록 도울 것이다. 마지막에 그들은 물질세계와 영적인 세계—세계 카드 자체가 보여지는 대로—모두의 달인이 될 것이다.

이 카드의 황금새벽회 디자이너들은 리오에 있는 새턴을 '분쟁의 주인'이라 불렀다. 현대적인 이해의 측면에서 분쟁은 무척 또는 진지하게 노력하는 것과 관련되곤 한다. 그것은 개선을 위해 노력하는 개념과 관련된다.

카발라에서 완즈 5는 힘과 공의의 다섯 번째 영역인 게부라를 묘사한다. 전쟁의 행성인 마스에 상응하며, 영감의 불 세계인 아찔루트에 위치한다. 이 카드에 있는 젊은 수행자들의 집단은 함께 마술을 행하기 전에 서로 타협이 이루어져야 한다.

타로 리딩에서 완즈 5는 모의 연습, 청소년의 갈등, 노력, 반대쪽을 나타낸다.

리오의 첫 데칸은 대개 7월 22일과 8월 1일 사이이고, 썬이 리오 0도와 10도 사이에 있을 때이다.

완즈 6: 리오에 있는 주피터

– 승리의 주인

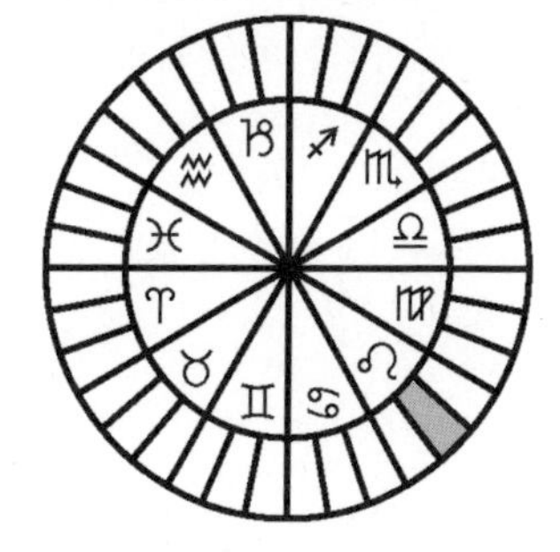

당신이 명예와 갈채의 확실한 보증을 찾고 있다면, 완즈 6에서 그것을 발견할 것이다. 여기 리오의 두 번째 데칸에서 주피터는 리오를 돋보이게 하고, 그것이 열망하는 모든 칭찬과 과찬을 이 싸인에게 준다.

이것은 리오가 가장 좋은 상태에 있는 곳으로, 일 년 중 30일 동안 지배의 정점에서 빛난다. 리오는 정복하는 영웅, 쇼의 스타, 관심의 중심, 가장 주목받는 인물로서 알려져 있다. 이 카드의 황금새벽회 디자이너들이 리오에 있는 주피터를 '승리의 주인'이라 부른 이유다.

리오의 특징인 사자처럼, 완즈 6의 영웅은 싸우고, 무지하고, 젠체하는 것을 극복할 수 있다. 그리고 확신, 낙천주의적이고 영감 있는 지도자로서 각광받는 것으로 시작한다. 운명의 수레바퀴를 돌리는 많은 은혜를 베푸는 주피터는 힘 카드의 젊은 영웅에게 리더십과 갈채를 위한 포럼을 제공한다.

카발라에서 완즈 6는 아름다움과 조화의 여섯 번째 영역인 티페레트를 묘사한다. 그것은 깨달음과 인정의 상징인 태양에 상응하며, 영감의 불 세계인 아찔루트에 위치한다. 무리로부터 스스로를 격리시키는 젊은 영웅은 열광적인 신뢰자들과 추종자들의 집단과 함께 미래의 비전을 어떻게 조화시킬 것인지를 배우고 있다.

타로 리딩에서 완즈 6는 종종 성공, 칭찬, 무리의 우두머리의 위치를 상징한다. 이 카드에 대한 많은 해석은 전쟁에서 용감한 전리품과 승리에서 기인하는 개선 퍼레이드가 특징이다.

이 카드는 또한 리더가 무리에서 얼굴 이상임을 상기시키는 역할을 한다. 리더십은 또한 책임감과 어떤 높은 신분에 따르는 도덕상의 의무에 부속돼 있다.

리오의 두 번째 데칸은 대개 8월 2일과 11일 사이이고, 썬이 리오 10도와 20도 사이에 있을 때이다.

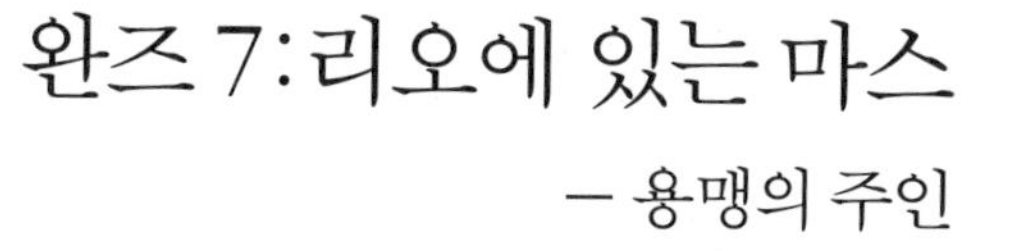

완즈 7: 리오에 있는 마스

— 용맹의 주인

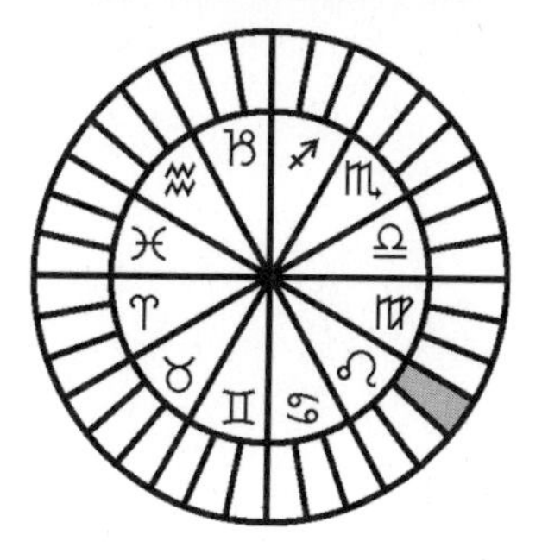

마스는 닿는 것이 무엇이든 전사의 정신으로 스며들게 한다. 리오의 마지막 데칸에서 마스는 그 싸인의 자연스러운 용기와 충동에 마지막 후원을 제공한다. 그는 보통의 인간에서 힘과 능력의 초인적인 존재로 변한다.

리오 — 심장을 다스리는 — 는 모든 것의 심장이고, 마스는 리오에게 그 가슴의 갈망을 위해 싸울 필요가 있는 의지와 결심을 제공한다.

전쟁은 공세만큼 종종 수비가 중요하다. 리오는 항상 개인의 원리와 신념의 지지에서 싸웠다. 이 경우에 마스는 입장을 굽히지 않도록, 용기와 기술로 그의 반대편에 직면하도록 리오에게 영감을 준다.

침범하는 완즈는 상반되는 힘의 사람들이 반드시 필요한 것은 아니다. 또한 리더십과 용기의 예증으로 이 카드를 읽을 수 있다. 언덕의 꼭대기에 있는 젊은 남자는 자신의 군대를 집결시킬 수 있고, 따르는 추종자들을 전투로 이끌거나 새로운 모험과 경험으로 나아가게 할 수도 있다. 마스의 전사는 공격으로 이끌고, 적의 탑이나 요새를 습격할 수도 있다.

어떤 경우든 그는 그 언덕의 왕이다. 그는 좀 더 높은 도덕적인 입장을 고수한다. 이 카드의 황금새벽회 디자이너들은 리오에 있는 마스를 '용맹의 주인'이라 했다. 물론 용맹은 용기의 또 다른 말이다.

카발라에서 완즈 7은 승리의 일곱 번째 영역인 네짜흐를 묘사한다. 그것은 사랑과 매력의 행성인 비너스에 상응하며, 영감의 불 세계인 아찔루트에 위치한다. 이 카드에 등장하는 젊은 남자는 자신의 꿈을 지지하기 위한 충동과 열망이 있다.

타로 리딩에서 완즈 7은 종종 장애, 반대, 압도적인 불화의 직면에서 입장을 지키기 위한 용기를 상징한다. 그것은 단언적이고, 자기 방어적이며, 결정적인 것의 묘사이다.

리오의 세 번째 데칸은 대개 8월 12일과 22일 사이이고, 썬이 리오 20도와 30도 사이에 있을 때이다.

버고의 세 데칸

뮤터블 흙 : 펜타클 8, 9, 10

◆ ◆ ◆

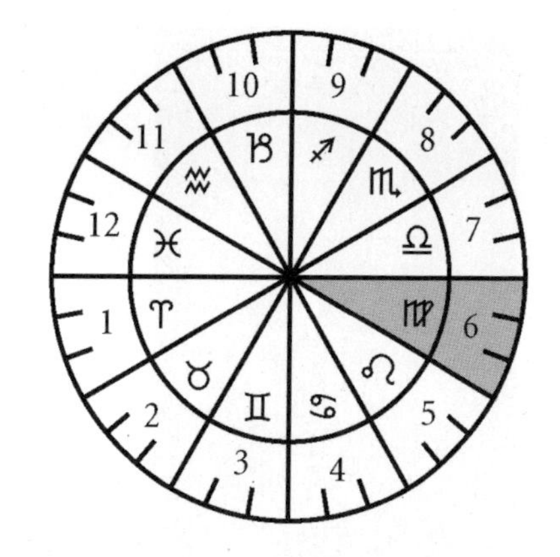

우리는 버고의 세 데칸에 상응하는 세 개의 카드와 함께 마이너 아르카나의 여행을 계속할 것이다. 즉 펜타클 8, 9, 10이다.

이 카드들은 흙 싸인이기 때문에 펜타클의 흙 수트에 속한다. 뮤터블 싸인이기에, 이 수트의 끝에서 온 카드로 결말을 묘사하고 새로운 시작을 향해 변화하는 것과 상응한다.

카드와 카드의 특성을 공부할 때, 그것들은 그 싸인의 똑같은 특성을 모두 공유한다는 것을 기억하라.

- **싸인**: 황도대의 여섯 번째 싸인 버고는 일, 의무, 다른 사람들에 대한 책임감의 싸인이다. 버고에 있는 세 카드 모두 봉사 문제를 다루는 사람들을 묘사한다. 그들이 다른 사람들에게 봉사하든, 다른 사람들로부터 봉사를 받는 쪽에 있든 상관없다.
- **양태/특징**: 버고는 뮤터블 싸인으로, 여름의 마지막 달에서 가을의 첫 달까지 변화한다. 이 수트의 마지막 카드들과의 상응은 다재다능하고 융통성이 있는 에너지를 묘사한다.
- **원소**: 버고는 흙 싸인이다. 그래서 펜타클 수트와 상응한다. 원소와 수트 모두 단단하고 믿을 만하며, 책임감이 있고 실제적이며, 물질적이고 참을성이 강하다.
- **이중성**: 흙 싸인은 여성성이다. 그들은 수용적이고 반영적이며, 자력적이고 반응적이며, 참을성이 있고, 에너지는 원형으로 흐른다.
- **상응하는 메이저**: 은둔자 카드는 버고에 상응하고, 마법사는 버고를 지배하는 행성인 머큐리에 상응한다.

펜타클 8 : 버고에 있는 썬
— 신중함의 주인

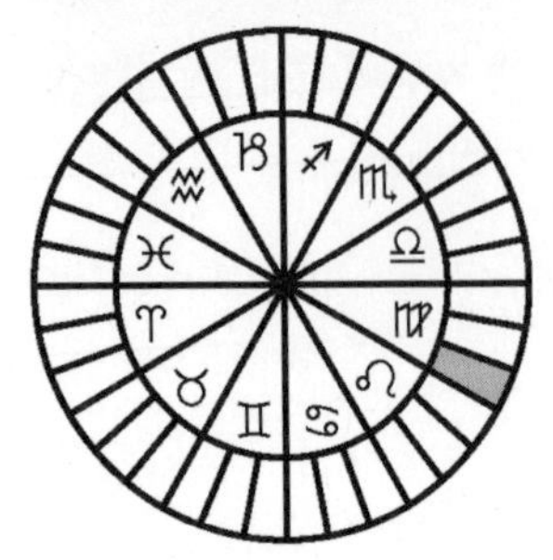

태양은 작업대에 있는 버고 석수공을 포함하여 비추는 모든 것을 빛나게 한다. 메이저 아르카나의 한 짝인 은둔자처럼 버고는 근면하고 인내력이 강하고, 자신의 솜씨에 전념하고, 완벽에 헌신하고, 자신의 말에 충실하다.

태양은 그 특성들 모두를 향상시킨다. 그것은 좀 더 양심적이고, 사소한 마음, 매우 신중한 것조차도 훈련하도록 만든다. 요컨대 태양의 출현은 에너지, 기회, 깨달음, 낙관주의의 우주적인 상승과 도래를 제공한다.

이 카드의 황금새벽회 디자이너들은 버고에 있는 태양을 '신중함의 주인'이라 불렀는데, 그것은 헌신, 건전한 판단, 적절한 행동의 덕목을 묘사한다.

신중함은 타로의 메이저 아르카나에서 잃어버린 하나의 기본 덕목이다. 절제, 정의, 불굴의 정신 모두는 덱에서 자신들의 위치가 있다. 비록 용기가 힘이라는 이름으로 통할지라도.

카디널의 덕목은 수행을 통해 계발된다. 상징적으로 말하면 펜타클 8에 있는 젊은 남자는 무역이나 기술을 바로 발달시키는 것은 아니다. 자신의 솜씨로 부지런히 작업하는 것으로 자신의 특성을 세련되게 한다.

카발라에서 펜타클 8은 광휘와 영광의 여덟 번째 영역인 호드를 묘사한다. 그것은 사고와 의사소통의 행성인 머큐리에 상응하며, 세속적인 존재의 물질계인 앗시야에 위치한다. 그것은 물질계에서 성공과 성취의 카드인데, 특히 성취가 창조적인 계획과 아이디어에 기초했을 때이다.

타로 리딩에서 펜타클 8은 종종 높은 수준의 도제 제도, 개인의 봉사를 판매하는 능력, 작업과 서비스를 통한 성장과 발달의 기회를 나타낸다. 이 카드에 있는 젊은 남자는 글자 그대로 돈을 만들고 있다.

버고의 첫 데칸은 대개 8월 23일과 9월 1일 사이이고, 썬이 버고 0도와 10도 사이에 있을 때이다.

펜타클 9 : 버고에 있는 비너스
– 물질적인 이익의 주인

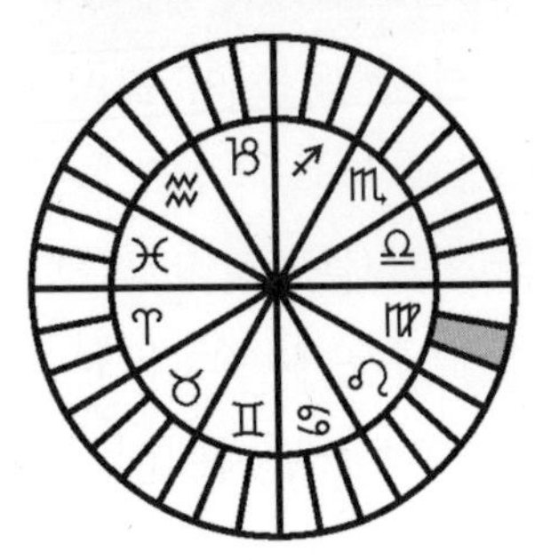

우리는 여기서 여황제인 비너스를 은둔자의 영역 부분을 위탁받은 지배자로 본다. 고립에도 불구하고 그녀는 아름다움과, 편안함, 균형, 조화의 대상이 되는 것들로 둘러싸여 있다.

버고의 두 번째 데칸을 방문한 비너스는 쇠퇴에 있다. 파이씨즈의 항진에서 180도. 보통 쇠퇴에 있는 행성들은 방문자들을 원치 않는다. 비천하고, 낙담하며, 완전히 가장 약할 때이다.

그러나 비너스는 항상 행운의 행성이다. 그래서 은총으로부터 멀어진 듯이 보일 때조차도 기쁨과 만족의 행성으로 환경을 변화시키려고 한다. 그녀는 거기서 성장하는 식물들을 길들였는데, 마치 장갑 낀 손 위에서 송골매를 길들이고 있는 것처럼 보인다. 그녀는 고요하고 평온하며 겨울의 침체와 고독에서도 자연의 아름다움과 벗 삼을 수 있다는 것을 안다.

이 카드의 황금새벽회 디자이너들은 버고에 있는 비너스를 '물질적인 이익의 주인'이라 했는데, 비너스가 번영과 소유의 선물을 가져오기 때문이다. 사실 이 카드는 가끔 상속이나 유물로부터 발생한 돈을 상징한다.

카발라에서 펜타클 9은 기초의 아홉 번째 영역인 예소드를 묘사한다. 그것은 반영의 천체인 문에 상응하며, 세속적인 존재의 물질계인 앗시야에 위치한다. 펜타클 9에 등장하는 젊은 여자는 자신의 물질적인 환경을 반영하고 있다.

타로 리딩에서 펜타클 9은 종종 평화로운 고독의 시간을 보내는 것을 나타낸다. 그것은 편안함과 안전의 측정, 또 외부 세계의 호된 현실로부터의 보호를 암시한다.

버고의 두 번째 데칸은 대개 9월 2일과 11일 사이이고, 썬이 버고 10도와 20도 사이에 있을 때이다.

펜타클 10 : 버고에 있는 머큐리

– 부富의 주인

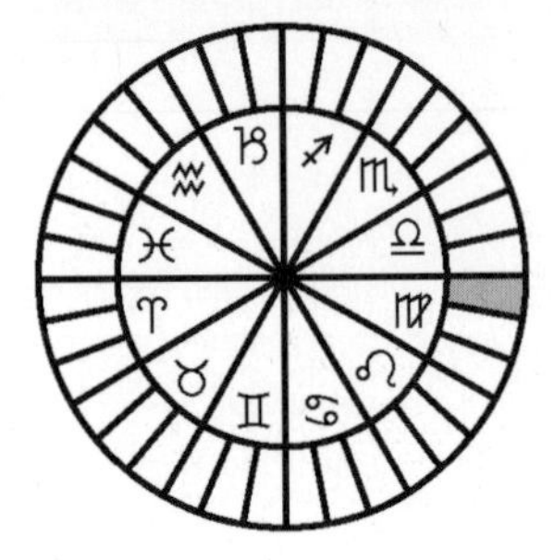

머큐리는 버고에서 고귀하게 되는데, 사자使者 행성이 은둔자의 집에서 명예로운 손님이라는 의미이다. 그는 외부 세계로부터 관련된 소식을 가져온다. 그는 형제, 자매, 확장된 가족 구성원을 융합한다. 즉 이모들, 삼촌들, 사촌들이다. 그는 개를 다정하고 가볍게 토닥인다. 애완동물의 돌봄과 양육은 여섯 번째 하우스 버고의 관심이다. 가장 중요한 것은 머큐리는 번영의 신으로서 자신의 역할을 유지하는 것이다.

부는 그냥 화폐가 아니다. 진정한 부는 통화의 몇몇 형태와 관련 있다. 즉 행복한 가족 관계, 건강한 경계, 편안함, 조직, 능률적인 가정, 욕구와 바람 모두를 위한 돈이다. 각 세대는 그 자신의 공간이 있는데, 이 카드에서 분명히 규정된 경계에 의해 묘사된다. 벽과 아치의 출입구는 각자의 사생활과 존중에 대한 어떤 인정을 상징한다. 삽화에 있는 개 두 마리가 뚜렷한 역할을 나타내는 것이 흥미롭다. 여섯 번째 하우스는 애완동물의 하우스인데, 애완동물의 돌봄은 일상에 기초하여 다루어져야 하는 의무와 책임감이기 때문이다.

이 카드의 황금새벽회 디자이너들은 버고에 있는 머큐리를 '부의 주인'이라 불렀는데, 잘 사는 삶의 충만함과 부유를 나타내기 때문이다. 카발라에서 펜타클 10은 세속적인 현실의 열 번째 영역인 말쿠트를 묘사한다. 그것은 세속적인 존재의 물질계인 앗시야에 위치한다. 이 카드에 있는 세 세대는 물질적인 존재의 결과를 즐기고 있다.

타로 리딩에서 펜타클 10은 종종 부, 사업 성공, 유산, 다양한 세대의 가족 관계를 나타낸다. 이 카드에 있는 사람들은 서로의 친구를 좋아한다. 어느 정도 그들은 서로의 차이를 인정하고 존경하기 때문이다. 그들은 물질적인 영역에서만이 아니라 영적이고 정서적인 것에서도 번영한다. 버고의 세 번째 데칸은 대개 9월 12일과 22일 사이이고, 썬이 버고 20도와 30도 사이에 있을 때이다.

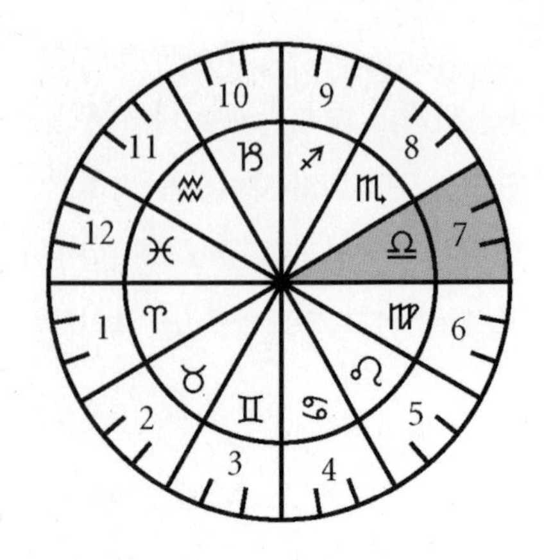

리브라의 세 데칸

카디널 공기 : 소드 2, 3, 4

◆ ◆ ◆

우리는 리브라의 세 데칸에 상응하는 세 카드와 함께 마이너 아르카나의 여행을 계속할 것이다. 즉 소드 2, 3, 4이다.

리브라는 공기 싸인이기 때문에, 세 카드는 공기의 소드 수트에 속한다. 카디널 싸인이기 때문에 입문과 새로운 시작을 나타내는 카드들은 소드 수트의 시작이다.

카드와 카드의 특성을 공부할 때, 그것들은 그 싸인의 똑같은 특성을 모두 공유한다는 것을 기억하라.

- **싸인:** 황도대의 일곱 번째 싸인 리브라는 관계와 친밀한 파트너십의 싸인이다. 리브라에 있는 세 카드 모두 관계 문제를 다루고 있는 사람들을 묘사한다.
- **양태/특징:** 리브라 또한 카디널 싸인이다. 카디널 싸인들이 계절 변화의 안내인인 것처럼, 이 카드에 있는 인물들은 리브라의 변화를 꾀하는 것에 속한다. 그들은 결정적이고, 재빠르며, 원기왕성하다.
- **원소:** 리브라는 공기 싸인이다. 그래서 소드 수트와 상응한다. 둘 모두 지적이고 의사소통적이고 사회적이고, 변화하기 쉬우며, 호기심이 있고 다재다능하다.
- **이중성:** 공기 싸인들은 남성성이다. 그들은 적극적이고, 단언적이며, 확신하고, 솔직하며 원기왕성하다. 그들은 점 A에서 점 B까지 선형으로 움직인다.
- **상응하는 메이저:** 정의는 리브라, 여황제는 리브라를 지배하는 행성인 비너스에 할당된다.

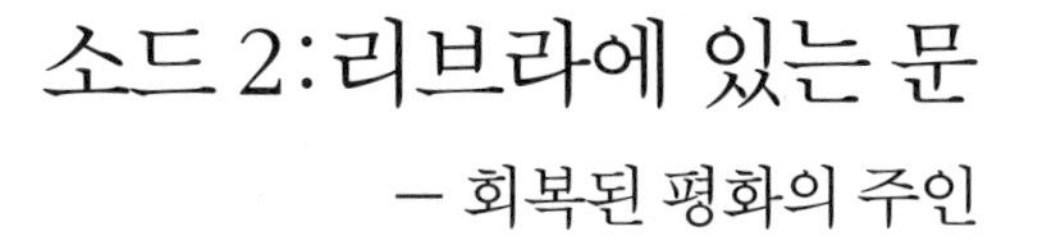

소드 2:리브라에 있는 문

— 회복된 평화의 주인

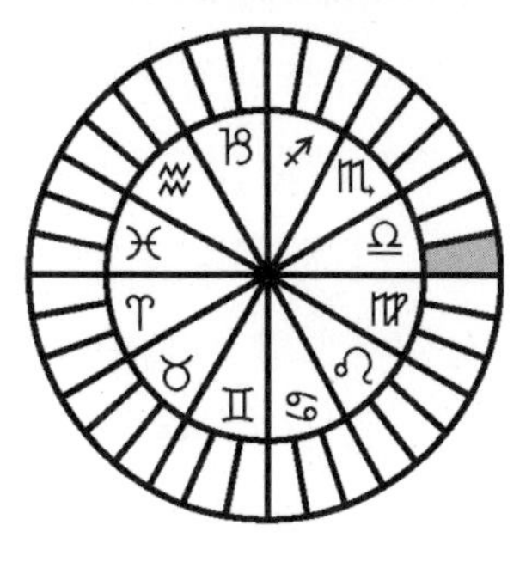

달의 두 여신은 소드 2에서 결합하는데, 깊고 반영적이고 주시하는 직관의 카드이다.

우리는 먼저 고위 여사제의 모습으로 달—달의 여신과 숨겨진 미스터리로서의 안내자—을 만났다. 그녀가 리브라의 부지배자 역할을 할 때, 균형과 동등성의 싸인에 해당하는 원형적인 여신인 정의와 융합한다.

이 카드의 해석에서, 해안가에 홀로 앉아 두 극단 사이에서 힘든 선택을 심사숙고하는 젊은 여자가 특징이다. 그 달month의 첫 10일 동안에 리브라는 문moon이 지배하는데, 달은 합리적이지 않은 직관의 천체이다. 그래서 이 카드에 있는 여자는 이성적이고 균형 잡힌 통찰에 초점이 맞추어진 반면, 눈가리개를 하고 결정을 하기 위해서 직관에 의존하도록 강요받고 있다.

시각적으로 말하면 삽화는 정의 카드의 반향이다. 이 경우에, 이 카드에 있는 여자는 정의의 여신에 대한 좀 더 젊은 버전을 닮았다. 그러나 그녀 스스로 저울이며, 문제의 두 가지 면의 무게를 달고 있다.

리브라는 공기 싸인이다. 달의 영향 없이 그녀는 그 문제의 물과 같은 정서적인 문제에 초연한 듯이 보인다. 그러나 달은 정서적인 영역에 그녀를 연결시킨다.

이 카드의 황금새벽회 디자이너들은 리브라에 있는 문을 '회복된 평화의 주인'이라 불렀는데, 달은 반영, 수용, 이해의 선물로 리브라에게 은총을 주기 때문이다.

이 카드 자체는 일 년의 중간 기점에서 균형 잡고 있다. 리브라는 카디널 싸인이고, 썬이 9월마다 그 싸인에 들어갈 때 가을이 시작된다.

그녀는 두 연인 사이를 찢어 놓게 될 것이다. 리브라는 관계의 일곱 번째 하우스를 지배하는데, 젊은 여자의 걱정이 파트너십과 매력의 영역에서 비롯되는 것을 암시한다. 소드 2는 마이너 아르카나 카드이기 때문에—그리고 리브라의 첫 데칸에 위치하기 때문에—이 카드에 있는 여자는 젊고 연애에 미숙하다고 상상할 정도로 비현실적이지 않다.

또한 그녀는 사랑의 책에서 기초적인 사실을 발견한 것이 가능하다. 즉 우리는 다른 사람들과 정말로 친밀해질 수 있기 전에 자신을 알고 수용해야 한다. 눈가리개의 상징은 내면의 평화와 이해의 추구를 위한 암시다.

그것은 또한 입문에 대한 암시다. 몇몇 비밀 단체는 그들의 새로운 구성원이 입단선서를 하는 동안 눈을 가린다.

리브라는 사랑과 매력의 행성인 비너스가 지배한다. 타로에서 비너스는 여황제에 상응한다. 어떤 사랑스런 어머니처럼 이 카드에 있는 젊은 여자는 외적인 모습을 보는 것이 아니다. 대신 그녀는 내면의 아름다움에 조율되어 있다. 비록 애정의 대상이 어머니가 사랑할 수 있었던 얼굴만 하고 있을지라도.

카발라에서 소드 2는 지혜의 두 번째 영역인 호크마를 묘사한다. 그것은 사고(공기)의 면인 예찌라에 위치하고, 결정을 하고 분별을 조심스럽게 고려하는 카드로 만든다.

타로 리딩에서 소드 2는 종종 어려운 결정이나 두 길 사이에서의 선택을 상징한다.

리브라의 첫 번째 데칸은 대개 9월 23일과 10월 2일 사이이고, 썬이 리브라 0도와 10도 사이에 있을 때이다.

소드 3:리브라에 있는 새턴
─ 슬픔의 주인

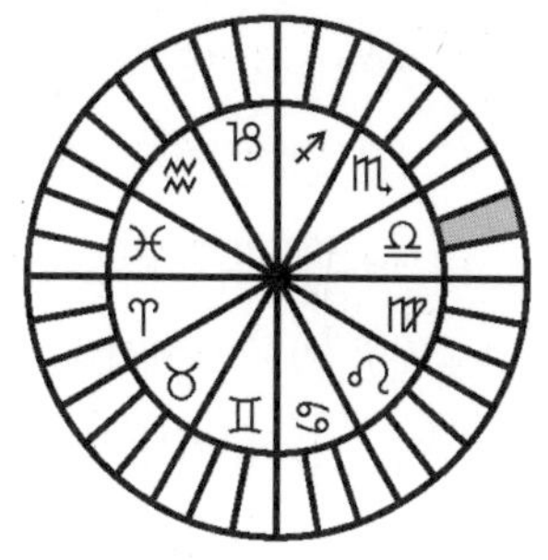

소드 3의 대부분의 버전은 피로 물든, 비와 구름을 배경으로 고동치는 심장에 세 개의 은색 칼이 꽂혀 있는 것이다.

리브라의 두 번째 데칸은 새턴─경계와 한계의 고리가 있는 행성─이 지배하고, 이 지점에서 리브라는 그 제한을 너무나도 잘 인지하도록 강요받는다.

그것은 소드 3와 연합된 비탄과 슬픔을 설명한다. 리브라가 그 힘과 잠재력이 높음에도 불구하고, 공기의 지적인 본성이 구름 사이에서 떠다니는 것은 자유롭지 않다. 대신 리브라는 새턴이 강요하는 세속적인 한계에 의해 내리 눌리게 된다.

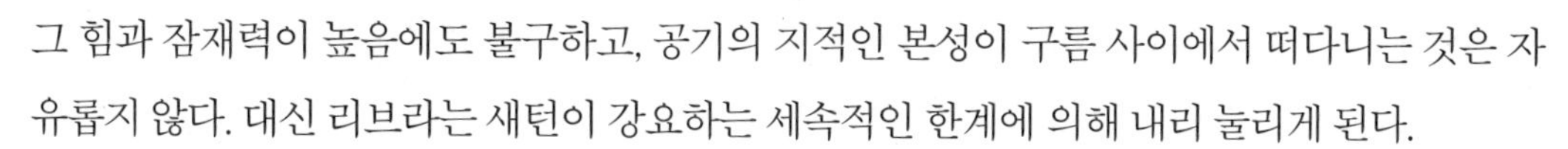

이들 몇몇 장애들은 인간에 기인한 것이다. 지상에서 우리의 시간은 한정되고, 육체적, 영적인, 정서적인 에너지는 우리 몸과 환경에 가깝게 묶여 있다. 로마 신화에서 새턴은 자기 자식들을 먹어버린 타이탄이다. 그리스 사람들은 새턴을 시간의 신 크로노스로서 알고 있고, 시간은 결국 우리를 데려가고 또 우리의 모든 창조물들을 데려갈 것이다.

관계에 대한 리브라의 강조는 슬픔에 대한 그 자체의 정당한 대가를 만든다. 우리가 사랑, 로맨스, 결혼, 파트너십에 대한 일곱 번째 하우스를 이상화하려는 반면, 연애는 결코 대가 없이 오지 않는다는 슬픈 사실이다. 비록 가장 좋은 관계가 계속해서 무게, 균형, 적응되도록 요구하는 것일지라도.

그것은 정의 카드의 도상圖像이 활동하기 시작하는 곳이다. 정의는 리브라의 전체 달month에 해당되는 카드이고, 소드 3의 이미지는 정의의 저울에 대한 어렴풋한 추억이다. 소드는 무시무시할지도 모르지만, 삽화 자체는 완벽히 균형 잡혀 있는데, 소드 두 개가 중심점의 양편에 있다. 천칭의 두 접시처럼 지렛대의 양편에 있다. 그 점에서 이 카드는 정신적인 번민을 나타내는데, 리브라는 표면적으로 두 가지의 모순되는 차이점이나 관점을 타협하기 위해 노력하기 때문이다. 두 극단은 관통하지만, 가운데의 소드는 고통스러운 타협이 대체로 가능할 것으로 설명한다.

또한 메이저 아르카나 연결은 거기서 끝이 아니다. 리브라는 사랑과 헌신의 행성인 비너스가 지배한다. 타로에서 비너스는 여황제 카드에 해당된다. 타로 덱을 디자인했던 기독교 신비주의자들이 여황제를 묘사했을 때 그들의 마음속에 성모마리아가 있었다. 그리고 성모마리아는 일반적으로 자신의 심장이 칼에 찔려 노출된 것으로 묘사된다.

이 카드의 황금새벽회 디자이너들은 리브라에 있는 새턴을 '슬픔의 주인'이라 했는데, 새턴은 그 싸인을 통한 여행에서 고통의 공정한 측정을 분배하기 때문이다.

새턴은 리브라에서 고귀하게 된다. 그래서 그 싸인에서 찾을 수 있는 균형과 정확함에 대한 정교하게 연마된 감각을 좋아한다.

카발라에서 소드 3는 지혜의 세 번째 영역인 비나를 묘사한다. 그것은 구조의 행성인 새턴에 상응하며, 사고의 공기 세계인 예찌라에 위치한다. 지혜와 이해는 치명적인 상처처럼 고통스러운 지혜에서 태어난다. 그러나 그것이 무엇이든 우리를 더 강하게 만드는 것은 우리를 죽이지 못한다.

타로 리딩에서 소드 3는 종종 배신, 이혼, 또는 유산流産으로 망가진 마음을 상징한다.

리브라의 두 번째 데칸은 대개 10월 3일과 10월 12일 사이이고, 썬이 리브라 10도와 20도 사이에 있을 때이다.

소드 4: 리브라에 있는 주피터
– 분쟁으로부터 휴식의 주인

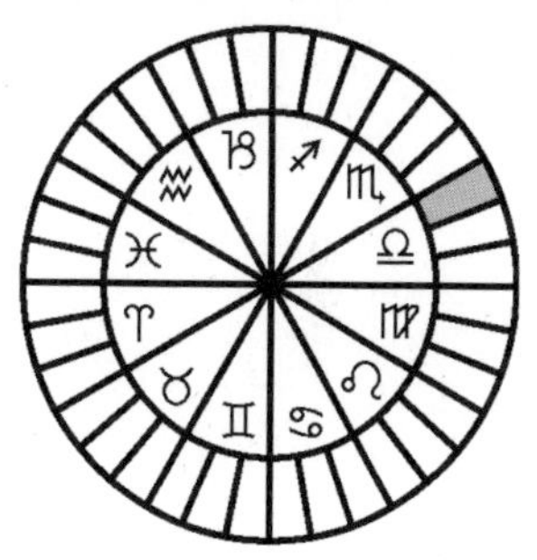

리브라의 세 번째이며 마지막 데칸은 대길성인 주피터가 지배한다. 그것은 소드 4에 묘사된 젊은 친구에게 많이 부족했던 잠을 보충할 기회를 제공한다.

리브라는 공기 싸인이고, 그 지성적인 초점은 이 카드에 있는 소드 4에 의해 명백히 상징된다. 칼 세 개가 공중에 매달려 있고, 하나는 젊은 남자의 벤치에 새겨져 있는데, 첨가된 뼈대나 지지대처럼 보인다.

분명히 그는 지적인 문제에 대해 생각하고, 공부하고, 분석하며 판단하고, 괴로워하고 있다. 그러나 친절한 아저씨처럼 주피터가 이 카드에 있고, 주피터는 리브라가 평범한 걱정과 염려를 중단하도록 운명의 수레바퀴를 천천히 늦추어 주었다.

이 카드의 황금새벽회 디자이너들은 리브라에 있는 주피터를 '분쟁으로부터 휴식의 주인'이라 불렀는데, 그것은 휴식과 회복이 많이 필요하기 때문이다. 불안과 소동의 다른 고난의 시간에 대길성으로부터의 선물인 것이다.

그렇다 하더라도 리브라의 메이저 아르카나의 짝의 이미지인 정의 카드는 여전히 같은 역할을 한다. 정의는 리브라의 전체 달month에 해당되고, 젊은 남자 위에 있는 칼 세 개는 균형의 과정에서 한 쌍의 저울처럼 보인다.

이 카드의 다른 버전은 종종 무덤의 조각처럼 기사 조각상으로 젊은 남자를 묘사한다. 조각상은 대개 교회와 능처럼 명예로운 장소에 새겨지고 전시된다. 이 점에서 조각상은 삶의 전투에 있는 모든 군인들이 자신의 궁극적인 보상을 기다리고 있는 것을 상기시키는 역할을 한다. 부활과 새로운 삶은 선전 분투하는 모든 사람들이 기다리는 것을 암시한다.

카발라에서 소드 4는 자비의 네 번째 영역인 헤세드를 묘사한다. 그것은 확장의 행성인 주피터에 상응하며, 사고의 공기 세계인 예찌라에 위치한다. 상냥한 거인 주피터는 마음의 시련에서 휴식과 회복이 필요한 사람들에게 진정으로 자비를 베푼다.

타로 리딩에서 소드 4는 종종 문제, 실행의 연기, 은둔, 또는 회복 기간으로부터 일시적인 경감을 나타낸다.

리브라의 세 번째 데칸은 대개 10월 13일과 22일 사이이고, 썬이 리브라 20도와 30도 사이에 올 때이다.

스콜피오의 세 데칸

픽스드 물 : 컵 5, 6, 7

◆ ◆ ◆

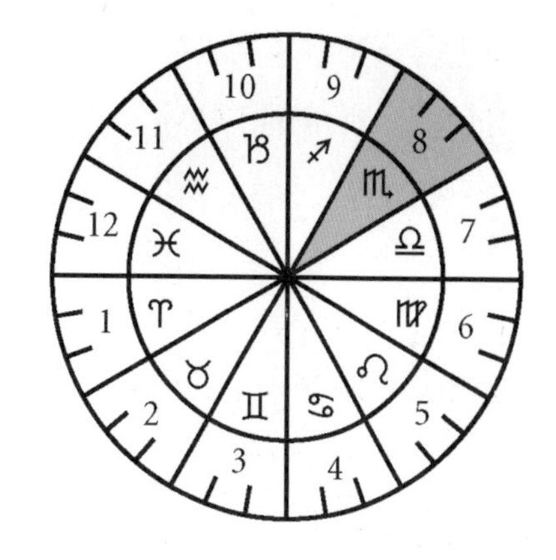

우리는 스콜피오의 세 데칸에 상응하는 세 카드와 함께 마이너 아르카나의 여행을 계속할 것이다. 즉 컵 5, 6, 7이다.

그것은 물 싸인이기 때문에, 이 카드는 컵의 물 수트에 속한다. 픽스드 싸인이기에, 이 수트의 중간에서 온 카드로, 설립된 원리들을 나타내고 있다.

카드와 카드의 특성을 공부할 때, 그것들은 그 싸인의 똑같은 특성을 모두 공유한다는 것을 기억하라.

- **싸인:** 황도대의 여덟 번째 싸인 스콜피오는 성, 죽음, 변형, 다른 사람의 돈의 싸인이다. 스콜피오에 있는 이 세 카드 모두는 격렬한 사건을 다루는 사람들을 묘사한다.
- **양태/특징:** 스콜피오는 또한 픽드스 싸인으로, 가을의 가운데 달에 확실하게 배치되어 있다. 이 수트의 가운데에서 온 카드들과의 상응은 안정되고 지속적인 에너지를 나타낸다.
- **원소:** 스콜피오는 물 싸인이다. 그래서 컵의 물 수트에 상응한다. 원소와 수트 모두는 정서적이고 변덕스럽고 미묘하며, 직관적이고, 유동적이다.
- **이중성:** 물 싸인은 여성성이다. 그들은 수용적이고, 반응적이며, 자력적이고 반영적이며 인내한다. 에너지는 원형 패턴으로 흐른다.
- **상응하는 메이저:** 죽음 카드는 스콜피오에 해당되고, 심판은 스콜피오의 지배성인 플루토에 해당된다.

컵 5 : 스콜피오에 있는 마스

– 기쁨 상실의 주인

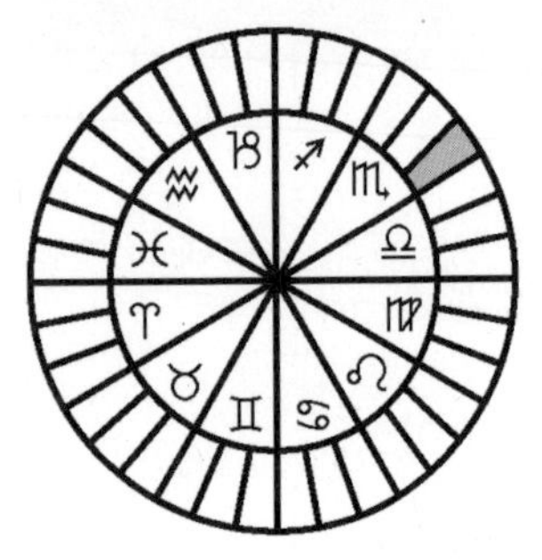

할로윈이 스콜피오의 첫 번째 데칸에 속한 것은 우연이 아니다. 할로윈 데이에 세계들 사이의 베일이 가장 얇아진다고 한다. 그래서 죽음의 영혼들은 지구의 다른 면으로 노력 없이 이리저리 미끄러져 들어갈 수 있다.

스콜피오는 삶의 어두운 신비에 매우 능통하다. 대부분의 사람들에게 이들 신비는 우울한 듯이 보인다. 그러나 이 카드에 등장하는 젊은 여성은 그들과 타협하는 듯이 보인다.

이 카드의 젊은 여자는 스콜피오와 상응하는 메이저 아르카나인 죽음과 이미 친숙하다. 이 카드에 있는 여자는 이 싸인의 첫 번째 데칸에 위치한다. 그녀는 죽음과의 직접적인 경험이 많지는 않을 것이다. 그렇다 하더라도 여기서는 자연스럽고 타고난 것 같은 이해가 있다.

그녀의 친밀함은 스콜피오의 첫 번째 데칸이 전사의 행성인 마스가 지배한다는 사실에 의해 강화된다. 마스는 또한 스콜피오의 전체 싸인의 자연스러운 지배자라는 사실을 알 수 있다.

모든 전사—또한 마스의 맹렬한 그림자 아래에 떨어진 모든 외과 의사—는 죽음이 삶의 자연스러운 결과라는 것을 안다. 가끔 우리의 주장이 유발시켰던 것일지라도 우리가 살고 싶어 하는 삶은 보호하고 싸워야 할 가치가 있다. 젊은 여자의 망토처럼 우리의 몸은 쉽게 결별되고, 벗어버리고, 버려진다. 메이저 아르카나에서 그 상대인 죽음 카드와 상응하는 컵 5와 비교하

라. 그러면 당신은 두 카드가 상실, 변형, 변화의 과정을 묘사한다는 것을 알아차릴 것이다.

황금새벽회 오컬티스트들은 컵 5를 '기쁨 상실의 주인'이라 불렀는데, 그 이유는 삶에서 기쁨은 빨리 지나가고 덧없기 때문이다. 엎질러진 물, 엎질러진 피……. 둘은 똑 같다. 그들은 삶과 시간의 강이다. 그래서 그들은 반드시 하나의 불가피한 결론으로 흐른다.

스콜피오는 플루토가 지배하는데, 메이저 아르카나에서 악마 카드에 상응한다. 악마에 대한 현대의 많은 아이디어들은 지하세계의 신 플루토의 신화에 기초한다. 스콜피오는 성, 죽음, 다른 사람들의 돈에 대한 여덟 번째 하우스를 다스린다.

카발라에서 컵 5는 힘, 권력, 공의의 다섯 번째 영역인 게부라를 묘사한다. 그것은 전쟁의 행성인 마스에 상응하며, 비옥과 창조의 물 세계인 비나에 위치한다. 우선 이 카드에 그려진 젊은 여자는 그녀의 꿈이 침식된 것을 보고 있다. 그러나 그 결과 그녀는 좀 더 주의하고 초점 맞추고 결정적이고 강력하게 될 것이다.

타로 리딩에서 컵 5는 종종 슬픔, 상실, 후회를 나타낸다.

스콜피오의 첫 번째 데칸은 대개 10월 23일과 11월 2일 사이이고, 썬이 스콜피오 0도와 10도 사이에 있을 때이다.

컵 6 : 스콜피오에 있는 썬

— 기쁨의 주인

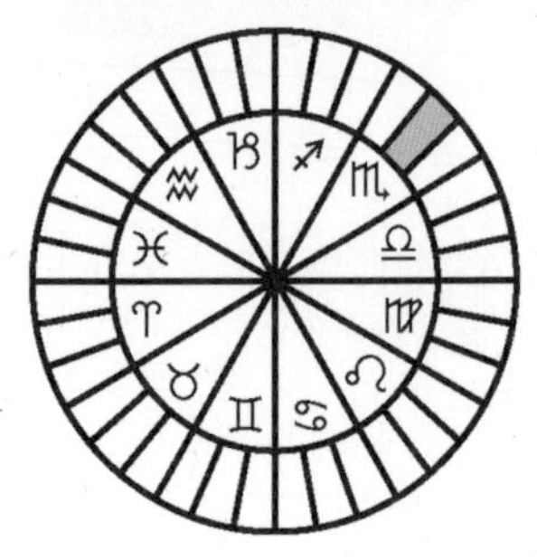

태양은 황도대의 가장 어두운 구석에 있을 때조차도 빛을 보낸다. 태양이 스콜피오의 부지배자가 될 때, 그것은 비탄과 상실의 그림자를 태워버리고 좀 더 행복한 날들에 대해 밝은 암시를 가져온다.

스콜피오는 황도대의 픽스드 물 싸인이다. 그것은 삶과 사랑에 대한 그 신념에서 격렬하게 정서적이고 동요하지 않게 만든다.

스콜피오는 정서적인 관계에 대해, 또 억누를 수 없는 열망과 보답이 없는 사랑에 대해 조용히 사로잡히는 경향이 있다. 스콜피오의 두 번째 데칸의 고통에 있는 누군가에게 주어진 충분한 시간—그리고 햇빛—은 스스로에게 과거가 항상 완벽했다고 설득할 수도 있다.

스콜피오가 맹렬히 슬프에 잠길 수 있는 반면, 관계가 실패할 때 열망의 깊이로 뛰어드는 이 싸인은 또한 행복과 기쁨의 상응하는 높이로 올라갈 수 있다. 사실 이 카드의 황금새벽회 디자이너들은 스콜피오에 있는 썬을 '기쁨의 주인'이라 불렀는데, 우정과 연결의 조화를 묘사하기 때문이다.

카발라에서 컵 6는 아름다움의 여섯 번째 영역인 티페레트를 묘사한다. 그것은 빛과 승인의 상징인 태양에 상응하며, 비옥과 창조의 물 세계인 비나에 위치한다. 그것은 이 카드의 아름다움과 민감성을 설명한다. 그리고 두 사람과 장면에 대한 정서적인 집착으로 가득 찬 과도한 감정적인 장면을 묘사한다.

타로 리딩에서 컵 6는 종종 향수, 행복한 어린 시절의 기억, 형제와의 지속되는 관계, 평생 우정과의 재결합을 나타낸다. 그것은 모욕, 논쟁, 또는 이별 후의 화해를 상징할 수 있다.

스콜피오의 두 번째 데칸은 11월 3일과 12일 사이이고, 썬이 스콜피오 10도와 20도 사이에 올 때이다.

컵 7 : 스콜피오에 있는 비너스
— 환영적인 성공의 주인

은인인 비너스가 스콜피오의 세 번째이자 마지막 데칸을 방문할 때 아름다움, 힘, 부와 행복을 포함하는 가능성에 대한 애태우는 배열을 제공한다.

여황제처럼 비너스는 꿈이 실현되기를 바란다. 그녀는 자식에게 성공의 모든 기회가 제공되기를 바란다. 그녀는 꽤 많은 선택을 선물할 수 있다. 그러나 비너스는 로맨틱한 환영의 행성으로, 그녀의 약속은 노력과 시간 없이 이루어질 수 없다.

이 카드의 황금새벽회 디자이너들은 스콜피오에 있는 비너스를 '환영적인 성공의 주인'이라 불렀는데, 그것은 가능성에 대한 힌트의 암시이지만, 성취에 대한 어떤 보증을 제공하지는 않는다.

사실 이 카드는 대답보다는 좀 더 많은 질문을 제기한다. 젊은이는 어떤 길을 추구해야 하는가? 어떤 선택이 마지막에 성과를 내는 데 가장 가능할 것 같은가? 지금 당장은 이 카드가 공허한 약속으로 채워진 듯하다. 말은 쉽다. 말보다 행동이 중요한 이유이다.

카발라에서 컵 7은 승리의 일곱 번째 영역인 네짜흐를 묘사한다. 그것은 사랑과 매력의 행성인 비너스와 상응하며, 비옥과 창조의 물 세계인 비나에 위치한다.

지금 컵 7은 여전히 나타남의 과정에 있다. 그들의 모양과 구조는 아직 실현되지 않았다. 당분간 그들은 약속과 가능성만 제공할 뿐이다. 완벽한 행복과 기쁨에 대해 애태우는 방안과 더불어. 그들을 아직 태어나지 않은 아이들로 생각하라. 여성이 임신했을 때, 그들이 공유하게 될 모든 사랑과 성공에 대해 꿈꾼다. 수유해달라고 고함지르고 요구하는 아기가 실제로 태어나기 전에 이 아이들은 완벽하고 흠이 없는 작은 요정들이다.

타로 리딩에서 컵 7은 종종 공상, 환영, 꿈, 환락과 생각으로 자신을 상실하는 경향을 나타낸다. 그것은 연인, 환상적인 로맨스, 상상의 관계를 꿈꾸는 것을 상징할 수 있다. 이 카드는 부富에 대한 곤혹을 묘사하기도 한다. 그러나 또한 술에 취하는 경향을 암시할 수도 있는데, 난잡함과 폭력으로 이끌 수 있다.

당신이 특별히 신비적이라면, 스콜피오와 이 카드의 연결—성, 죽음, 다른 사람의 돈—은 영적인 세계와 우리의 연결에 대해 상기시키는 것이기도 한다. 컵 7은 죽음의 영혼을 상징할 수도 있는데, 그것은 매개를 통해 사랑했던 사람과 연결할 수 있는 기회를 조정하는 것이다.

스콜피오의 세 번째 데칸은 11월 13일과 22일 사이이고, 썬이 스콜피오 20도와 30도 사이에 있을 때이다.

▶ 우주의 연결 : **일곱 번째 천국**

의미에 대한 흥미로운 몇몇 층들이 컵 7에 배어 있다. 이 카드에 있는 일곱 개의 컵은 고대의 일곱 행성에 상응하고, 또한 메이저 아르카나 카드와도 상응하고 있다. 자세히 보라. 그러면 당신은 이 카드들의 상징을 인정할 것이다.

- **머큐리** – 마법사의 렘니스케이트lemniscate 곡선(다른 덱에서 렘니스케이트는 뱀으로 나타날 수도 있다. 둘은 무한을 상징한다. 우로보로스는 영원의 상징적인 묘사로, 자신의 꼬리를 물고 있는 뱀이다)
- **비너스** – 여황제의 머리
- **마스** – 탑
- **주피터** – 운명의 수레바퀴(다른 덱에서, 행운은 종종 빛나는 보석과 보물의 수집으로 묘사된다)
- **새턴** – 세계의 화관 같은 왕관
- **달** – 고위 여사제(다른 덱에서는 베일에 싸인 여성으로 나타난다)
- **태양** – 아폴로의 흰 말(다른 덱에서는 태양의 움직임과 힘의 또 다른 상징인 날개 달린 용으로 묘사되기도 한다)

쌔저테리어스의 세 데칸

뮤터블 불 : 완즈 8, 9, 10

◆ ◆ ◆

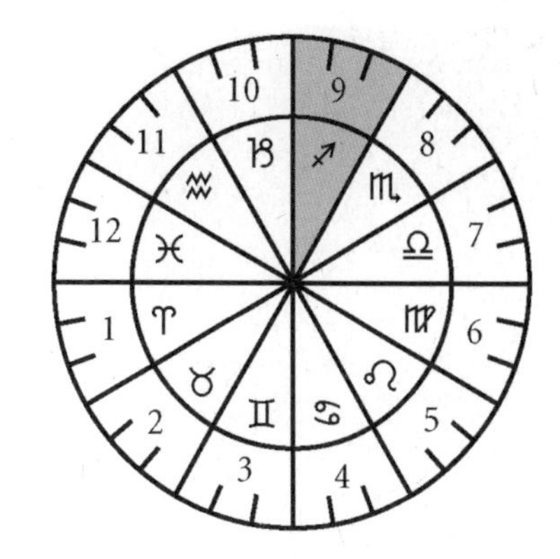

우리는 쌔저테리어스의 세 데칸과 상응하는 세 카드와 함께 마이너 아르카나의 여행을 계속할 것이다. 즉 완즈 8, 9, 10이다.

그것은 불 싸인이므로, 이 카드들은 완즈의 불 수트에 속한다. 뮤터블 싸인이기에 결과를 나타내고 새로운 시작에 대한 변화에 상응하며, 카드들은 이 수트의 마지막에 해당된다. 카드와 카드의 특성을 공부할 때, 그것들은 그 싸인의 똑같은 특성을 모두 공유한다는 것을 기억하라.

- **싸인:** 황도대의 아홉 번째 싸인인 쌔저테리어스는 장거리 여행, 고등교육, 철학의 싸인이다. 쌔저테리어스에 있는 세 카드 모두 그들의 세계관을 확장하고 비전을 넓히는 사람들을 묘사한다.
- **양태/특징:** 쌔저테리어스는 뮤터블 싸인으로, 가을의 마지막 달에서부터 겨울의 첫 달까지 변화하는 움직임이다. 이 수트의 마지막 카드들과의 상응은 다재다능하고 유연한 에너지를 묘사한다.
- **원소:** 쌔저테리어스는 불 싸인이다. 따라서 완즈의 수트들과 상응한다. 원소와 수트 모두 충동적이고 추동적이며, 용기 있고, 솔직하며, 원기왕성하고, 열광적이고 자발적이다.
- **이중성:** 불 싸인들은 남성성이다. 그들은 적극적이고, 단언적이며, 확신하고 솔직하며 원기왕성하다. 점 A에서 점 B까지 선형으로 움직인다.
- **상응하는 메이저:** 절제는 쌔저테리어스에 해당되고, 운명의 수레바퀴는 쌔저테리어스의 지배성인 주피터에 배당된다.

완즈 8 : 쌔저테리어스에 있는 머큐리
– 신속함의 주인

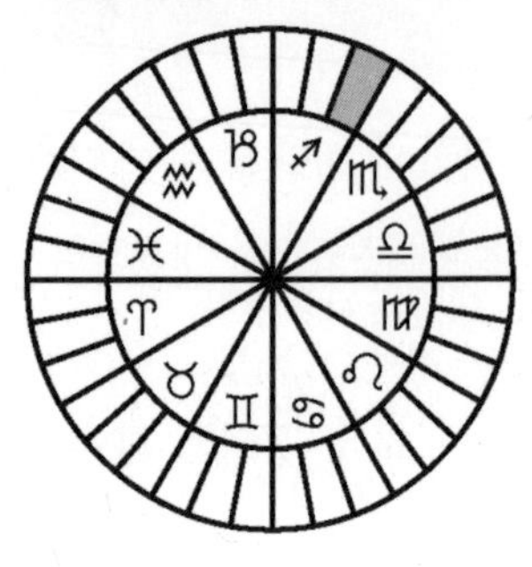

완즈 8 카드는 메신저인 머큐리의 가장 친숙한 특성이 장거리 여행, 철학, 고등교육의 싸인인 쌔저테리어스와 함께 결합한다.

머큐리는 신들의 사자이다. 그는 빛–그리고 사고–의 속도로 움직이는데, 소식과 소통을 시간과 공간의 원거리를 넘어서 전한다. 그와 한 짝인 마법사처럼 머큐리는 한계와 세속적인 존재의 속박을 초월할 수 있으며, 물질세계를 정신적인 적극성의 영역으로 변형한다.

여기 완즈 8에서 그는 고도의 정신적인 쌔저테리어스의 철학적인 영역을 통해 여행하고 있는 것이다. 쌔저테리어스는 세상에 메시지와 소통을 자유롭게 전달하는 것이 행복한 싸인이다. 사실 쌔저테리어스의 아홉 번째 하우스는 출판의 집이다. 쌔저테리어스와 상응하는 절제 카드는 두 세계 사이의 다리를 상징하는데, 마치 작가와 독자 사이를 글로서 다리를 잇는 것과 같다.

완즈 카드는 대개 영적인 메시지를 전달하는 반면, 이 카드에 있는 여덟 개의 공문서는 또한 물리학의 법칙에 순응한다. 그들은 대형을 이루어 날고, 중력은 결국 그들을 강제로 착륙시킬 것이다.

그러나 바로 지금, 그것은 완즈가 그들의 목적에서 벗어나게 하는지 또는 도착하게 하는지,

그들의 목표에 도착하는지 또는 그들의 표식을 놓치는지 분명하지 않다.

그것은 또한 누군가가 그들을 공중에서 보는지 명백하지 않다. 누가 그들을 보냈는가? 누가 그들의 도착을 기대하고 있는가? 이 카드에는 아무도 없기 때문에, 완즈는 단지 일반적으로 우주로부터 메시지를 나르는 것일지도 모른다.

카발라에서 완즈 8은 광휘와 영광의 여덟 번째 영역인 호드를 묘사한다. 그것은 사고와 의사소통의 행성인 머큐리에 상응하며, 영감의 불 세계인 아찔루트에 위치한다. 이 카드에서 높이 날고 있는 완즈는 창조성과 충동의 메시지를 포함하고 있다. 그들은 거부할 수 없는 행동 촉발 신호다.

타로 리딩에서 완즈 8은 종종 전기통신을 상징한다. 방송전파를 가로질러 항해하는, 성층권을 통해 상승하는, 인공위성에서 되튀는, 노트북이나 장치가 당신에게 좌지우지되어 갑자기 고장 나는 것이다.

이 카드의 황금새벽회 디자이너들은 쌔저테리어스에 있는 머큐리를 '신속함의 주인'이라 불렀는데, 그것은 공기를 통해 날아오는, 사람들과 또 다른 장소를 연결시키는 궁수의 화살처럼 날아오는, 빗발치듯 쏟아지는 메시지와 의사소통을 묘사하기 때문이다.

쌔저테리어스의 첫 번째 데칸은 대개 11월 23일과 12월 2일 사이이고, 썬이 쌔저테리어스 0도와 10도 사이에 있을 때이다.

완즈 9 : 쌔저테리어스에 있는 문
– 위대한 힘의 주인

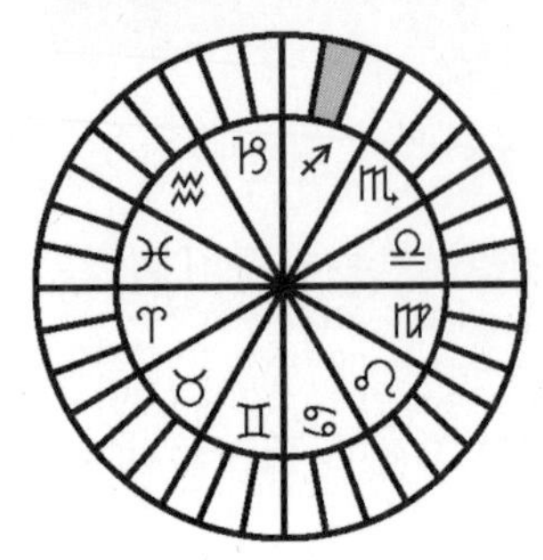

쌔저테리어스는 탐구자이고 모험자–그러나 여기서는 문의 명상적인 영향 하에서 지난 임무를 숙고하고, 다음 전투를 위한 계획을 세우는 시간을 요하는 행운의 군인–이며 또한 경험의 다음 주기이다. 사실 당신은 삶의 좀 더 어두운 영역에서 시간과 경험으로 부드럽게 된 달의 고위 여사제의 경계하는 버전으로서 그녀에 대해 생각하기를 바랄지도 모른다. 쌔저테리어스의 여행은 밝고 행복한 장소로 스스로를 항상 제한하지는 않는다. 그리고 절제에 상응하는 원형은 종종 빛과 어둠 사이에서 균형을 요구한다.

이 카드에 있는 젊은 전사의 자세는 방어적이다. 그녀는 경험 있는 투사이다. 그래서 그녀는 어떤 돌격에서도 견딜 정도로 충분히 강하고 조직화된 영적인 힘을 가진 자기 스스로와 협력하고 있다.

그렇다 하더라도 그녀는 경계하고 주의 깊은 것을 유지한다. 그녀는 기습공격이 언제라도 가능하다는 것을 안다. 그래서 방패를 감히 내려놓지 못한다. 그녀의 등이 벽을 등지고 있는 반면, 몸은 비스듬하게 있다. 그래서 어떤 방향에서의 위협에도 반응할 수 있다.

이 카드의 황금새벽회 디자이너들은 쌔저테리어스에 있는 문을 '위대한 힘의 주인'이라 불렀는데, 달의 고요한 힘이 그가 열망하는 쌔저테리어스의 깊은 철학적인 토대를 제공하기 때문이다. 특히 그것이 영적인 투쟁으로 올 때이다. 정서와 합리성의 융합인 쌔저테리어스의 문은 강함, 결심, 자기 신뢰의 요새를 건설하도록 도울 수 있다.

카발라에서 완즈 9는 기초의 아홉 번째 영역인 예소드를 묘사한다. 그것은 반영의 천체인 달에 상응하며, 영감의 불 세계인 아찔루트에 위치한다. 그것은 인내 없이는 보상이 없다는 것을 상기시킨다. 어머니가 아이의 출생을 위해 여러 달을 기다려야 하는 것처럼, 상처받은 전사는 앞으로 움직이기 위해 과거를 내려놓아야 한다.

타로 리딩에서 완즈 9은 상처 입은 전사를 나타낸다. 전쟁에서 승리할 계획이었으나 전투를 잃었을지도 모르는 사람이다.

쌔저테리어스의 두 번째 데칸은 대개 12월 3일과 12일 사이이고, 썬이 쌔저테리어스 10도와 20도 사이에 올 때이다.

완즈 10 : 쌔저테리어스에 있는 새턴
— 압박의 주인

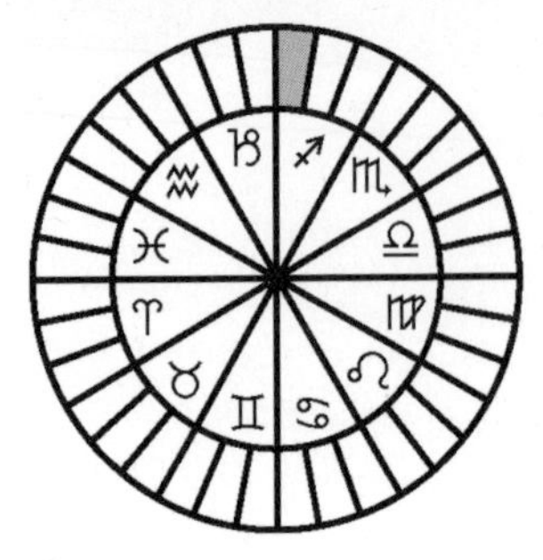

한계와 제한의 고리가 있는 행성인 새턴은 자신과 만나는 모든 것을 멈추게 한다. 여기서 새턴은 한계로 그를 짓누르고 앞으로의 이동과 진행을 느리게 하는 짐으로, 낙천적인 쌔저테리어스에게 부담을 준다.

시지프스처럼 이 카드에 등장하는 젊은 남자는 둥근 돌을 언덕 위로 영원히 굴리도록 선고를 받은 듯하다. 또는 이 경우에는 한아름의 불타는 나뭇가지를 옮기려고 탁 트인 광장을 가로지른다.

쌔저테리어스는 보통 자유롭고 자유분방하다. 모험을 즐기는 승마의 명수는 새로운 땅, 새로운 사람, 탐색을 위한 새로운 철학을 찾는 것보다 더 좋은 것은 없다.

새턴은 진지함의 행성이다. 새턴이 쌔저테리어스의 세 번째 데칸의 통치자의 지위를 떠맡을 때, 함께 그 세계의 무게를 가져온다. 그는 꿈과 희망을 누그러뜨려서 여행을 제한한다.

젊은 남자는 자신의 꿈과 아이디어를 나타내는 부담을 지고 있을지도 모른다. 이행되지 못한 희망은 사람의 영혼을 무겁게 한다. 그는 또한 서서히 나아가서 연결된 사슬에 영원히 감기는 말리의 유령처럼, 과거에 악한 짓을 한 죄책감과 싸우게 될지도 모른다.

이 카드의 황금새벽회 디자이너들은 새턴에 있는 주피터를 '압박의 주인'이라 했다. 새턴의 한계와 제한에 친숙하지 않은 누구든지, 책임감의 무게는 분명히 어떤 압박일 수 있다.

카발라에서 완즈 10은 우리 세속의 영역인 말쿠트를 묘사한다. 그것은 영감의 불 세계인 아찔루트에 위치하고, 우리의 꿈과 이상의 세속적인 현실을 묘사한다. 그래서 가끔 그들은 조직하고 나타내기 위해 많은 손이 필요하다.

타로 리딩에서 완즈 10은 종종 과로와 혼란을 나타낸다.

쌔저테리어스의 세 번째 데칸은 대개 12월 13일과 21일 사이이고, 썬이 쌔저테리어스 20도와 30도 사이에 올 때이다.

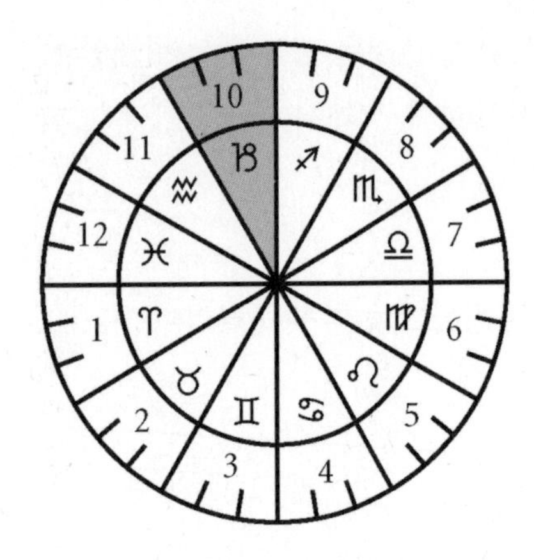

캐프리컨의 세 데칸

카디널 흙 : 펜타클 2, 3, 4

◆ ◆ ◆

우리는 캐프리컨의 세 데칸에 상응하는 세 카드와 함께 마이너 아르카나의 여행을 계속할 것이다. 즉 펜타클 2, 3, 4이다.

흙 싸인이기 때문에, 카드는 펜타클의 흙 수트에 속한다. 카디널 싸인이므로, 입문과 새로운 시작을 나타내고 카드들은 그 수트의 시작에 해당된다.

카드와 카드의 특성을 공부할 때, 그것들은 그 싸인의 똑같은 특성을 모두 공유한다는 것을 기억하라.

- **싸인**: 황도대의 열 번째 싸인인 캐프리컨은 직업과 사회적인 계층의 싸인이다. 캐프리컨에 있는 세 카드는 재정과 세속적인 힘의 문제를 묘사한다.
- **양태/특징**: 캐프리컨은 카디널 싸인이다. 카디널 싸인이 계절의 변화를 예고하는 것처럼, 이 카드들에 등장하는 인물들은 캐프리컨의 변화의 시작에 속한다. 그들은 결정적이고, 재빠르고, 원기왕성하다.
- **원소**: 캐프리컨은 흙 싸인이다. 그래서 펜타클 수트와 상응한다. 원소와 수트 모두 단단하고, 믿을 만하고, 책임감이 있으며, 실제적이고, 물질적이며 참을성이 강하다.
- **이중성**: 흙 싸인은 여성성이다. 그들은 수용적이고, 반응적이며, 자력적이고, 반영적이며 인내심이 있으며 에너지는 원형 패턴으로 흐른다.
- **상응하는 메이저**: 캐프리컨은 악마 카드와 상응한다. 반면 그 지배성인 새턴은 세계 카드와 상응한다.

펜타클 2: 캐프리컨에 있는 주피터

— 조화로운 변화의 주인

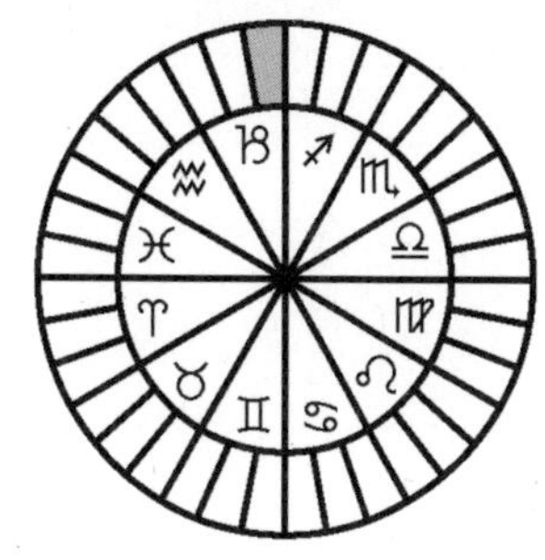

일만 하고 놀지 않으면 바보가 된다. 그러나 주피터는 아무도 지루하지 않도록 확실히 해두려고 할 것이다. 주피터가 캐프리컨의 첫 번째 데칸을 방문할 때, 그것은 새턴 세계의 구조를 흔들고, 규칙과 법규에서 반가운 핑곗거리를 제공한다.

물론 주피터는 낙천적인 운명의 수레바퀴다. 여기서 직업과 사회적인 봉사에 대한 악마의 열 번째 하우스에 있는 대길성은 약간 제자리를 얻지 못한 듯이 보인다. 사실 주피터는 캐프리컨에서 쇠퇴해 있다. 환영받지 못하는 손님에 대한 어떤 것. 그는 캐프리컨이 밝아지게 하기 위해 많은 일을 한다. 그는 주어진 저항을 직면하는데, 그가 할 수 있는 최선은 캐프리컨이 자신의 호주머니에 있는 화폐를 짤랑거리도록, 작은 날랜 손재주를 시험하도록, 그의 자원을 절묘하게 다루는 실습을 하도록 돕는 것이다. 결국 주피터는 캐프리컨의 진지한 성격의 저돌적인 국면을 가져왔을지도 모른다.

이 카드의 황금새벽회 디자이너들은 캐프리컨에 있는 주피터를 '조화로운 변화의 주인'이라 불렀는데, 길성인 주피터가 변화와 물질적인 개선이 매끈하게 그리고 주제넘지 않게 일어나도록 만들기 때문이다. 이 젊은 남자는 한 손으로 돈을 소비할 필요가 있을지도 모르지만, 그러나 주피터는 그가 다른 손으로 돈을 만들 수 있는 것을 보증할 것이다.

카발라에서 펜타클 2는 지혜의 두 번째 영역인 호크마를 묘사한다. 그것은 우리의 세속 세계인 앗시야에 위치한다. 이 카드에 있는 젊은 남자는 몸과 마음의 세력이 결합할 때까지, 그리고 그의 육체적인 존재와 영적인 존재가 균형을 가져올 때까지 배우고 있다.

타로 리딩에서 펜타클 2는 종종 균형 잡힌 행동을 나타낸다. 시간과 돈, 일과 즐거움, 개인적인 것과 직업적인 의무의 균형을 위해 계속해서 노력하는 것이다. 그의 행위는 시간을 소비하게 될지도 모르지만, 그러나 가끔, 청중의 이익을 위해 이행한다. 청중은 그의 시간, 재능이나 문제에 대해 감사하거나 혹은 감사하지 않는 사람들이다.

캐프리컨의 첫 번째 데칸은 대개 12월 22일과 30일 사이이고, 썬이 캐프리컨 0도와 10도 사이에 올 때이다.

펜타클 3: 캐프리컨에 있는 마스

— 물질적인 작업의 주인

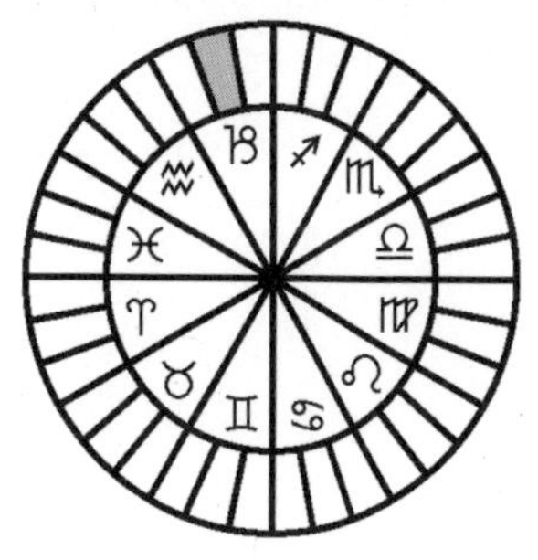

전사의 행성인 마스는 캐프리컨의 두 번째 데칸의 부지배자로서 점거할 때 옷을 입고 일하러 간다.

마스는 캐프리컨에서 고귀하게 된다. 그는 명예로운 손님이고, 그를 여유롭게 하는 그 배치의 모든 것을 존경으로 받아들인다.

마스는 차분히 일에 착수하고, 목표와 대상을 설립하며, 전투계획, 사업 계획을 실행하는 것을 좋아한다. 그는 악마에게 그의 의무를 제공하는 것을, 요새 같은 사무실에 붙은 방과 교환하는 것을 기꺼이 이행한다. 차트에서 하늘의 높은 시점을 통해 마스는 세상을 볼 수 있다. 그래서 세상은 일터에서 그를 볼 수 있다. 열 번째 하우스는 직업과 사회적인 지위를 설명한다. 그것은 차트에서 뚜렷하고 명백한 위치이다.

사실 세속적인 열 번째 하우스는 마스의 탑과 같은 에너지를 위한 완벽한 집이다. 그러나 더 정확히 말하면 파괴와 멸망으로 만드는 마스의 번득이는 영감의 섬광은 여기에서 근거를 갖는다. 그래서 실제적이고, 유리한 결과로 이끌 수 있다. 이 카드에 있는 젊은 남자는 실업계의 거물로 그렸는데, 등 뒤에 있는 투자자들과 이사들의 충분한 믿음과 신용과 함께한다.

이 카드의 황금새벽회 디자이너들은 캐프리컨에 있는 마스를 '물질적인 작업의 주인'이라 불렀는데, 여기서 마스는 행동하기 위한, 돈을 벌기 위한, 그리고 그가 이 세상에서 바라는 변화를 만들기 위한 자원(기술)이 있기 때문이다.

카발라에서 펜타클 3는 이해의 세 번째 영역인 비나를 묘사한다. 그것은 구조의 행성인 새턴에 상응하며, 물질적인 나타남의 세속적인 세계인 앗시야에 위치한다. 이 카드에 있는 젊은 남자는 사업의 계급체계에서 자신의 위치를 어떻게 찾는지, 또 다른 사람들과 함께 그가 투자한 시간을 어떻게 이해하고 구조화하는지를 배우고 있다.

타로 리딩에서 펜타클 3는 종종 파트너십, 투자, 상업적인 기업을 통해 사업을 건설하는 창조적인 작업을 나타낸다.

캐프리컨의 두 번째 데칸은 대개 12월 31일과 1월 9일 사이이고, 썬이 캐프리컨 10도와 20도 사이에 올 때이다.

펜타클 4:캐프리컨에 있는 썬

— 세속적인 권력의 주인

태양은 자신이 만나는 모든 것을 밝게 한다. 이 경우에는 돈, 힘, 영향을 획득하려는 캐프리컨의 자연스러운 경향을 강조한다.

이 카드의 대부분의 버전은 그의 영적, 지적, 육체적, 정서적 영역을 상징하는 펜타클 4를 보호하고 있는 왕좌에 앉아 있는 왕을 특징짓는다.

그는 마이더스의 손을 가진 듯이 보인다. 그러나 당신이 고대 신화를 기억한다면, 꼭 그게 좋은 것만은 아니라는 것을 알 것이다. 이 고대의 왕은 자신의 손에 닿는 모든 것을 금으로 바꾼다. 그로 인해 사랑하는 사람들의 생명을 잃게 한다. 이 경우에 펜타클 4에 있는 인물은 친구, 가족, 이웃으로부터 차단되어 있는 반면, 그는 돈, 시간, 에너지에 대한 투자를 다루고 통제하려는 단 하나의 목적을 가지고 작업한다. 당신은 그를 물질계에서 부, 보상, 삶의 유혹을 환영하는 캐프리컨의 악마의 좀 더 조화로운 버전으로 생각할 수도 있을 것이다.

이 카드의 황금새벽회 디자이너들은 캐프리컨에 있는 썬을 '세속적인 권력의 주인'이라 불렀다. 그것은 물질적인 자원과 함께 그 싸인의 압박을 강조하기 때문이다. 그 자체를 위한 돈의 획득뿐 아니라 그것이 제공하는 힘과 보호를 위한 것도.

카발라에서 펜타클 4는 자비의 네 번째 영역인 헤세드를 묘사한다. 그것은 확장의 행성인 주피터에 상응한다. 그것은 물질적인 존재의 세속적인 세계인 앗시야에 위치한다. 자기 자신을 고립시키고 그 자원을 보호함으로써 이 카드에 있는 젊은 남자는 실제로 미래 세대와 함께 공유하기 위해 자신의 부를 보호하고 성장시켰을지도 모른다.

타로 리딩에서 펜타클 4는 종종 날카로운 사업적인 마음, 물질계와 영적인 자원의 통제, 과거 상처나 모욕의 이유로 인해 맹목적으로 축적하는 경향, 냉혹한 세계에서 불확실한 미래에 대항하는 개인을 보호할 필요가 있는 것을 나타낸다.

캐프리컨의 세 번째 데칸은 대개 1월 10일과 19일 사이이고, 캐프리컨 20도와 30도 사이에 있을 때이다.

어퀘리어스의 세 데칸

픽스드 공기 : 소드 5, 6, 7

◆ ◆ ◆

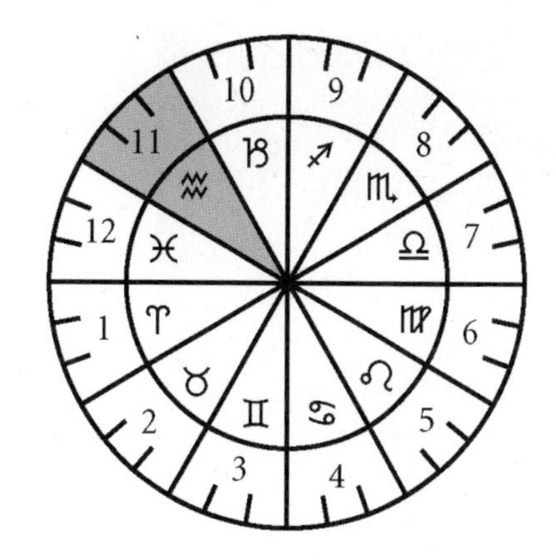

우리는 어퀘리어스의 세 데칸과 상응하는 세 카드와 함께 마이너 아르카나의 여행을 계속할 것이다. 즉 소드 5, 6, 7이다.

그것은 공기 싸인이기 때문에, 카드들은 소드의 공기 수트에 속한다. 픽스드 싸인이기에, 이 수트의 가운데에 배당된다.

카드와 카드의 특성을 공부할 때, 그것들은 그 싸인의 똑같은 특성을 모두 공유한다는 것을 기억하라.

- **싸인:** 황도대의 열한 번째 싸인인 어퀘리어스는 미래적인 사고, 이상주의, 사회적인 집단과 동기의 싸인이다. 어퀘리어스에 있는 세 카드 모두 이상향의 관점을 다루는 사람들을 묘사한다.
- **양태/특징:** 어퀘리어스는 픽스드 싸인으로, 겨울의 가운데 달에 확실하게 머문다. 이 수트의 가운데 카드들과 상응하는 것은 안전하고 지속적인 에너지를 나타낸다.
- **원소:** 어퀘리어스는 공기 싸인이다. 그래서 소드 수트들과 상응한다. 원소와 싸인 모두 지적이고, 의사소통적이며, 사회적이고, 변덕스러우며, 호기심이 있고 다재다능하다.
- **이중성:** 공기 싸인은 남성성이다. 그들은 적극적이고, 단언적이며, 확신적이고 솔직하며 원기왕성하다. 그들은 점 A에서 점 B로 선형으로 움직인다.
- **상응하는 메이저:** 어퀘리어스는 별 카드와 연결되고, 그것의 지배하는 행성인 유레너스는 바보 카드와 연결된다.

소드 5 : 어퀘리어스에 있는 비너스

— 패배의 주인

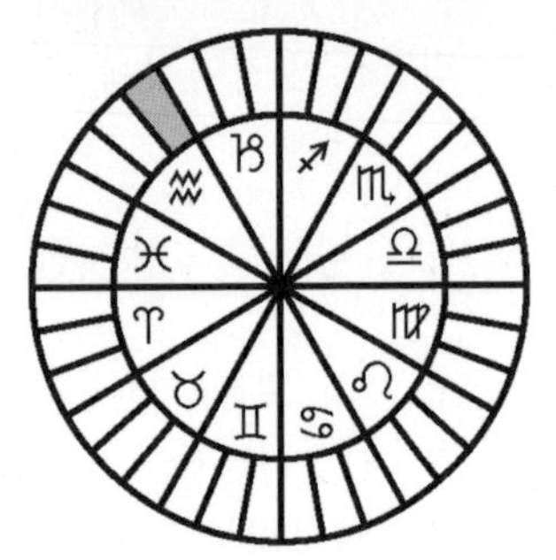

여황제처럼 비너스는 연인이지 투사가 아니다. 불행히도 그것은 대부분의 사람들처럼 사회적인 집단과 동기를 좋아하는 어퀘리어스에 반드시 잘 맞는 것은 아니다. 그래서 그는 기꺼이 그들과 싸울 것이다.

그것이 소드 5에서 만나는 어퀘리어스다. 그는 환영적인 강력한 개혁운동이고, 전투와 반란에서 확고한 신념자다. 어퀘리어스는 정의의 칼을 집어 들기를 머뭇거리지 않으며 정의 그 자체를 위해 싸운다. 어쨌든 어퀘리어스는 혁신과 반란의 행성인 유레너스가 지배한다.

마음에 드는 동기를 위한 싸움의 과정에서, 어퀘리어스는 가끔 그 반대쪽의 사람을 잊을—또는 편리하게 무시할—수 있다. 비너스와 달리 이 싸인은 전체로서 인류를 사랑하는 경향이지만, 집단의 개인적인 대표자로서 쉽게 귀찮아한다.

여황제처럼 비너스는 그녀의 아이들 모두가 사이좋게 지내기를 바란다. 그녀가 비현실적인 어퀘리어스를 다루도록 돕기 위해 발을 내디딜 때, 일에 대한 그녀의 첫 명령은 말다툼을 끝내고 질서와 통제의 감각을 회복시키는 것이다.

이 카드의 황금새벽회 디자이너들은 어퀘리어스에 있는 비너스를 '패배의 주인'이라 불렀다. 그것은 작은 논쟁의 영향을 묘사하기 때문이다. 이는 패한 팀에 있는 두 사람이 그 패배로 떠나고, 거부되고, 굴욕감을 느끼는 것이다. 전리품을 모으고 있는 승리자임에도 그의 성공이 반드시 깔끔한 승리는 아니었다는 것을 안다. 그는 약간의 물건을 얻기 위해 떠나고 첫 번째 장소에서 자신이 원했던 유토피아를 재건한다. 다행히 길성인 비너스는 그를 도와주기 위해 거기에 있을 것이다.

카발라에서 소드 5는 강함, 힘, 공의의 다섯 번째 영역인 게부라를 묘사한다. 그것은 전쟁의 행성인 마스에 상응하며, 사고의 공기 세계인 예찌라에 위치한다. 아마도 이 카드에서 승리자는 개인의 싸움을 선택하는 것에서 많이 필요한 학습을 그의 상대가 가르치고 있을 것이다.

타로 리딩에서 소드 5는 종종 빈약한 스포츠맨십을 상징한다. 그것은 짜릿한 승리와 패배의 고통을 묘사한다. 그리고 승리자와 패배자 사이의 불일치를 묘사한다.

어퀘리어스의 첫 번째 데칸은 대개 1월 20일과 29일 사이이고, 썬이 어퀘리어스 0도와 10도 사이에 있을 때다.

소드 6 : 어퀘리어스에 있는 머큐리
– 획득한 성공의 주인

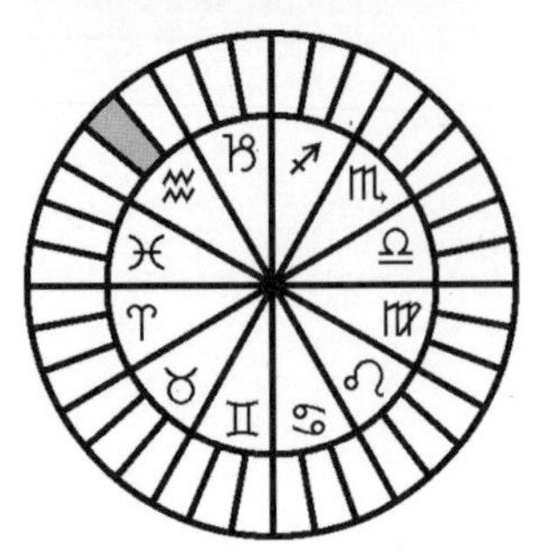

우리는 보통 삶이 변하게 되는 짧은 여행에 대해 생각하지 않는다. 그러나 망령 같은 머큐리가 안내하는 도리천을 건너도록 우리를 데려갈 때, 완전히 새로운 존재의 시작이 될 수 있다.

머큐리는 짧은 여행의 신이다. 그는 또한 저승사자다. 영혼의 호송자이며 안내자. 그는 죽은 영혼들을 나룻배에 태우고 지하로 가는 강을 건너가면서 보살폈을 것이다.

머큐리 자신은 기뻤기 때문에 그 일을 했을 것이다. 그는 마음 내키는 대로 하데스를 출입할 수 있는 몇 안 되는 신들 중 하나였다.

어퀘리어스는 사회집단과 동기의 미래적인 싸인이다. 머큐리가 어퀘리어스의 두 번째 데칸의 지배자로서 발을 들여놓을 때, 그는 그 싸인의 넓은 시각을 유지한다. 이 싸인에 상응하는 카드인 별처럼, 머큐리는 장기 비전과 목표를 이해한다. 그리고 어퀘리어스를 지배하는 행성인 유레너스의 바보처럼 머큐리는 죽음과 재생에 대해 두려워하지 않는다.

이 카드의 황금새벽회 디자이너들은 어퀘리어스에 있는 머큐리를 '획득한 성공의 주인'이라 불렀다. 아마 그것은 여러모로 우리 모두가 기다리는 최종 보상을 나타내기 때문일 것이다.

카발라에서 소드 6는 아름다움의 여섯 번째 영역인 티페레트를 묘사한다. 그것은 빛과 승인의 상징인 태양에 상응하며, 공기의 사고계인 예찌라에 위치한다. 머큐리의 배에 탄 영혼들이 죽음의 영혼들이라면, 그들의 변이는 평화로운 것이다.

타로 리딩에서 소드 6는 종종 여행, 특히 물 위나 또는 물을 건너는 여행을 나타낸다. 그것은 짧은, 인생이 변하는 여행, 국경을 건너는, 삶의 한 국면에서 다음 국면까지 신성한 안내를 상징한다.

어퀘리어스의 두 번째 데칸은 대개 1월 30일과 2월 8일 사이이고, 썬이 어퀘리어스 10도와 20도 사이에 올 때다.

소드 7 : 어퀘리어스에 있는 문

— 불안정한 노력의 주인

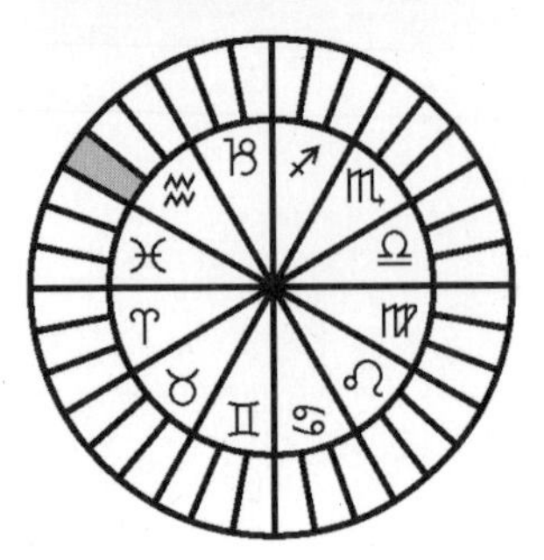

그림자와 어두컴컴함으로 감싸인 달은 밤의 덮개 아래 어퀘리어스로 미끄러진다.

우리는 보통 달을 고위 여사제로 안다. 여기 어퀘리어스의 세 번째 데칸에서 그녀는 자신의 어두운 면을 보여주고, 그 출현은 신비와 속임수의 기본적인 두려움을 자극시킨다.

사회 집단과 동기의 싸인인 어퀘리어스는 일반적으로 반영하는 경향이 아니다. 이 싸인은 달빛보다 별빛을 좋아한다. 그리고 그것을 지배하는 행성인 유레너스는 종종 단순히 혁명을 위해 모반과 폭동을 취하기를 바란다. 소드 7은 그 변화의 대리인들 중 하나를 묘사한다. 즉 스파이, 밤의 도둑, 적의 캠프에 침투하는 자다.

도둑은 약하게 되고, 위협하거나 또는 그의 반대쪽을 욕보이도록 무기를 수집하고, 대립하는 것을 환영하지 않을 수도 있다. 그는 자신의 군대에서 정당하지 않게 가져왔던 소유물을 반환하도록 요구하는, 소드의 올바른 주인이 될 수도 있다. 그는 자신의 부대를 점검하는 지휘관이기도 할 것이다.

어쨌든 소드 7은 달의 어두운 면을, 상실과 혼란의 정확한 전경을 나타낸다.

이 카드의 황금새벽회 디자이너들은 어퀘리어스에 있는 문을 '불안정한 노력의 주인'이라 불렀는데, 그것은 그림자와 우울의 세계로 이동하는 것을 설명하기 때문이다. 이 카드는 꿈의 소멸을 그렸을 수도 있다. 또는 새로운 현실을 확립하는 힘든 과정을 그렸을 수도 있다.

카발라에서 소드 7은 승리의 일곱 번째 영역인 네짜흐를 묘사한다. 그것은 사랑과 매력의 행성인 비너스에 상응하며, 공기의 사고계인 예찌라에 위치한다. 그 점에서 소드 7은 그가 사랑하는 사람들을 위하여 가장 어두운 두려움에 직면하도록 도전하는 용감한 전사를 묘사할 수도 있다.

타로 리딩에서 소드 7은 종종 믿을 수 없는 연합, 보복에 열중한 이전의 친구, 또는 도둑맞은 재산의 비밀스러운 회복을 나타낸다.

어퀘리어스의 세 번째 데칸은 대개 2월 9일과 18일 사이이고, 썬이 어퀘리어스 20도와 30도 사이에 떨어질 때다.

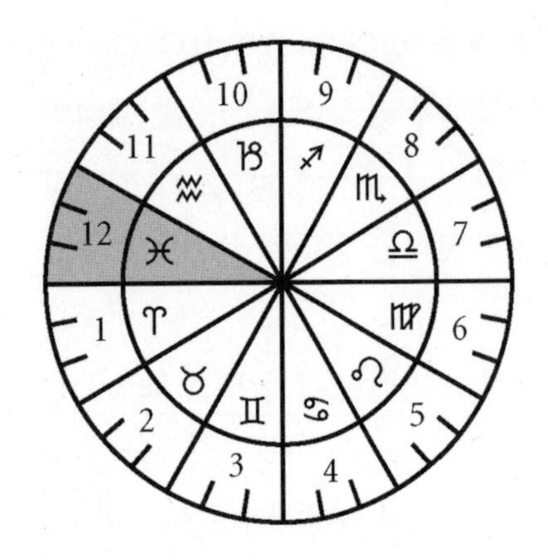

파이씨즈의 세 데칸

뮤터블 물 : 컵 8, 9, 10

◆ ◆ ◆

우리는 파이씨즈의 세 데칸에 상응하는 세 카드와 함께 마이너 아르카나의 여행을 계속할 것이다. 즉 컵 8, 9, 10이다.

그것은 물 싸인이기 때문에, 이 카드들은 컵의 물 수트에 속한다. 뮤터블 싸인이기에, 결론을 나타내고 새로운 시작으로 변이에 대응하는, 이 수트의 끝에서 온 카드들을 나타낸다.

카드와 카드의 특성을 공부할 때, 그것들은 그 싸인의 똑같은 특성을 모두 공유한다는 것을 기억하라.

- **싸인**: 황도대의 열두 번째 싸인인 파이씨즈는 비밀과 숨겨진 장소의 싸인이다. 파이씨즈에 있는 세 카드 모두 정서적인 문제를 다루는 사람들을 묘사한다.
- **양태/특징**: 파이씨즈는 뮤터블 싸인으로, 겨울의 마지막 달에서 봄의 첫 달까지 움직임이 변화한다. 이 수트의 마지막 카드들과의 상응은 다재다능하고 유연한 에너지를 묘사한다.
- **원소**: 파이씨즈는 물 싸인이다. 그래서 컵의 물 수트에 상응한다. 원소와 수트 모두 정서적이고, 변덕스럽고, 미묘하며 직관적이고 흐른다.
- **이중성**: 물 싸인은 여성성이다. 그들은 수용적이고, 반응적이고, 자력적이고, 반영적이고 참을성이 있으며 에너지는 원형 패턴으로 흐른다.
- **상응하는 메이저**: 파이씨즈는 문에 상응하는 반면, 그것의 룰러인 넵튠은 거꾸로 매달린 사람과 연결된다.

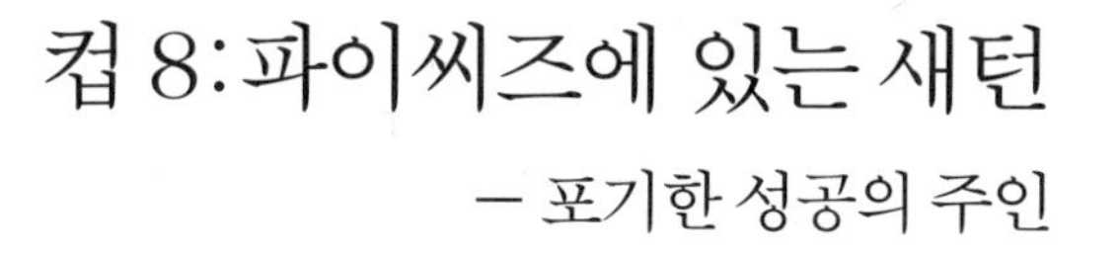

컵 8:파이씨즈에 있는 새턴

– 포기한 성공의 주인

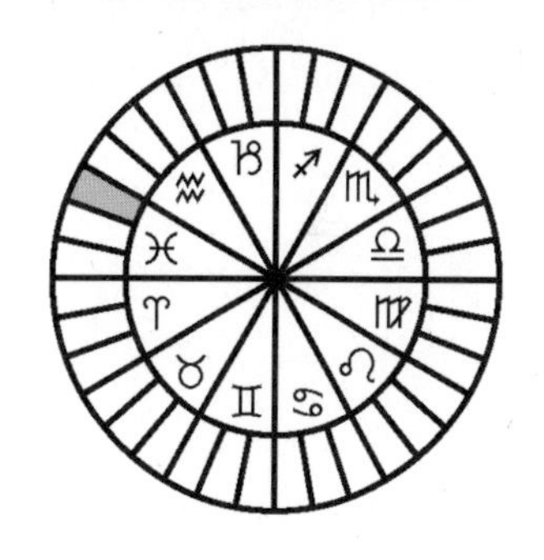

우주의 훈련자처럼 새턴은 확실한 예상이 있다. 그가 여행하는 곳은 어디든지 질서와 통제를 요구한다. 새턴이 데칸을 다스릴 때, 빈약하게 계획된 아이디어와 결함 있는 실행을 재빨리 끝내야 한다.

이 경우에 컵 8의 느슨한 조직은 새턴의 승인이 승리할 정도로 충분히 강요받지 못했다. 그러나 새턴은 이 카드에 있는 젊은 남자가 걸어 나갈 수 있도록 납득시키기기 위해 열심히 일하지 못했다. 젊은 시간의 영감Father Time처럼–새턴의 비밀스러운 정체성들 중의 하나–컵 8에 있는 남자는 은성배의 불안정한 배열에서 등을 돌렸다.

그것은 파이씨즈가 뮤터블 싸인이기 때문에 쉽게 흔들리고, 변하는 과정에서 즉시 납득할 수 있다. 그것은 흐름과 함께 갈 수 있는 반면, 또한 쉽게 전환된다. 그것은 그릇의 모양을 취한다.

파이씨즈를 지배하는 행성은 넵튠으로, 거꾸로 매달린 사람에 상응한다. 다른 꿈과 비전은 이것을 대신하는 능력을 발휘할 것이다.

이 카드의 황금새벽회 디자이너들은 파이씨즈에 있는 새턴을 '포기한 성공의 주인'이라 불렀는데, 그것은 버려진 꿈을 나타내기 때문이다.

카발라에서 컵 8은 공의와 영광의 여덟 번째 영역인 호드를 묘사한다. 그것은 빠르기와 의사소통의 행성인 머큐리와 상응하며, 비옥과 창조의 물 세계인 비나에 위치한다. 이 카드에 있는 젊은 남자는 자신을 정서적으로 만족시킬 메시지를 찾기 위해 떠난다.

타로 리딩에서 컵 8은 종종 후회, 포기, 또는 성취와 이행을 위한 영적인 요구를 나타낸다.

파이씨즈의 첫 번째 데칸은 대개 2월 19일과 28일 사이이고, 썬이 파이씨즈 0도와 10도 사이에 올 때다.

컵 9: 파이씨즈에 있는 주피터

— 물질적인 행복의 주인

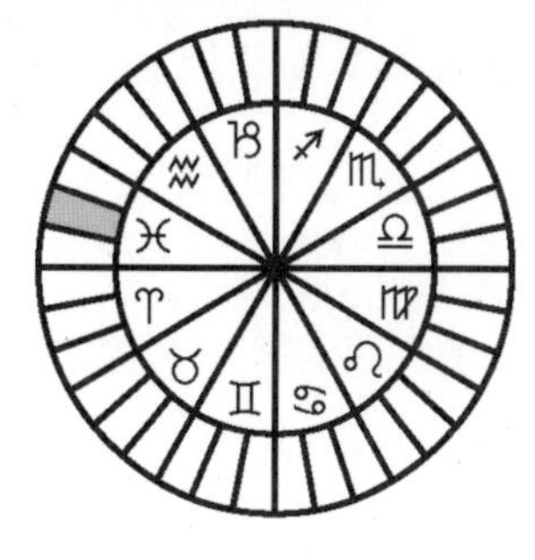

주피터는 파이씨즈의 두 번째 데칸에 올 때, 대길성과 좋은 행운의 신으로서 자신의 명성을 실현한다. 그는 풍성한 테이블을 두고, 모든 사람들에게 자리에 앉기를 권한다.

이 카드에 있는 젊은 고위 여사제는 사교 파티의 저녁식사를 위해 친구들을 환영할 준비를 하면서 스스로 만족하고 있다. 그들은 함께 건강, 부와 성공을 축복하기 위해 잔을 들 것이다. 이는 주피터가 운명의 수레바퀴를 돌릴 때 받기를 확신하는 모든 선물이다.

그들은 즐거움과 축하를 공유할 것이다. 그다지 번영하지 못했던 시기를 추억할지라도, 컵은 슬픔에 대한 장벽으로서 역할을 할 것이고, 그러면 그들의 만족은 실망의 아픔과 고통에 대한 완충이 될 것이다.

고전 어스트랄러지에서 주피터는 지금 있는 그대로 쌔저테리어스의 지배자가 아니었다는 것에 주목하는 것은 흥미롭다. 주피터는 또한 파이씨즈를 지배하는데, 그것은 주피터가 여기에서 품위 상태에 있는 것을 의미한다. 그는 그냥 방문하는 것이 아니다. 즉 그는 집에 온 것이고, 자신의 싸인과 하우스에 온 것이다. 그것이 컵 9과 주피터의 연결을 더 강하게 만들기도 한다. 삽화를 공부하라. 그러면 당신은 주피터가 와인, 여성, 노래의 파이씨즈의 원리에 확실한 호소에 힘을 쏟는 것을 알 것이다.

그렇다 하더라도 파이씨즈 사람들은 대개 고통스러운 현실로부터 도망가는 수단으로서 알코올과 약물 남용의 위험에 대해 경고 받는다. 그것은 파이씨즈에 상응하는 메이저 아르카나 카드인 달과 컵 9의 연결에 의해 증대된다. 달은 밤을 다스리는데, 밤은 그 자신과 진리가 모호해질 수 있는 삶을 떠맡는 어두운 그림자가 있는 곳이다. 넵튠과 컵 9의 연결은 또한 반영에 대한 근원이 된다. 넵튠은 파이씨즈의 현대 지배자이고 바뀐 의식의 상태에서 살고 있는 거꾸로 매달린 사람과 상응한다.

이 카드의 황금새벽회 디자이너들은 파이씨즈에 있는 주피터를 '물질적인 행복의 주인'이라 불렀는데, 주피터는 자신과 만나는 모든 것에 풍요와 번영을 가져오기 때문이다.

카발라에서 컵 9은 기초의 아홉 번째 영역인 예소드를 묘사한다. 그것은 반영의 천체인 달에 상응하며, 비옥과 창조의 물 세계인 비나에 위치한다. 이 카드에 있는 젊은 여자는 삶을 함께 행복하게 창조하기 위해 사회적으로 유대할 필요가 있는 사람들을 인지한다.

타로 리딩에서 컵 9은 전통적으로 행복과 축하, 큰 모임, 따뜻함과 환영하는 조직자가 접대하는 사회적인 기능을 나타낸다.

파이씨즈의 두 번째 데칸은 대개 3월 1일과 10일 사이이고, 썬이 파이씨즈 10도와 20도 사이에 있을 때다.

컵 10: 파이씨즈에 있는 마스
– 완성된 성공의 주인

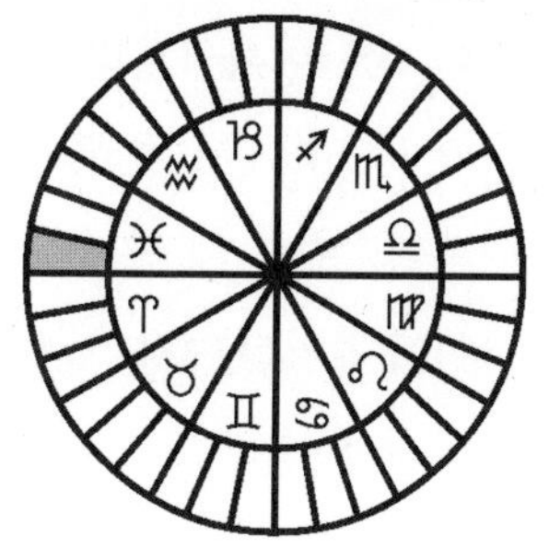

에너지와 공격의 행성인 마스는 자신이 원하는 모든 것을 추구한다. 컵 10에서 우리는 마스의 열정적인 추구가 가족의 삶에 적용된다는 것을 안다.

여기 인상적인 석양의 장면에서, 가족은 정서적인 만족과 흡족의 초승달 아래에 모여 있다. 그들은 행복한 듯이 보인다. 어머니와 아버지는 서로 얼싸안고 있으며 아이 모두를 바로 가까이에 두고 있다.

그러나 가족은 단순히 마음에 맞는 사람들 사이에 짜인 결속을 나타내는 것만은 아니다. 그들은 또한 흙, 공기, 불, 물을 나타낸다. 물질적인, 지적인, 영적인, 정신적인 존재의 상징이다. 가족 단위로서 함께 그들은 개별적이고 개인적인 전체를 상징한다. 그 점에서 그들은 코트카드에서 각각의 왕실의 네 구성원에 비유된다.

분명히 이 카드에 있는 가족은 이상화된 것이다. 파이씨즈는 현실을 거부하는 경향이 있다. 그리고 비밀과 신비의 열두 번째 하우스에 있으며, 파이씨즈는 그의 불행한 기억을 그저 거부하지 못한다. 그는 불행한 기억을 억압할 것이고, 그것들을 잊을 것이며, 벽장 속의 괴물처럼 가둬둔다.

파이씨즈의 마이너 아르카나 카드들은 달과 거꾸로 매달린 사람에 연결된다. 둘은 모두 기억, 꿈, 그 이미지에 대한 비현실적인 태도를 부여한 반영으로서 이 카드의 꿈같은 본성에 기여한다.

그러나 차트의 지평선상에서 이 카드의 배치는 또한 개인적인 통합과 가족의 행복이 모든 아이들의 생득권을 암시하는 듯하다. 이 카드의 위치는 어스트랄러지 차트의 마지막 데칸에 있다. 즉 사랑하는 사람들에 둘러싸여 있는 행복한 가정생활은 잘사는 삶의 궁극적인 증명이다.

카발라에서 컵 10은 세속적인 현실의 열 번째 영역인 말쿠트를 묘사한다. 그것은 비옥과 창조의 물 세계인 비나에 위치한다. 이 카드는 우리 대부분에게 사실 집만 한 곳이 없다는 것을 상기시키는 역할을 한다.

전통적인 타로 리딩에서 컵 10은 종종 행복한 결혼, 아름다운 아이들, 편안한 가정과 가족 삶을 나타낸다.

이 카드의 황금새벽회 디자이너들은 파이씨즈에 있는 마스를 '완성된 성공의 주인'이라 했는데, 마스의 단호한 에너지는 꿈을 현실로 바꾸는 힘이 있기 때문이다.

파이씨즈의 세 번째 데칸은 대개 3월 11일과 20일 사이이고, 썬이 파이씨즈 20도와 30도 사이에 떨어질 때다.

어스트랄러지 실행 : **과거, 현재, 미래 데칸 스프레드**

기본적인 과거, 현재, 미래 배열은 대부분의 타로 리더들에게 친숙하다. 그러나 카드는 완전히 새로운 의미의 층을 나타내는데, 당신이 어스트랄러지와 상응하는 카드들과 연결할 때다.

이 경우에 어스트랄러지의 상응은 내담자의 생일과 그 질문을 했던 날짜다. 전통적인 호라리 리딩과 대동소이한 것으로, 아트르롤로저는 질문을 했던 정확한 시간에 대한 그의 답에 기초한다.

리딩 예 : **보안 전문가**

존은 보안 기술을 전공하고, 주요 대학에서 계약을 위해 협상하고 있다. 그가 그 직업을 어떻게 얻을 수 있는가?

과거 : 첫째, 존의 생일 12월 20일과 상응하는 카드를 봄으로써 그 질문이 가져오는 경험을 탐색해 보자(상응하는 모든 것의 요약: 타로와 일 년의 바퀴에 실려 있다).

존은 썬이 쌔저테리어스로, 절제 카드와 상응한다. 대부분의 쌔저테리어스처럼 그는 철학적인 논의와 논쟁에 열정적으로 관심을 가진다. 그는 정직하고 낙천적이며, 개방된 마음을 갖고 있다. 그는 친절하고 관대하다. 그는 여행을 좋아하는데, 새로운 사람을 만나고 새로운 장소를 보고 싶어 하는 불타는 열망을 가지고 있기 때문이다. **위자드 타로**에 있는 연금술사처럼 그는 어떤 것들이 뒤섞여 있는 것을 두려워하지 않는다.

게다가 존은 쌔저테리어스의 마지막 10일 안에 태어났는데, 썬이 그 싸인의 20도와 30도 사이에 올 때다. 그 데칸에 연결된 마이너 아르카나 카드는 완즈 10으로, 쌔저테리어스에 있는 새턴의 억압을 상징한다. 존은 타고난 모험가인 반면, 새턴의 영향 또한 그의 꿈과 비전이 한계를 가지는 것을 의미한다. 그는 실제 세계의 무게와 책임감으로 그들을 조화시키려는 강요를 받기 때문이다.

그 주제는 그의 생일에 연결되는 코트카드인 펜타클 여왕과 함께 다시 온다. 우리가 분명히 배웠기 때문에, 펜타클 여왕은 사실 다음 싸인인 캐프리컨의 안내자다. 그녀는 여기에 배치되는데, 황도대의 일 년의 주기로 기억을 거슬러 올라가는 것이, 그리고 자신의 싸인으로 쌔저테리어스의 후미를 앞으로 잡아당기는 것이 그녀의 책임감이다. 캐프리컨은 흙이며 세속적인데, 그것은 삶의 실행 가능성과 삶의 중요성과 사회적인 계층과 관계된다.

전체적으로 보아 존은 미래의 어떤 손님에게 기술과 재능에 흥미 있는 혼합을 가져온다. 그는 철학적인 사색가이지만 물질적인 존재의 세속적인 현실에 접지한다. 그의 선물과 재능을 고등교육 기관의 안전과 안정을 향상시키도록 사용하기를 바라는 것은 우연이 아니다.

현재: 이제 호라리 어스트랄러지의 기술을 빌려와서 존의 계약 협상의 현재 상태를 살펴보자. 그가 질문했던 1월 11일 날짜에 기초하여 해석할 것이다.

그 날짜에 썬은 캐프리컨에 있고 악마 카드에 상응한다. 그것은 완벽하게 들어맞는다. 존은

영적이거나 철학적인 질문에 대해서 묻고 있지 않다. 대신 그는 그의 직업과 사회적인 계층을 향상시키길 희망하고 있다. 그는 돈, 힘, 통제의 문제로 몹시 괴롭다.

1월 11일은 펜타클 4에 상응하는 캐프리컨의 세 번째 데칸에 떨어진다. 결국 펜타클 4는 캐프리컨에 있는 썬이다. 그것은 힘의 위치에 있는 사람들은 자신의 영역을 방심하지 않고 보호하는 것이라고 말한다. 그래서 재정 문제의 권한에 대한 충심을 가지고 있는 사람들은 최대한 푼돈에 매달리고 있다.

이때의 코트카드가 소드의 왕이다. 이전의 리딩 예의 펜타클 여왕처럼, 그는 또한 다음 싸인 – 이 경우에 어퀘리어스 – 의 보호자이고, 그는 또 이 문제를 앞으로 이동시키기 위해 기억을 더듬었다. 그것은 사실 좋은 싸인이다. 존이 원하는 대답은 불안 상태에 있지 않기를 바라는 것이다. 그래서 진전과 결정을 향한 안정된 압박이 있다.

더구나 미래지향인 어퀘리어스의 영향은 결정을 하는 사람이 자신의 결정의 장기 효과에 초점을 맞춘다는 것을 암시한다. 소드의 왕 또한 관련된 법적 견지에서 넌지시 암시한다.

미래 : 마지막으로, 존의 질문에 대해 구체적으로 말해보자. 그가 그 직업을 어떻게 얻을 수 있는가? 그가 다음에 취해야 하는 행동은 무엇인가? 대답을 위해 카드에서 무작위로 하나를 뽑을 것이다.

대답은 마법사의 형태로 나온다. 마법사는 연설자와 판매원의 신 머큐리에 상응하는 강력한 메이저 아르카나 카드이다. 그 대답은 명확한 듯이 보인다. 즉 존은 계속해서 말할 필요가 있다! 그는 설득력 있는 논의를 계속할 필요가 있다. 그는 이미 결정권자와 몇 번의 만남을 가져 상호교환을 했지만 그 거래는 여전히 결말이 나지 않았다. 그는 깜짝 놀라게 되기를 바라는 청중 앞에서 마법적인 행동을 수행하고 있다는 것을 기억해야 한다. 그는 도구와 그의 무역—자신의 신임장, 경험, 직관—의 기교로 쇼를 통해 그들을 깜짝 놀라게 하고, 그 위치를 자신에게 제공하도록 그들을 이해시킬 필요가 있다.

8
코트카드

코트카드는 타로 덱에서 가장 오해하는 카드들 중의 하나이다. 그러나 그 기초가 되는 어스트랄러지의 기본적인 이해는 삶으로 그 특성들을 가져오도록 도울 수 있다.

코트카드 모두 마이너 아르카나에 있는 다른 카드들처럼 원소와 연결돼 있다. 네 시종은 그들의 가장 순수한 형태로 4원소를 나타내는 반면, 기사, 여왕, 왕은 그 원소의 융합을 나타낸다. 다음으로 원소가 융합된 그들은 그 카드에 대한 어스트랄러지의 특성들을 설명한다.

시종은 타로의 학생과 메신저로, 불, 흙, 공기, 물의 물질적인 의인화이며, 다른 원소의 영향으로 조절되지 않는다.

기사는 덱의 모험가와 구원자로, 열정적이고 영감을 받은 사람이다. 각각은 그 자체 수트의 원소와 불의 원소를 결합한다. 예를 들어, 컵 기사는 물의 정서적인 본성에 불의 원기왕성한 본성을 결합한다. 기사는 또한 뮤터블이다. 각각은 제머나이, 버고, 쌔저테리어스, 파이씨즈의 변화의 싸인을 통해 쉽게 움직인다.

여왕은 자신의 영역에서 양육자이자 보호자로, 정서적이고 수용적이며 물이다. 수용적인 그 수트의 원소와 물의 원소를 결합한다. 여왕은 또한 카디널이다. 각각은 사계절 중 하나를 알리고, 상응하는 카디널 싸인, 즉 에리즈, 캔서, 리브라, 캐프리컨을 지배한다.

왕은 각 왕국의 통치자이며 방어자로, 지적이고 객관적이며, 공기이다. 그 수트의 원소와 공기의 원소를 결합한다. 왕은 또한 픽스드이다. 그들은 최고의 권력에서, 토러스, 리오, 스콜피오, 어퀘리어스와 연결된 달month 중에서 각 계절의 절정을 지배한다.

원소의 연결은 특히 위자드 타로에서 보는 것이 쉬운데, 코트카드 모두 원소의 피조물로 특징짓는다. 자세히 보라. 그러면 당신은 네 왕족이 불의 요정 샐러맨더salamander, 땅의 요정 놈gnome, 바람의 요정 실프sylph, 물의 요정 운디네undine의 의인화된 버전임을 알 것이다.

▶ 우주의 연결 : **하늘의 지배자**

코트카드를 대하는 황금새벽회의 방법은 색다르다. 기사는 뮤터블 싸인을 다스리고, 여왕은 카디널 싸인을 지배하며, 왕은 픽스드 싸인을 다스린다. 시종을 위해서는 무엇을 남겼는가?

덱 디자이너들에 따르면, 시종은 대부분의 모든 특권을 받았을지도 모른다. 그들은 불, 흙, 공기, 물의 원소를 나타내는 것뿐 아니라, 또한 세속적인 '왕좌'의 역할을 한다(네 에이스를 위한 권력의 자리).

▶ 우주의 연결 : **코트카드와 일 년의 바퀴**

코트카드는 일 년의 바퀴 주변에 배치되는데, 한 싸인에서 다음 싸인으로 흐르도록 하기 위해 앞으로 회전시키고 돕는 것이다.

이것은 기술적인 기록이지만 당신이 황금새벽회 시기 — 이 책의 근거 — 를 엄격히 따른다면, 코트카드의 통제를 위한 날짜는 그 싸인을 엄격하게 고수하지는 못한다. 예를 들어, 완즈 여왕은 에리즈의 30도 모두를 다스리지는 못한다. 대신 그녀는 파이씨즈의 마지막 10도와 에리즈의 첫 20도를 걸쳐 지배한다.

기사, 여왕, 왕 모두 같은 패턴을 따른다. 각각 앞 싸인의 마지막 10도와 자신의 싸인 첫 20도를 통제한다.

그 과정은 약간 코바늘뜨기를 하는 것 같다. 즉 타로의 코트카드의 각 구성원은 다음 싸인을 그리기 위해 한 싸인 앞으로 10도 거슬러 올라간다.

완즈 시종

– 불의 의인화

완즈 시종은 불의 의인화이다. 그녀는 세 불 싸인 모두– 에리즈, 리오, 쌔저테리어스– 의 열렬한 충동과 열망을 나타내는데, 영적인 발전과 이해를 위해 열광을 따르는 것이다.

완즈 시종은 신성하고 순수하며, 영적인 창조의 그릇 역할을 한다. 화덕과 가정의 여신 베스타처럼, 영적인 여성의 세대는 그녀를 통해 자신의 계보를 추적할 수 있다. 그녀는 영성과 창조의 세계에 완즈 수트를 연결하고 완즈 에이스에서 처음 보았던 그 불꽃의 유지자이다.

르네상스 시대 동안 시종은 왕족의 가장 어린 구성원이었다. 그들은 종종 심부름꾼 역할을 했을 것이다. 한 사람에서 다음 사람으로 소식을 전하는 것이 그들의 일이었다. 게다가 그들은 젊었고 시종은 도제제도를 통해 그들의 미래 역할을 배우고 있는 학생이었기 때문이다.

추종하는 제자처럼 완즈 시종은 아이 같은 열광과 배우려는 한계 없는 능력으로 발랄하다. 그녀는 발견을 위한 열정으로 불탄다. 또한 격렬하다. 그녀는 몇 시간 동안 깜부기불처럼 작열하는 것을 숨길 수 있다. 그러나 한 번 당신이 그녀의 상상력을 발화시키면, 활활 타오를 것이다. 더욱 기세를 돋우어라. 그러면 그녀는 억누르기 힘들고 거의 제압하기 어려운 큰 불을 내뿜을 것이다.

펜타클 시종

— 흙의 의인화

펜타클의 튼튼한 시종은 흙의 의인화이다. 그녀는 세 흙 싸인 모두—토러스, 버고, 캐프리컨—의 안정되고 신뢰할 수 있는 에너지를 구현한다. 그녀의 밑바탕이 된 에너지는 물질과 물질적인 존재의 세계에 펜타클 수트를 연결시킨다.

모든 시종처럼 펜타클 시종도 젊다. 그러나 이 시종은 흙 자체의 바로 그 본성을 체현한다. 그녀는 무겁고 땅에 가깝다. 단단하고, 안정적이며 안전하다. 또 안정되고 용해되며, 솔직하고, 자신이 있다. 그리고 인내심이 있으며, 참을성이 있어서 물질세계의 이해를 위해 단단한 기초를 성취하려고 결심한다. 그녀는 천천히 움직이지만 명백한 확실함과 힘으로 움직인다.

그러나 기술에 대한 높은 수준에도 불구하고, 대개 극단적으로 조심스럽고 신중하기도 하다. 그래서 그녀는 많은 위험을 받아들이지 않는다. 그녀는 언행이 일치하고 양심적이며, 근면하고 숙고적이다.

또한 젊은 대지의 어머니처럼 양육하는 인물이다. 바로 지금 그녀는 경작되지 않은 토양처럼 영향을 받지 않은 것이지만, 결국 물질적인 창조를 위한 그릇 역할을 할 것이다. 그녀는 안전한 보관을 위해 펜타클의 에이스를 잡고 있다. 그래서 땅의 풍요의 여신인 케레스처럼 물질계를 호위하고 보호하는 것이 그녀의 소명이다.

소드 시종

— 공기의 의인화

머리가 좋은 소드의 시종은 공기의 의인화이다. 그녀는 세 공기 싸인의 특성을 나타낸다. 즉 제머나이, 리브라, 어퀘리어스다. 비상하는 새처럼 빨리 움직이는 에너지를 구현하는데, 지성과 의사소통의 고차원의 영역에 소드 수트를 연결하는 것이다.

소드 시종은 지적이며 호기심이 많고, 명석한 머리와 선견지명이 있다. 그녀는 관찰력이 예리하고 기민하다. 또 조감도가 있고, 누구도 그녀의 형안에서 벗어날 수 없다. 그녀는 다재다능하고, 대상마다 즉시 농락할 수 있다. 그녀는 음속으로 움직이며, 가장 가벼운 휘파람에도 반응할 수 있다.

또한 극단적으로 수다쟁이다. 목소리 — 또는 사고 — 는 바람결에 들려온다. 그녀는 부드러운 산들바람이나 격렬한 강풍이 될 수 있다. 그녀는 거의 눈에 보이지 않을 수도 있지만 그녀의 존재는 틀림없다.

모든 시종처럼 소드 시종도 아이 같은 열광과 배우려는 한계 없는 능력으로 발랄하다. 그녀는 독자이고, 작가이며, 이야기꾼이다. 생각이 깊고, 이상주의적이며, 학자, 과학자, 철학자에 자연스럽게 끌린다.

많은 가능성을 내포하고, 학생, 선생, 아이디어의 셀 수 없는 세대를 낳는 것이 그녀의 소명이다. 지혜의 여신 팔라스 아테네처럼 그녀는 논리와 이성의 칼을 전달한다. 그것은 소드 에이스에 그려진 검과 똑같은 검이고, 항상 진리와 정의의 도구로서 유지될 것이라고 보장할 것이다.

컵의 시종

— 물의 의인화

컵 시종은 물의 의인화이다. 그녀는 컵 수트를 정서의 세계에 연결하는 불안정한 저류의 구현이고, 캔서, 스콜피오, 파이씨즈의 세 물 싸인을 결합한다.

물 그 자체처럼 컵 시종은 우아하다. 그러나 또한 예측할 수 없다. 그녀는 흥분하거나 조용할 수 있고, 갑자기 변하거나 나긋나긋할 수 있다. 그녀는 적응할 수 있다. 그녀는 자신의 그릇 형태를 즉시 취하고 주변 정서의 수준으로 끌어올린다.

컵 시종은 바다의 언어를 말한다. 그녀는 꿈과 물의 정신적인 인상의 몽롱한 영역을 통해 의사소통한다. 그녀의 메시지는 미묘할 수 있고, 또는 철썩이는 파도처럼 노호할 수 있다. 강과 개울, 호수와 연못, 또는 바다와 땅속 우물에서 그녀를 발견할 수 있다. 그녀는 정서의 해안선을 따라 힘들여 걷고, 집단 무의식의 깊은 바다에서 철벅거리며 튀긴다.

모든 시종들처럼 컵 시종도 아이 같은 열광과 배우려는 한계 없는 능력으로 발랄하다. 그녀는 극단적으로 민감하다. 부드럽고 친절하며, 환상적이고 상상력이 풍부하다. 그녀는 시인이며, 예술가, 몽상가이다. 그래서 여전히 낙천적일 정도로 충분히 순수하다.

그녀는 컵 에이스를 쥐고 있는데, 그것은 결혼과 출산의 여신인 주노에게 바쳐진 것이다. 컵 시종은 그 컵 자체에 담아 마실 것이고, 그리하여 지혜와 경험의 달콤 씁쓸한 감로를 맛본다.

에리즈와 완즈의 여왕
– 리더십과 카디널 불의 진취적 기상

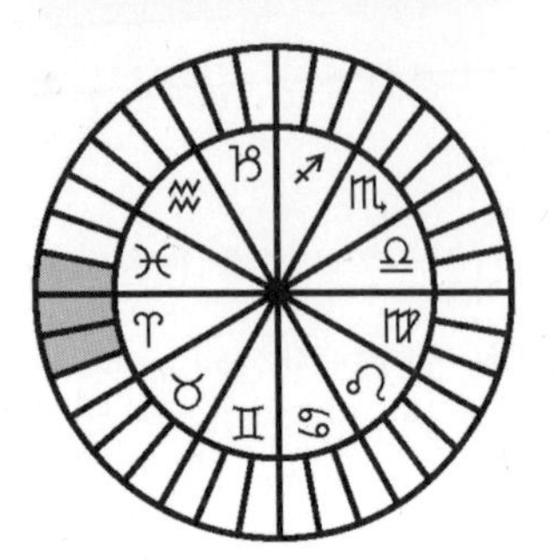

네 여왕은 모두 이상적인 여성의 본보기이다. 각각은 자신의 수트의 원소와 상응하며 물 원소를 결합한다. 완즈 여왕은 불, 에너지, 열정, 완즈 카드의 열기에 물과 결합하여 증기를 내는 것을 의인화한다. 그녀는 유혹적이고, 부글부글 끓으며, 놀랄 정도로 강하다.

물론 여왕은 지배자다. 그러나 전통적으로 그 통치권은 영역을 보호하고 양육하는 여성성의 원리에 기초한다. 타로의 모든 여왕처럼, 완즈 여왕은 이 세상의 방식으로 성숙한 여성이고 호의적이고 지혜롭다.

원소의 피조물처럼 그녀는 모든 불과 완즈의 열정을 구현한다. 그녀는 불타오르는 에너지가 있다. 그녀는 피어오르는 모닥불처럼 매혹시킨다. 그녀는 힘세고 강하며, 외고집이고 역동적이며 자신감이 있고 자기만족적이다. 불 자체처럼 그녀는 자발적이고 억제하기가 힘들다.

완즈 여왕 또한 에리즈의 카디널 불 싸인을 나타낸다. 그녀는 변화를 시작하는 타고난 지도자다. 그녀는 충동적이고, 참을성이 없으며 격렬하다. 그녀는 용감하고, 대담하며 솔직한 철면피다.

그녀는 메이저 아르카나의 다른 짝인 여황제처럼 전사의 정신을 가지고 있다. 그녀는 용감하고, 경쟁적이며, 충동적이고 솔직하다. 그녀는 재빨리 움직인다. 사실 그녀는 종종 우리가 남성으로 생각하는 많은 특성을 구현한다. 그녀는 솔직하고 공격적인 행동을 하며, 갑작스러운 에너지를 폭발하여 자신을 주장한다.

완즈 여왕은 파이씨즈의 세 번째 데칸과 에리즈의 첫 번째와 두 번째 데칸을 다스린다. 차트에서 그녀의 기본적인 영역은 자기정체성과 자기표현의 첫 번째 하우스다.

토러스와 펜타클의 왕
– 픽스드 흙의 안정성

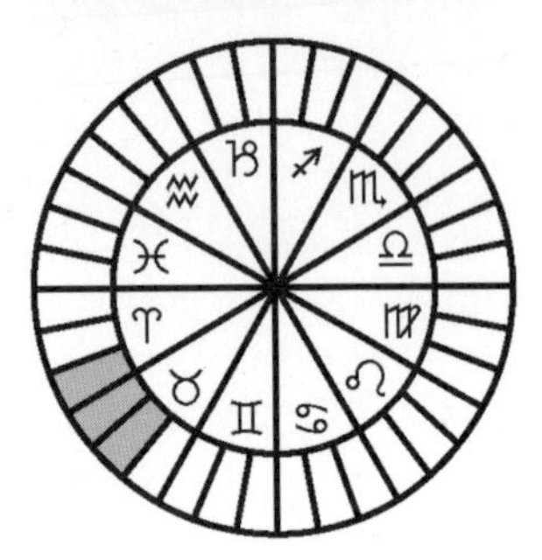

타로 덱에 있는 모든 왕들처럼 펜타클의 왕은 길들이고 경험 있는 사람이다. 그는 이전에 펜타클 기사로서 맡았던 소명을 성공적으로 완성했다. 그는 왕국에서 열쇠와 함께 보상을 받았고, 이제 그는 전체 영토를 다스린다. 또 왕좌의 이름으로 방위하고 정복하는 군대도 다스린다.

기본적으로 타로의 네 왕들은 공기의 지성이다. 그들은 단순히 자신의 수트와 상응하는 원소와 공기 원소를 결합한다. 이 점에서 펜타클 왕은 흙에 공기를 결합시켜 완고함을 구현한다.

펜타클 왕은 또한 그를 안정되고 믿음직한 군주로 만드는 토러스의 고착된 흙 싸인을 나타낸다. 그는 안정적이고, 기반을 이루고, 결정적이고, 의존적이며, 실제적이고, 현실적이다. 그는 정직하고 열심히 일한다. 그는 완고하고 느리게 움직일 수 있으나 또한 인내심이 강하다. 그는 실질적이고 가치 있으며 훌륭한 사람이다. 그의 메이저 아르카나의 한 짝인 신비 사제처럼, 그는 전통을 가치 있게 여기고 그 환경은 자신의 영적인 신념을 반영한다.

펜타클 왕은 왕국의 문제를 물질적이고 사무적인 정밀함으로 관리한다. 그는 까다로운 문제들을 교묘하고 실제적으로 해결하기 위한 육감이 있다. 대개 그를 화나게 하는 데는 긴 시간이 걸리지만, 한번 성나면 사납다. 그는 세속적이고 세련되지 않을 수 있지만 충실하고 고귀하다. 그의 발은 땅 위에 굳건히 있고, 몸, 마음, 영혼은 그의 동기에 헌신한다.

펜타클 왕은 에리즈의 세 번째 데칸과 토러스의 첫 번째와 두 번째 데칸을 다스린다. 차트에서 그의 기본적인 영역은 가치와 사적인 재산의 두 번째 하우스다.

제머나이와 소드의 기사

— 뮤터블 공기의 고양하는 지성

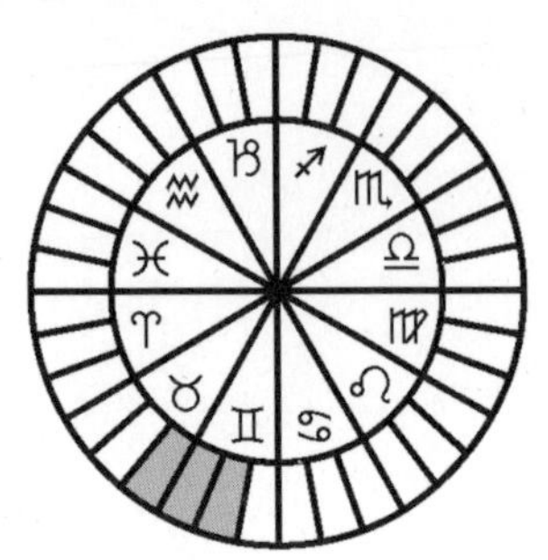

기사 — 덱의 모험가와 구원자 — 는 본질적으로 열정적인 인물이다. 각각 자신의 수트의 원소와 불의 원소를 결합한다. 이 점에서 소드의 기사는 공기와 불의 결합으로 연소성을 구현한다.

소드의 기사는 기사에 대한 대부분의 사람들의 개념에 가장 적합한 인물일 것이다. 그는 능숙하고 용감한 전사다. 그의 갑옷과 투구는 항상 윤이 나고, 말은 항상 태울 채비를 하고 있다. 이따금 그는 우유부단하기도 하다. 더구나 그는 가끔 남을 속일 수도 있다. 그러나 소드의 기사는 기사도의 법을 그냥 기억하지 못한 것뿐이다. 그는 그것을 기록한다.

그는 진정 기사 중의 기사다. 그는 아이디어의 전장에 가장 잘 어울린다. 그는 열광적이고 원기왕성하며 대담무쌍하다. 그는 탐구자이며, 아이디어와 상상력의 최고 단계로 비상한다. 그는 대담무쌍하고 모험을 즐긴다. 즉 그의 발아래 지상의 징후가 없다.

소드의 기사는 또한 제머나이의 뮤터블 공기 싸인을 나타내는데, 그것은 그가 다재다능하고 재빠른 사고를 하게 한다. 그는 고상한 목표와 열망이 있으며, 구름과 하늘의 도취시키는 분위기 속에서 그것들을 찾는다. 그는 대부분의 다른 원소들보다는 좀 더 높은 고도에서 작동한다. 그는 이주하는 피조물로, 결코 오랫동안 한 장소에 있지 않으며, 항상 탐험이나 모험을 시작한다. 그의 메이저 아르카나의 한 짝인 연인처럼, 광범위하게 유용한 사람들과의 경험에 관심이 있다. 그는 아이디어를 교환하는 것을 좋아하고, 스타일과 재치로 의사소통한다.

소드의 기사는 토러스의 세 번째 데칸과 제머나이의 첫 번째와 두 번째 데칸을 다스린다. 차트에서 그의 기본적인 영역은 이웃과 의사소통의 세 번째 하우스다.

캔서와 컵의 여왕

– 카디널 물의 모성의 헌신

컵의 여왕은 컵 카드의 정서적인 깊이와 물의 결합으로 순수를 구현한다. 본질적으로 일반적인 물 특성의 두 배이다. 그녀는 대개 사랑과 관계에 대한 물의 세계로 그려지는데, 이는 컵 수트의 정서적인 에너지를 구현하기 때문이다.

컵의 여왕은 캔서의 카디널 물 싸인을 나타내는데, 주부나 관리하는 사람이다. 그녀는 양육하고 민감하며, 사랑하고 보살핀다.

그녀의 모성은 많은 사람들이 알아차리는 것 이상으로 그녀를 좀 더 강력하게 만든다. 즉 카디널 싸인은 결정적인 리더이다. 그녀는 요람을 흔드는 손이 세계를 지배하는 데 최고라는 것을 안다.

그녀의 메이저 아르카나의 한 짝인 전차처럼 위험한 조류와 조수의 영역을 항해하며, 대개 냉혹한 암초와 해안선을 피하도록 관리한다. 그녀는 결혼과 가족의 삶을 손쉽게 균형 맞출 수 있다.

컵의 여왕은 창조적이고 예술적이다. 매우 직관적이 될 수도 있다. 때때로 그녀는 사이킥한 예언과 신비한 비전의 경향이 있고 그녀를 다스리는 행성인 달에게서 영감을 얻는다.

달처럼 어두운 면을 가지고 있다. 그녀를 만났던 사람들은 가끔 그녀의 정서의 소용돌이에 빠져 있는 자신을 발견할 수 있다. 가끔 그녀는 과보호를 할 수 있고, 심지어 숨 막히게 할 수도 있다.

컵의 여왕은 제머나이의 세 번째 데칸과 캔서의 첫 번째와 두 번째 데칸을 다스린다. 차트에서 그녀의 기본 영역은 가정과 가족 삶의 네 번째 하우스다.

리오와 완즈의 왕
– 픽스드 불의 열정

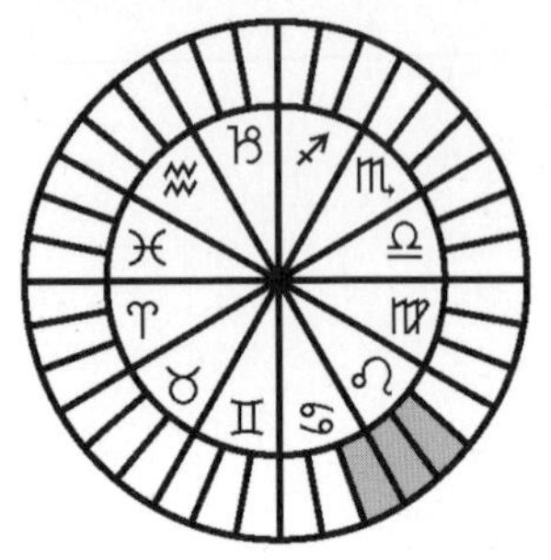

불의 지배자인 완즈의 왕은 리오의 영성과 열정을 구현한다. 그는 왕의 공기의 지성주의와 결합된 불 원소의 연소성과 섞인다.

그는 확신하고 용맹스러운 군주이다. 그의 메이저 아르카나의 짝인 힘 카드의 사자처럼 힘이 있고 용감하다. 그리고 리오의 지배성인 썬처럼 빛과 영감의 근원이다. 그는 관심에 있거나 주목의 대상이 되는 것도 두려워하지 않는다.

타로의 모든 왕들은 지도자이지만, 완즈의 왕이 네 왕들 중에서 가장 카리스마가 강할지도 모른다. 찬미자는 그에게 끌린다. 그의 리더십 스타일은 영감적이고 추종자들의 가장 깊은, 가장 진심어린 열망을 표현한다. 그 과정에서 그는 자부심과 자기 자각에서 자신의 느낌을 그들에게 고취시킨다.

그 결과 완즈의 왕은 자기 본위적이고 자기중심적이며, 극적이고, 가끔 독재적이다. 그는 힘이 세고, 공격적이며, 격정적이 될 수도 있다. 사실 완즈의 왕은 설득시킬 필요가 있으면 초토화 정책을 쓰는 것을 망설이지 않는다. 그는 불의 정화하고 제련하는 힘을 이해하는데, 이는 불가피하게 따르는 재생과 함께한다.

그는 또한 장난스러울 수 있다. 완즈의 왕은 캔서의 세 번째 데칸과 리오의 첫 번째와 두 번째 데칸을 다스리고, 차트에서 기본적인 영역은 레크리에이션과 출산의 다섯 번째 하우스다. 태양처럼 삶과 창조성의 근원이 될 수 있으며, 무수한 후대의 아버지가 될 수 있다.

버고와 펜타클의 기사

– 뮤터블 흙의 느리지만 안정된 진보

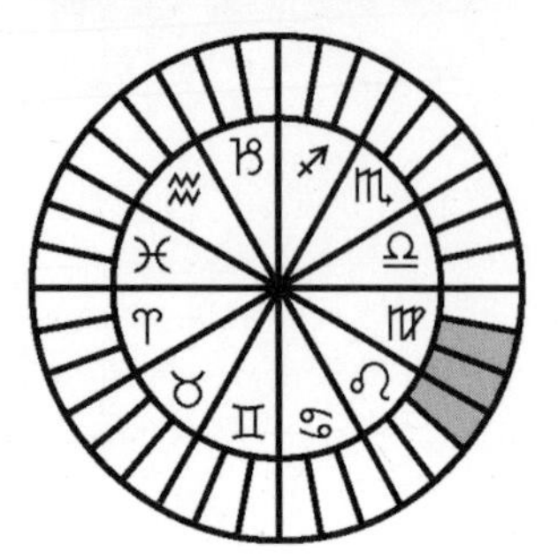

펜타클의 기사는 기사에 대한 대부분의 사람들의 예상에 맞지 않는다. 그는 매우 빨리 움직이지 못하는데, 특별히 경박하지 않다. 나머지 기사들이 모험에 뛰어들어 달려갈 때, 대개 왕국의 일상적인 국경 정찰을 보살피기 위해 뒤에 남는다.

그것이 펜타클의 기사가 오히려 흙과 불의 다른 결합을 구현하는 이유이다. 흙은 불타지 않는다. 그래서 사실 진흙과 모래는 대부분의 작은 불길을 끌 수 있다. 그는 또한 흙의 기본적인 피조물이며, 흙은 스스로 움직이지 못한다. 그것은 대개 지진이나 눈사태를 일으키는데, 좋아하는 대지에 그를 결속시키는 중력과 관성의 힘을 극복하려는 아주 기본적인 현상이다.

그러나 동시에 펜타클의 기사는 나머지 동료들보다는 훨씬 더 많이 육체적인 욕구와 욕망에 조율된다. 그는 물질적인 세상에서 주인이 되기를 원한다. 펜타클의 기사가 소명에 착수하면 얼마나 걸리든 그것을 끝마칠 것이다.

사실 펜타클의 기사는 인내심이 강하고 고요하며, 식별하고 분석적이다. 삶에서 그의 소명은 다른 기사들이 간과하는 일반적인 소소하고 일상의 책임감을 보살피는 듯하다.

펜타클의 기사는 버고의 뮤터블 흙 싸인을 나타낸다. 그의 메이저 아르카나의 짝인 은둔자처럼 양심적이고 보수적이며 충동적이지만, 신중하고 조금은 완벽주의자이다.

펜타클의 기사는 리오의 세 번째 데칸과 버고의 첫 번째와 두 번째 데칸을 다스린다. 차트에서 그의 기본적인 영역은 건강, 일, 다른 사람들에게 봉사하는 여섯 번째 하우스다.

리브라와 소드의 여왕
– 카디널 공기의 결단력

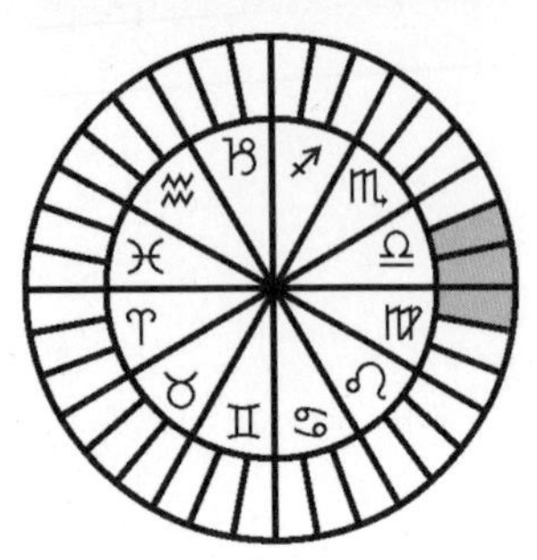

공기의 지적인 영역과 물의 정서적인 세계를 섞을 때 얻는 것은 무엇인가? 균형 잡힌 결정을 위해 자신의 머리와 가슴 모두를 사용하는 소드의 여왕을 만나보라.

타로의 여왕들 각각은 자신의 수트와 상응하는 원소와 물의 원소를 결합한다. 그 결과 소드의 여왕은 논리와 이성에 이해와 느낌의 독특한 결합을 구현한다.

지성의 지배자로서 소드의 여왕은 비판적인 사색가이다. 그녀는 날카로운 지성과 함께 영리한 소통가이다. 그리고 가끔 독설을 내뱉는다. 말은 정확한 의미를 가지고 있으며, 또 언외의 의미를 이해한다. 그녀는 외부로부터의 정보를 잘라낼 수 있고, 어떤 논의나 논쟁의 지점을 바르게 한다.

그녀는 또한 말은 종종 깊이 자리한 느낌과 정서에 대한 빈약한 대리인임을 안다. 그래서 그녀는 어떤 논의나 논쟁의 행간을 읽을 수 있다. 그녀는 두뇌가 명석하고 자비롭다. 소드의 여왕은 확고하나 공정하다.

사실 타로 전통에 따르면 소드의 여왕은 슬픔과 비탄에 친숙하다. 그녀는 대개 미망인이나 이혼녀가 될 것이라고 믿는데, 상실로부터 배우고 다른 사람들과 상황에 대해 정확한 결말을 강조하고 끌어당기는 엄청난 능력을 발달시키는 사람이다.

소드의 여왕은 리브라의 카디널 공기 싸인을 나타낸다. 그녀는 타고난 리더이고, 자발적이고, 어떤 이야기도 두 가지 면을 들을 수 있다. 그녀는 평화주의자, 중개자나 또는 재판관의 역할을 할 수 있다. 그녀의 메이저 아르카나의 짝인 정의의 여신처럼 사실에 기초하여 명확하고 공정한 결정을 내린다. 리브라의 지배성인 비너스처럼 다른 사람들에게 조율되고 끌린다.

소드의 여왕은 버고의 세 번째 데칸과 리브라의 첫 번째와 두 번째 데칸을 다스린다. 차트에서 그녀의 기본적인 영역은 파트너와 관계의 일곱 번째 하우스다.

스콜피오와 컵의 왕
– 픽스드 물의 정서적인 깊이

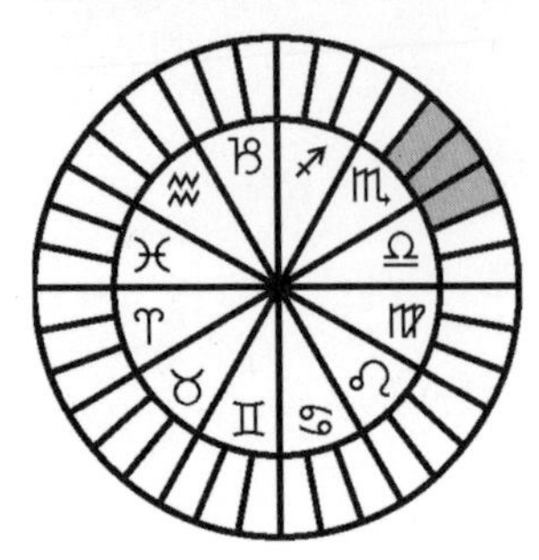

컵의 왕은 삶의 가장 깊은 신비에 자신을 가라앉힐 수 있는, 수중 세계의 지배자다.

기본적으로 타로의 네 왕들은 공기의 지성이다. 그들은 자신의 수트에 상응하는 원소와 공기의 원소를 단순하게 결합한다. 그런 점에서 컵의 왕은 깊은 정서의 흐르는 물에 지성적인 공기의 결합으로 증기를 구현한다.

컵의 왕은 남편과 아버지다. 그러나 이 카드는 또한 스콜피오의 고착된 물 싸인을 나타내는데, 그것은 그를 강렬하고 열정적인 지배자로 만든다. 그는 통찰력이 있고 분석적이다. 그는 영리하고 관능적이며 지적인 동등함으로 깊은 연결을 열망한다. 그는 정서의 가장 어두운 깊이에서 편안하며 강박적일 수도 있다.

그의 상응하는 메이저 아르카나 카드는 죽음 카드다. 그리고 그것을 지배하는 행성은 플루토로 지하세계의 신이다. 전체적으로 보면 컵의 왕은 인생의 성쇠를 이해하고, 변형과 재생의 주기를 이해한다.

위자드 타로에서 컵의 왕은 바다의 왕과 같다. 삼지창과 세 갈래 왕관은 그의 통치의 증거이며, 하얀 수염과 흰 머리카락은 그의 지혜와 경험을 의미한다.

바다는 그의 명령에 따라 파도가 오르내리고 밀려들며, 바다의 모든 동물들은 그의 요청에 반응한다. 그는 폭풍과 허리케인을 일으킬 수 있다. 그는 중대한 혼란의 소용돌이를 일으킬 수 있다. 또한 표면 위로 그의 삼지창을 들어 올릴 수 있으며 파도의 기세를 꺾도록 공기와 불의 힘을 부를 수 있다.

컵의 왕은 리브라의 첫 번째 데칸과 스콜피오의 두 번째와 세 번째 데칸을 다스린다. 차트에서 그의 기본적인 영역은 성, 죽음, 유산, 공동 자원의 여덟 번째 하우스다.

쌔저테리어스와 완즈의 기사
─ 뮤터블 불의 멈출 수 없는 탐험가

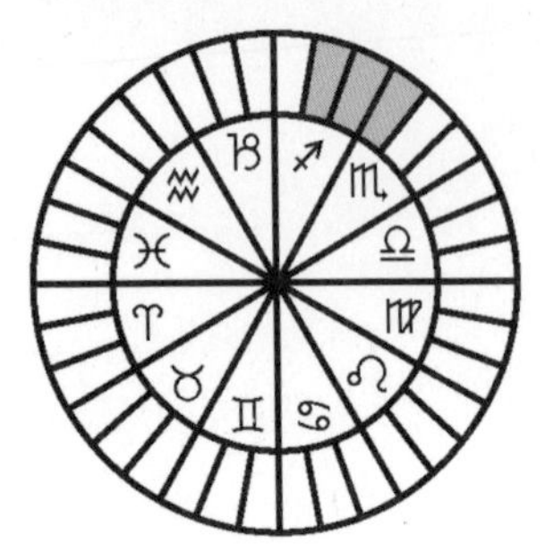

불 자체처럼 완즈의 기사는 매혹적일 수 있다. 그러나 불타는데 안전한 장소가 없고, 그는 또한 통제에서 벗어나 격노할 수 있으며, 불안정하고, 폭력적이며 파괴적이다.

기사 ─ 덱의 모험가이며 구원자 ─ 는 본질적으로 열정적인 인물이다. 각자는 자신의 수트의 원소와 불의 원소를 결합한다. 그러나 완즈 기사는 불과 불의 열정적인 결합을 구현한 유일한 코트카드이다.

그는 철학과 영적인 획득을 위한 관심과 갈망하는 범위가 넓은 탐구자다. 그는 외국과 아이디어에 끌리고 이 세상과 대중을 만나고, 삶이 제공하는 모든 것을 경험하기 위해 어떠한 일도 서슴지 않을 것이다. 그의 메이저 아르카나의 짝인 절제 카드의 연금술의 천사처럼 기꺼이 실험하고, 어떤 것을 섞고, 그 방법을 따라 순응할 것이다. 그는 충동적이고, 들떠 있으며, 항상 움직이고 있다.

완즈의 기사는 또한 개방적이고 대담한 쌔저테리어스의 뮤터블 불 싸인을 나타낸다. 그는 유연성이 있으며 태평하다. 그는 무엇이든 한 번 해보려고 한다. 아마 좋은 평가를 받기 위해서는 두 번 행할 수도 있다.

쌔저테리어스의 본성은 그에게 좋은 행운으로 영광을 준다. 그 결과 자신을 모험과 위험한 행동으로 이끄는 천하무적으로 생각하는 경향이 있다. 그렇더라도 그는 영광의 광휘로 기꺼이 나아갈 것이라고 솔선하여 말할 것이다.

완즈의 기사는 스콜피오의 세 번째 데칸과 쌔저테리어스의 첫 번째와 두 번째 데칸을 다스린다. 자연스런 차트에서 그의 기본적인 영역은 장거리 여행, 철학, 고등교육의 아홉 번째 하우스다.

캐프리컨과 펜타클의 여왕
– 카디널 흙의 모범적인 리더십

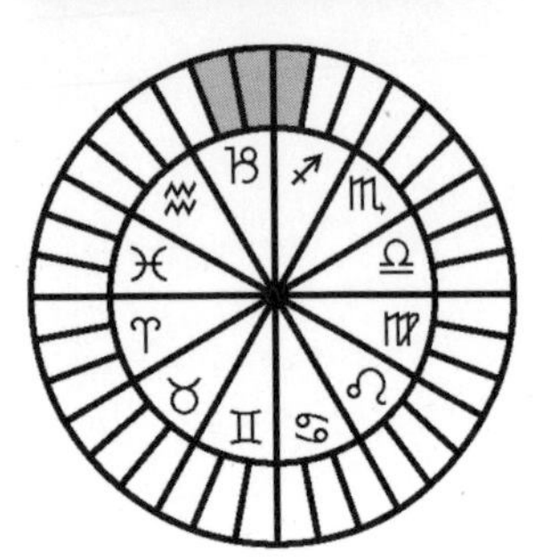

펜타클의 여왕은 펜타클 카드의 흙의 자원과 물의 결합으로 비옥함을 구현한다. 그녀는 인내심이 강하고 고집 센 여인이다. 그녀는 순응하기 위한 시간이나 압력의 느낌에 재촉 받지 않는다. 그녀는 화강암 정원에 확고하게 앉아 있고, 그곳은 그녀가 꽃피울 곳이다.

그녀는 캐프리컨의 카디널 흙 싸인으로, 이는 그녀를 가족을 위한 자원의 넓은 범위를 경작할 수 있는 경험이 풍부한 사업가로 만든다. 그녀는 리더이며 의사결정자이다. 현실적이고 권위적이며, 규율이 있고 조심스럽다. 그녀는 전통의 가치와 구조를 믿는다.

인내와 견딤은 그녀에게 생각할 시간을 제공한다. 몇 년에 걸쳐 그녀는 많은 사람들을 깜짝 놀라게 하는 썰렁한 유머감각을 개발했다. 대부분의 캐프리컨처럼 젊은이를 양성하고 시간이 지남에 따라 점점 더 낙천적이 되는 오래된 영혼old soul이다.

펜타클 여왕은 지구의 보호자이며, 미래 세대를 위해 물질세계를 호위하고 보호하는 중요성을 이해한다. 그렇다 하더라도 그녀는 증명되지 않은 이론이나 분별없는 환경보호주의의 신봉자는 아니다. 그녀는 지구가 대부분의 사람들이 상상하지 못하는 자원을 가지고 있으며, 이 행성이 인류보다 오래 살 것이라는 것을 안다.

그녀의 메이저 아르카나의 짝인 악마 같은 어둠의 신처럼, 그녀 또한 육체의 만족을 이해한다. 그리고 세속적인 존재의 유혹도. 그녀는 자신의 지위와 위치에 대해 알아차린다. 그녀는 그녀의 가치와 신념을 고수하는 확고하고 의지가 굳은 모범을 몸소 보인다.

펜타클의 여왕은 쌔저테리어스의 세 번째 데칸과 캐프리컨의 첫 번째와 두 번째 데칸을 다스린다. 차트에서 그녀의 기본적인 영역은 직업과 사회적인 지위의 열 번째 하우스다.

어퀘리어스와 소드의 왕

— 픽스드 공기의 지적인 결정

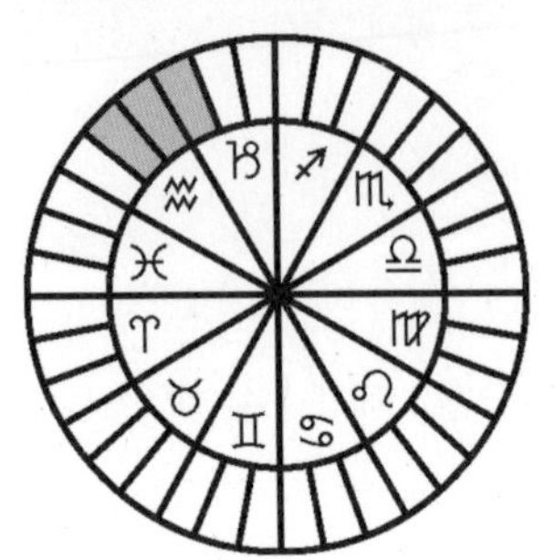

공기의 지배자인 소드의 왕은 단단한 논리와 지성적인 용기에 기초하여 결정하는 강력하고, 권위적이며, 지휘관이다.

기본적으로 타로의 네 왕은 공기의 지성이다. 그들은 단순히 자신들의 수트에 상응하는 원소와 공기 원소를 결합한다. 그런 점에서 소드의 왕은 공기에 공기의 고원한 결합을 구현한다.

명백히 그는 단정적이고 기민하다. 그는 공격적일 수도 있다. 열정과 힘으로 자신의 왕국을 보호하며 멋대로 결정하는 것을 두려워하지 않는다. 그는 자신의 규칙에 따라 기꺼이 자신의 영역을 지키고 정의를 분배할 것이다. 그는 진보적인 생각을 하고, 결정적이며 이상주의적이다. 다른 말로 하면 소드의 왕은 흔들리지 않는 친구가 될 수 있다. 또는 복수심에 불타는 적이 될 수도 있다.

소드의 왕은 어퀘리어스의 픽스드 공기 싸인을 나타내는데, 그를 진보적인 사고, 사회적으로 의식적인 군주로 만든다. 그의 메이저 아르카나의 한 짝인 별처럼 그는 이 세상 사람 같지 않다. 즉 그의 높은 세련미는 하늘에서 오고, 큰 그림을 볼 수 있다. 어퀘리어스를 지배하는 행성인 유레너스처럼 사고의 오랜 방식을 전복시킬 수 있고 왕국의 욕구에 좀 더 나은 봉사를 하는 새로운 제도를 설립할 수 있다.

소드의 왕은 캐프리컨의 세 번째 데칸과 어퀘리어스의 첫 번째와 두 번째 데칸을 다스린다. 차트에서 그의 기본적인 영역은 사회적인 집단과 동기의 열한 번째 하우스다.

파이씨즈와 컵의 기사

- 뮤터블 물의 흐르는 정서

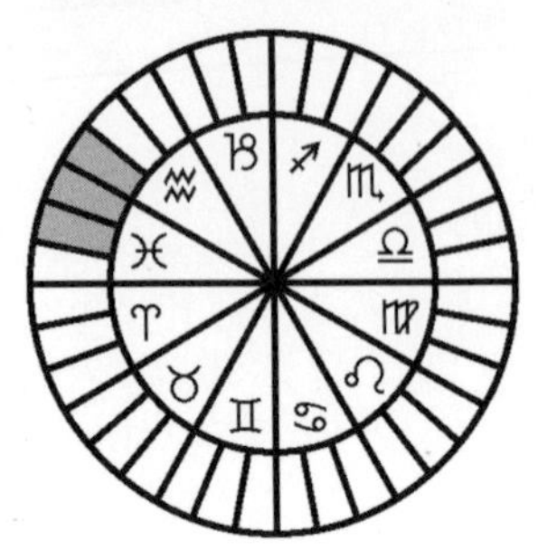

수트에서 모든 코트카드처럼 컵의 기사는 물이며 정서적이다. 그는 용감하고, 우아하며 관대하다. 그는 상상력이 풍부하다. 환영적이기도 하다. 그 무엇보다 그는 아름다움이 진리이며, 진리가 아름답다고 믿는 로맨틱한 이상주의자다.

기사-덱의 모험가이며 구원자-는 본질적으로 열정적인 인물이다. 각자는 자신의 수트의 원소와 불의 원소를 결합한다. 그런 점에서 컵의 기사는 물과 불의 결합으로 증기를 구현한다.

완즈의 기사는 또한 파이씨즈의 뮤터블 물 싸인을 나타내는 것으로, 그를 매력적이고 다정하며, 기분을 전환시키고 민감하게 만든다. 그는 용기 있고 예의 바르지만, 또한 아이 같고 변덕스럽고 잘 잊어버린다.

그의 메이저 아르카나의 한 짝인 달처럼, 컵의 기사는 이 세상을 희미한 광채를 통해 보며, 가장 호의적인 바람과 희망, 그를 둘러싼 사람들의 꿈을 반영한다.

컵의 기사는 로맨틱한 영혼이다. 그는 민감한 이상주의자, 몽상가, 예술가다. 그는 직관적이며 정서의 세계로 깊이 빠져드는 것을 두려워하지 않는다. 그는 어떤 여성에게도 좋은 사람이 될 것이다. 그러나 물고기처럼 물의 요정 운디네는 파악하기 어려울 수도 있다.

컵의 기사는 어퀘리어스의 세 번째 데칸과 파이씨즈의 첫 번째와 두 번째 데칸을 다스린다. 차트에서 그의 기본적인 영역은 신비주의와 숨겨진 비밀의 열두 번째 하우스다.

요약 : 코트카드

코트카드와 원소

4원소는 코트카드에서 함께 결합한다. 표를 보라. 그러면 다양한 결합이 어떻게 네 왕족의 특성을 규정짓도록 돕는지 알게 될 것이다.

	완즈 불/영성	컵 물/정서	소드 공기/지성	펜타클 흙/물질
시종 흙/물질	물질적인 형태의 불	물질적인 형태의 물	물질적인 형태의 공기	물질적인 형태의 흙
기사 불/영성	불과 불 영성	불과 물 영성과 정서	불과 공기 영성과 지성	불과 흙 영성과 물질
여왕 물/정서	물과 불 정서와 영성	물과 물 정서	물과 공기 정서와 지성	물과 흙 정서와 물질
왕 공기/지성	공기와 불 지성과 영성	공기와 물 지성과 정서	공기와 공기 지성	공기와 흙 지성과 물질

코트카드와 계절

왕, 여왕, 기사는 어스트랄러지와의 연결에 기초한 차트 여기저기에 분배된다. 그 과정에서 두 패턴이 나타난다.

1. 첫째, 카드는 계절의 정렬로 떨어지는데, 각 계절에 대한 여왕, 왕, 기사이다.
2. 둘째, 각 계절은 또한 카디널, 픽스드, 뮤터블 싸인에서 온 코트카드가 있다.

	카디널 싸인	픽스드 싸인	뮤터블 싸인
봄	♈ 에리즈 완즈의 여왕	♉ 토러스 펜타클의 왕	♊ 제머나이 소드의 기사
여름	♋ 캔서 컵의 여왕	♌ 리오 완즈의 왕	♍ 버고 펜타클의 기사
가을	♎ 리브라 소드의 여왕	♏ 스콜피오 컵의 왕	♐ 쌔저테리어스 완즈의 기사
겨울	♑ 캐프리컨 펜타클의 여왕	♒ 어퀘리어스 소드의 왕	♓ 파이씨즈 컵의 기사

요약 : 타로와 일 년의 바퀴

이 표는 메이저 아르카나 카드와 마이너 아르카나 카드 모두가 어떻게 일 년의 바퀴에 적합한지를 보여준다.

싸인과 행성의 지배자	메이저 아르카나 카드	코트카드	데칸	날짜	마이너 아르카나 카드	행성의 부지배자
에리즈 카디널 물 마스	Ⅳ. 황제 XIV. 탑	완즈의 여왕	1st 0°–10°	3월 21~30일	완즈 2(불)	마스
		완즈의 여왕	2nd 10°–20°	3월 31일 ~4월 10일	완즈 3(불)	썬
		펜타클의 왕	3rd 20°–30°	4월 11~20일	완즈 4(불)	비너스
토러스 픽스드 흙 비너스	V. 신비 사제 Ⅲ.여황제	펜타클의 왕	1st 0°–10°	4월 21~30일	펜타클 5(흙)	머큐리
		펜타클의 왕	2nd 10°–20°	5월 1~10일	펜타클 6(흙)	문
		펜타클의 기사	3rd 20°–30°	5월 11~20일	펜타클 7(흙)	새턴
제머나이 뮤터블 공기 머큐리	Ⅵ. 연인 Ⅰ. 마법사	소드의 기사	1st 0°–10°	5월 21~31일	소드 8(공기)	주피터
		소드의 기사	2nd 10°–20°	6월 1~10일	소드 9(공기)	마스
		컵의 여왕	3rd 20°–30°	6월 11~20일	소드 10(공기)	썬

캔서 카디널 물 달	Ⅶ. 전차 Ⅱ. 고위 여사제	컵의 여왕	1st 0°–10°	6월 21일 ~7월 1일	컵 2(물)	비너스
		컵의 여왕	2nd 10°–20°	7월 2~11일	컵 3(물)	머큐리
		완즈의 왕	3rd 20°–30°	7월 12~21일	컵 4(물)	문
리오 픽스드 불 태양	Ⅷ. 힘 XIV. 태양	완즈의 왕	1st 0°–10°	7월 22일 ~8월 1일	완즈 5(불)	새턴
		완즈의 왕	2nd 10°–20°	8월 2~11일	완즈 6(불)	주피터
		펜타클의 기사	3rd 20°–30°	8월 12~22일	완즈 7(불)	마스
버고 뮤터블 흙 머큐리	Ⅸ. 은둔자 Ⅰ. 마법사	펜타클의 기사	1st 0°–10°	8월 23일 ~9월 1일	펜타클 8(흙)	썬
		펜타클의 기사	2nd 10°–20°	9월 2~11일	펜타클 9(흙)	비너스
		소드의 여왕	3rd 20°–30°	9월 12~22일	펜타클 10(흙)	머큐리
리브라 카디널 공기 비너스	XI. 정의 Ⅲ. 여황제	소드의 여왕	1st 0°–10°	9월 23일 ~10월 2일	소드 2(공기)	문
		소드의 여왕	2nd 10°–20°	10월 3~12일	소드 3(공기)	새턴
		컵의 왕	3rd 20°–30°	10월 13~22일	소드 4(공기)	주피터
스콜피오 픽스드 물 플루토	XIII. 죽음 XX. 심판	컵의 왕	1st 0°–10°	10월 23일 ~11월 2일	컵 5(물)	마스
		컵의 왕	2nd 10°–20°	11월 3~12일	컵 6(물)	썬
		완즈의 기사	3rd 20°–30°	11월 13~22일	컵 7(물)	비너스

쌔저테리어스 뮤터블 불 주피터	XIV. 절제 X. 운명의 수레바퀴	완즈의 기사	1st 0°–10°	11월 23일 ~12월 2일	완즈 8(불)	머큐리
		완즈의 기사	2nd 10°–20°	12월 3~12일	완즈 9(불)	문
		펜타클의 여왕	3rd 20°–30°	12월 13~21일	완즈 10(불)	새턴
캐프리컨 카디널 흙 새턴	XV. 악마 XXI. 세계	펜타클의 여왕	1st 0°–10°	12월 22~30일	펜타클 2(흙)	주피터
		펜타클의 여왕	2nd 10°–20°	12월 31일 ~1월 9일	펜타클 3(흙)	마스
		소드의 왕	3rd 20°–30°	1월 10~19일	펜타클 4(흙)	썬
어퀘리어스 픽스드 공기 유레너스	XVII. 별 0. 바보	소드의 왕	1st 0°–10°	1월 20~29일	소드 5(공기)	비너스
		소드의 왕	2nd 10°–20°	1월 30일 ~2월 8일	소드 6(공기)	머큐리
		컵의 기사	3rd 20°–30°	2월 9~18일	소드 7(공기)	문
파이씨즈 뮤터블 물 넵튠	XVIII. 달 XII. 거꾸로 매달린 사람	컵의 기사	1st 0°–10°	2월 19~28일	컵 8(물)	새턴
		컵의 기사	2nd 10°–20°	3월 1~10일	컵 9(물)	주피터
		완즈의 여왕	3rd 20°–30°	3월 11~20일	컵 10(물)	마스

이 표에 있는 날짜는 대략적인 것이다. 명확한 날짜와 시간을 조사하고 싶다면 어스트랄러지의 달력이나 행성 움직임의 천체력을 참고하라.

에이스는 이 표에 없는데, 원소를 대표하기 때문이다. 완즈 에이스는 불, 컵 에이스는 물, 소드 에이스는 공기, 펜타클 에이스는 흙이다.

제 3 부

어스트랄러지를 좀 더 깊게

우리는 타로, 싸인, 행성들의 기초를 다루었다.
이제 그것을 어스트랄러지의 하우스에 모두 가져올 때이다.

9
하우스

호로스코프 차트horoscope chart

행성, 싸인, 하우스 모두는 어스트랄러지 차트에 함께 있다. 차트는 시간에 맞추어 주어진 지점에서의 하늘의 시각적인 스냅사진이다. 차트는 우주의 지도처럼 싸인에 있는 행성들의 배치와 하우스로 나뉜 편리한 시각적 도구이다.

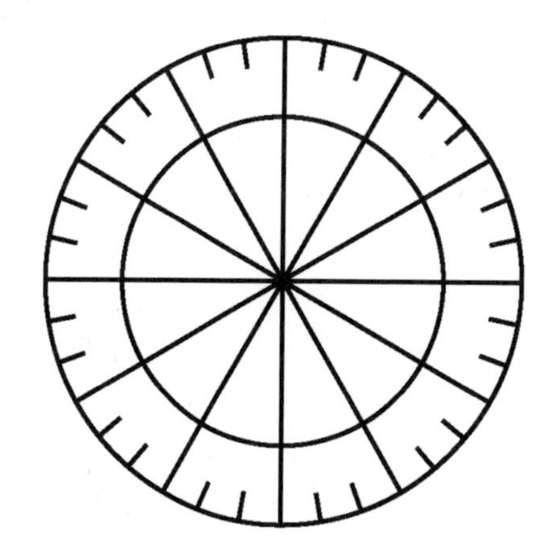

호로스코프horoscope는 그리스어 호라hora, 즉 '시간'에 스코포스skopos, 즉 '지켜보기'를 덧붙인 것이다. 천문학자는 태양계의 지도책처럼 어스트랄러지 차트를 읽을 수 있다. 그러나 어스트랄러저와 타로 리더들은 보물지도처럼 그 차트를 읽을 수 있는데, 거기에는 삶을 통한 우리의 여정을 묘사한 상징으로 가득 차 있다.

공간과 시간 분할

이미 이 책에서 어스트랄러지 차트를 보았다. 단지 타로카드의 맥락에서만. 사실 어스트랄러지 차트는 일 년의 바퀴 주변에 카드를 분배하기 위한 기초였다.

아마 모든 어스트랄러지 차트가 원이라는 것을 알아차렸을 것인데, 이는 지구의 위치에서 태양계를 바라보는 것을 나타낸 것으로 고안되었다. 모든 어스트랄러지 차트는 황도대의 각 싸인에 하나씩 열 두 조각의 파이 모양의 하우스로 나뉜다. 사실 단어 황도대zodiac는 '동물들의 원'이라는 그리스어다.

어떤 지도처럼 어스트랄러저들은 어스트랄러지 차트의 하우스를 행성들이 싸인을 통해 움직이는 것처럼 그 위치를 정확히 나타내는 것으로 사용한다. 한번 보면 각각의 행성이 지나가는 싸인을 드러낼 것이고, 또한 서로에 대한 행성의 관계도 드러낼 것이다.

하우스가 어스트랄러지의 분석에 복잡함의 층들을 더하는 반면, 또한 그 자체의 가치 있는 맥락과 배경의 정보도 제공한다.

태양은 매달 황도대의 다른 싸인에 있다. 그러나 매일 어스트랄러지 차트의 12하우스를 지나간다. 또한 나머지 행성도 그렇다. 그것은 우리가 태양 주변을 회전하는 것이 아니기 때문에 매달 황도대의 새로운 싸인을 만나는 것이다. 지구는 또한 자전하는데, 24시간마다 완전히 한 바퀴를 회전한다. 그 과정에서 지구의 모든 위치는 단숨에 약 2시간 동안 황도대의 다른 싸인을 만난다.

이 개념에 너무 당황하지 마라. 즉 그저 태양이 매일 하늘 위에서 가로질러 지나가는 것을, 한 곳에서 떠오르고 또 다른 곳으로 지는 것을 상상해보라. 하늘의 지도에 태양의 움직임을 그린다면, 그 길을 따라 지나가는 그림을 그리는 것으로 그 여정을 간단히 표시할 것이다.

차트에서 일어나는 것 역시 그것이다. 즉 태양, 달, 행성 모두가 차트의 하우스들을 지나 움직이는데, 마치 지구가 우주를 통해 부드럽게 원을 그리는 것과 같다. 어스트랄러지 차트의 하우스는 우리가 그 장소에서 회전하는 것처럼 단지 태양계의 회전하는 관점을 그린 것이다.

하우스는 또한 어스트랄러지에 유용한데, 하우스는 맥락, 인식, 싸인을 통해 움직이는 것처럼 행성들에 대한 정보의 배경의 측정을 제공하기 때문이다.

기본에 충실하라. 하우스는 황도대 싸인에서 많은 의미를 더해준다.

내추럴 차트natural horoscope

내추럴 차트—하늘의 이상적인 지도—에서 어스트랄러지의 각 하우스에는 황도대의 한 싸인이 지배한다. 모든 싸인은 행성이 지배하기 때문에, 모든 하우스에는 행성의 지배자가 있다. 예를 들어 에리즈는 첫 번째 하우스를 지배한다. 행성 마스는 에리즈를 다스린다. 에리즈와 마스는 항상 어스트랄러지 차트의 첫 번째 하우스와 관련된다.

그러나 실제 삶에서 완벽한 차트는 없다. 즉 모든 행성이 그 자체의 싸인과 함께 있는 것, 모든 하우스가 그 자체를 다스리는 지배성이 차지하는 것은 없다. 그것은 행성들이 계속해서 태양의 궤도를 움직이기 때문이다. 그 길을 따라서 황도대의 모든 싸인을 지나간다. 그들 자신의 것만 아니다. 방문할 12싸인이 있다는 것은, 많은 행성들이 그 자체의 싸인에서 많은 시간을 보내지 않는 이유를 아는 것은 어렵지 않다.

어스트랄러지 차트에 대한 우리의 관점은 계속해서 변하는 것이 그 사실과 맞물리고, 당신은 또한 그 자체의 하우스에서 행성을 찾는 것이 아니라는 것을 곧 알아차릴 것이다. 그것은 지구가 자전하는 것처럼 우리 자신의 인식에 기초하여 어스트랄러지 차트를 계산하기 때문이다. 우리의 관점에서 행성들은 차트의 12하우스 모두를 지나 계속해서 회전한다. 궁극적으로 한 행성은 차트에서 그 자체의 싸인과 그 자체의 행성 모두에 실제로 당도할 때, 그것은 아주 행복한 것이다.

그렇기는 하나 어스트랄러저들은 차트를 검토할 때 마음에 표본적인 차트를 유지하는데, 행성과 싸인은 항상 그들에서 어떤 힘의 특성이 있는 하우스를 자연스럽게 지배하기 때문이다. 행성과 싸인은 주인이 부재할 수 있지만, 여전히 각 하우스의 주인이고, 그들의 존재는 집에 없을 때도 느껴질 수 있다.

황도대의 하우스

다음 페이지에서 하우스를 하나하나 공부할 것이다. 여기는 12하우스 모두의 의미를 지배하는 싸인, 행성과 함께 간략하게 요약한 것이다.

하우스	상징	지배 싸인	지배 행성
1st H	외모, 첫인상	에리즈(양자리), 리더십과 관련된다.	마스, 에너지와 적극성의 행성
2nd H	돈, 재산, 가치관	토러스(황소자리), 소유와 관련된다.	비너스, 사랑과 매력의 행성
3rd H	의사소통, 형제, 이웃	제머나이(쌍둥이자리), 소통과 관련된다.	머큐리, 속도와 의사소통의 행성
4th H	모성, 가정, 가족	캔서(게자리), 보호와 양유과 관련된다.	문, 반응과 여성성의 주기의 천체
5th H	창조, 출산, 레크리에이션	리오(사자자리), 용기와 쇼맨십과 관련된다.	썬, 에너지와 깨달음의 본질적 근원
6th H	일, 의무, 책임, 타인에 대한 봉사	버고(처녀자리), 건강과 청결과 관련된다.	머큐리, 속도와 의사소통의 행성
7th H	결혼, 파트너십, 친밀한 관계	리브라(천칭자리), 정의, 동등, 균형과 관련된다.	비너스, 사랑과 매력의 행성
8th H	성, 죽음, 타인의 돈	스콜피오(전갈자리), 삶의 어두운 신비와 관련된다.	플루토, 죽음, 재생, 불가피한 변화의 행성
9th H	철학, 장거리 여행, 고등교육	쌔저테리어스(궁수자리), 정직과 탐구와 관련된다.	주피터, 행운과 확장의 행성
10th H	야망, 지위, 직업과 공적인 이미지, 아버지와 권위적 인물	캐프리컨(염소자리), 일과 보상과 관련된다.	새턴, 구조, 경계, 한계의 행성
11th H	사회적인 집단, 동기, 장기적인 사고	어퀘리어스(물병자리), 좀 더 나은 세상에 대한 비전과 관련된다.	유레너스, 독립, 혁명, 반항의 행성
12th H	사이킥 능력, 오컬트, 비밀 장소	파이씨즈(물고기자리), 직관과 관련된다.	넵튠, 신비주의와 환상의 행성

어스트랄러지 실행 : **하우스 스프레드**

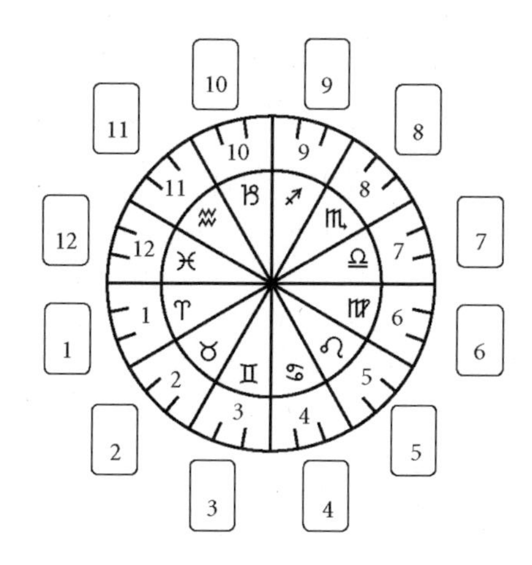

어스트랄러지의 하우스를 타로 배열로 자연스럽게 사용한다. 실제로 차트가 없더라도 괜찮다. 12카드는 자연스럽게 각 하우스를 지배하는 차트의 하우스와 싸인과 행성으로부터 얻는다.

하우스가 나타나는 똑같은 순서대로 카드를 배치하는 것에 주목하라. 시계의 9시 위치에서 첫 카드를 시작해서 시계반대방향 순으로 놓는다.

1. **에리즈:** 자기자각, 리더십, 충동, 시작; 외모, 첫인상
2. **토러스:** 돈, 재산, 가치관, 안정감, 의식주, 물질적인 자원
3. **제머나이:** 의사소통, 사고 과정, 형제, 이웃
4. **캔서:** 모성, 가정과 가족; 양육하고 보살피는 능력, 직관
5. **리오:** 창조, 레크리에이션, 출산, 아이
6. **버고:** 일, 의무, 봉사, 건강, 세심한 주의, 상속
7. **리브라:** 결혼, 파트너십, 친밀한 관계, 균형, 사회적인 기술
8. **스콜피오:** 성, 죽음, 공동 자원
9. **쌔저테리어스:** 철학, 장거리 여행, 고등교육
10. **캐프리컨:** 야망, 지위, 직업, 공적인 이미지

11. **어퀘리어스:** 사회적인 집단, 동기, 혁명, 미래와 장기간의 생각
12. **파이씨즈:** 사이킥 능력, 오컬트, 숨겨진 장소, 무의식 마음, 심리적인 건강

리딩 예 : **로즈의 로맨스**

21세의 로즈는 교육학을 전공했는데 지난 1년 동안 남자친구는커녕 데이트조차도 하지 못했다.

"제가 남자에게서 찾고자 하는 것이 무엇인지를 그냥 알고 싶어요. 로맨스에 대한 저의 기대가 무엇일까요?"

잘 섞은 타로카드에서 카드를 임의로 뽑아서, 그 카드로 어스트랄러지 하우스 배열로 배치하면, 분석을 위한 출발이 시작된다.

놀랍게도 로즈는 사랑과 로맨스를 직업의 목적에 밀접하게 관련시켜 의지하고 있는 듯하다. 그리고 로맨스는 여생의 꿈과 계획을 자신의 이성 관계와 조절할 수 있을 때까지 카드에는 나타나지 않았다.

1. **완즈 2:** 에리즈에 있는 젊고 잘생긴 마스—황제의 좀 더 젊은 버전—는 로즈에게 자신과 파트너에서 모두 중요한 리더십과 추진력을 암시한다..
2. **완즈의 여왕:** 대부분의 에리즈를 지배하는 완즈의 열렬한 여왕은 또한 돈과 재산의 영역에서 로즈의 우선권을 펼치는 것을 나타낸다. 로즈는 일과 미래를 함께할 남자친구를 원한다. 또한 안전한 직업에서 자신을 확립하기를 기대하는 것이다.
3. **컵의 시종:** 컵의 시종은 물의 원소가 의인화된 것이고 관계에 대한 교훈과 메시지를 상

징한다. 세 번째 하우스는 형제와의 연결과 의사소통 스타일을 나타낸다. 로즈는 언니와 밀접하게 결속되어 있어 항상 공유하고, 카드가 여기에 위치하고 있는 것은 로즈가 관계에 대해 훨씬 많이 알고 있는 언니에게서 배울 것을 제안한다.

4. **펜타클의 여왕:** 대부분 캐프리컨을 지배하는 펜타클의 세속적인 여왕은 물질적인 안락함과 안정감을 말한다. 네 번째 하우스는 모성과 양육을 나타낸다. 로즈는 어머니와 밀접하고, 언젠가 스스로 가족을 부양하기를 희망한다. 파트너와 짝에 대한 그녀의 선택은 계획에서 중대한 역할을 한다.
5. **완즈 3:** 다섯 번째 하우스는 창조, 출산, 오락의 하우스다. 열렬한 완즈 3—에리즈에 있는 썬의 묘사—는 로즈가 자신에게 영감을 줄 수 있고 창조적인 본능에 연료를 공급할 수 있는 남자를 원한다는 것을 암시한다. 타로에서 3은 종종 창조성을 상징한다. 3은 파트너십으로 탄생한 어린이를—문자적으로나 상징적으로—나타내기 때문이다.
6. **별:** 미래지향적인 어퀘리어스의 통찰력과 이상이 구현된 별은 일, 의무, 책임감, 다른 사람들에 대한 봉사의 여섯 번째 하우스에 있다. 로즈는 이상적인 직업으로 선생님을 선택했기 때문에, 그 동기를 지지할 수 있는 파트너가 필요할 것이다.
7. **세계:** 로즈는 확실히 높은 희망—그리고 높은 기대—이 있는데, 이는 파트너십과 결혼의 쟁점인 일곱 번째 하우스에 올 때이다. 새턴의 고리는 외부 경계를 규정짓고, 로즈는 끌리는 사람들에 의해 자신을 한정짓는데, 이는 그녀가 데이트하는 남자들에게 아주 특별하게 되는 이유다.
8. **소드 4:** 여덟 번째 하우스는 파트너십과 친밀한 관계에서 생기는 본질과 연결을 설명한

다. 소드 4의 무의식적인 기사는 로즈가 이 부분에서 궁극적으로 이득이 있다는 것을 암시한다. 그것은 리브라에 있는 주피터와 상응하는데, 이는 좋은 행운과 접촉하는 모든 것을 축복하는 것이다. 물론 아직까지 로즈가 어떤 구애자에게도 푹 빠지지 않은 것은 자산을 공유할 파트너를 찾을 때까지 자신의 행운을 기다리는 계산된 결정을 하고 있는 것을 나타낸다.

9. **컵 6:** 여기서 우리는 로즈의 직업 목표가 다시 한번 그녀의 이상적인 관계와 융합하는 것을 본다. 아홉 번째 하우스는 그녀의 철학과 고등교육에 대한 하우스이다. 이 경우에, 컵 6에 있는 사람들처럼 어린이들을 가르치는 것에 초점을 맞춘다. 어스트랄러지에서 이 카드는 스콜피오에 있는 썬과 상응한다(만족의 주인). 한 수준에서는 로즈가 이전의 남자친구와 다시 재결합하기를 바라고 있을 것이다.
10. **컵 10:** 컵 10에 있는 행복한 가족은 야망, 지위, 직업, 공식적인 이미지의 열 번째 하우스에서 또 다른 아이에 집중되는 것을 만든다. 어스트랄러지에서 컵 10은 파이씨즈에 있는 마스에 상응하는데, 그것은 완벽한 성공의 주인이다. 로즈는 '완벽한' 짝, 직업, 또는 가정 삶을 제외하고 어떤 것도 수용하지 못한다.
11. **완즈의 왕:** 대부분 리오를 지배하는 완즈의 열렬한 왕은 사회적인 집단과 동기, 또한 그녀의 장기적인 통찰과 계획의 열한 번째 하우스에 열정과 전념에 대한 느낌을 가져온다.
12. **고위 여사제:** 이 리딩의 나머지에서 직업에 대한 압도적인 초점에도 불구하고, 신비한 고위 여사제는 그녀가 편안한 곳에 출연한다. 즉 사이킥 능력, 오컬트, 숨겨진 장소의 열두 번째 하우스에 있다.

카드의 하우스

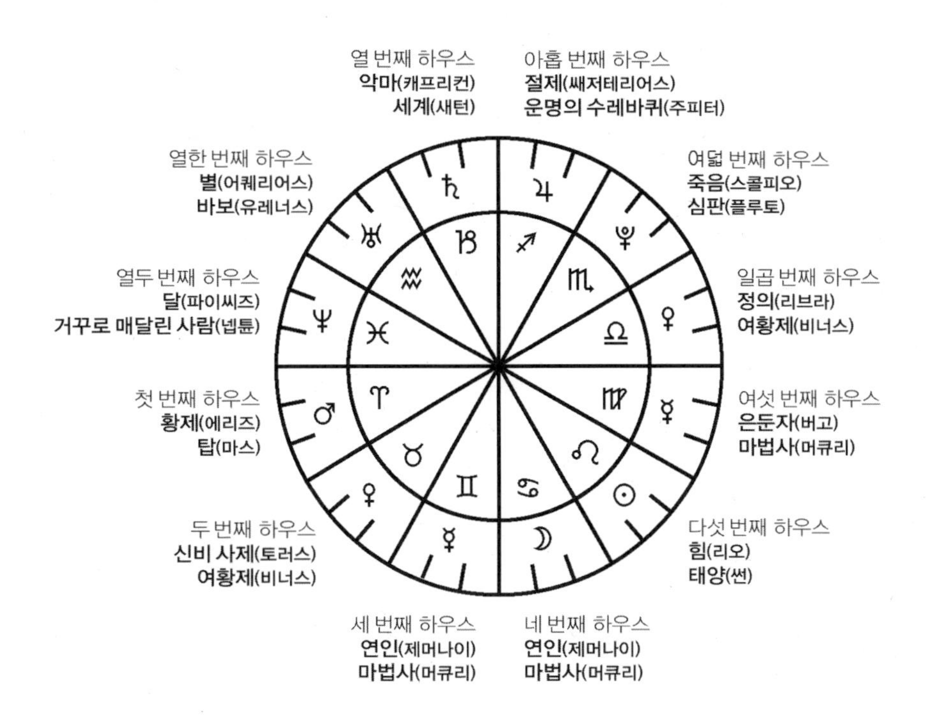

모든 행성과 싸인—타로 카드와 관련된—은 차트에서 그들 자신의 하우스를 차지한다.

어스트랄러지

하우스

황도대 차트의 각 하우스는 활동의 구체적인 분야나 영역을 나타낸다. 12하우스를 탐색할 때, 그들을 구체적인 기능을 위한 집의 방으로 상상하라. 하우스에 있는 싸인과 행성에 대한 느낌을 얻기 위해 그들을 상응하는 타로카드로 가정하여 상상하라. 행성과 싸인들은 단지 각 방에 살고 있는 사람들로 생각하라.

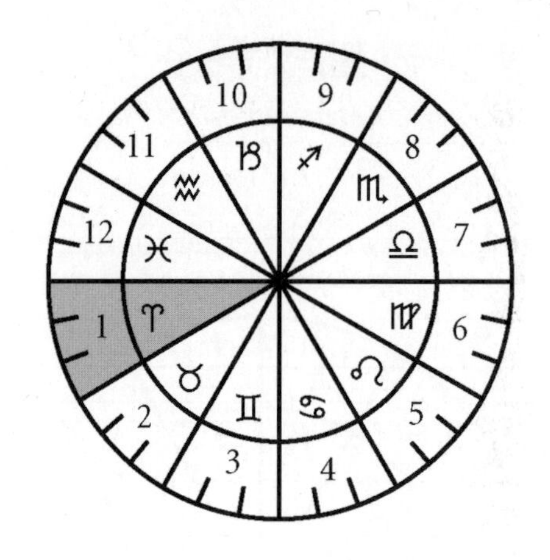

첫 번째 하우스

황도대 차트가 실제 집이라면, 첫 번째 하우스는 현관문이 될 것이다. 그것은 첫 인상, 외모, 우리가 세상에 보여주는 공적인 얼굴이다.

사실 많은 어스트랄러저들에게 첫 번째 하우스는 차트로의 입장인데, 그것은 우리가 만나는 누구든지 알아차리는 첫 번째 것을 나타내기 때문이다. 그것은 차트를 분석하는 자연스러운 출발점이다.

첫 번째 하우스는 에리즈가 지배하는데, 이는 에리즈의 특징 카드인 황제의 자연스러운 전초지를 의미한다. 그는 궁궐의 왕이다. 그는 첫 번째 하우스의 집에 완벽하게 있는데, 현관문을 지키며 내실로 향할 수 있는 입장권을 얻을 사람을 결정한다.

다음으로 에리즈는 마스가 지배하는데, 이는 에너지와 행동의 붉은 행성이다. 차트의 첫 번째 하우스에 어떤 탑의 에너지를 더하라. 어쨌든 탑은 친구에게 감동을 주고, 상대를 겁먹게 하며, 귀중한 것을 보호하고, 잠재적인 공격자들로부터 거주민을 지키도록 고안되었다.

실제 삶의 차트에서, 당신은 첫 번째 하우스에 있는 다른 싸인과 행성을 발견할 것인데, 그들은 황제 대신 보호자의 입장에 있게 된다. 그들의 일이 방문자를 환영하는 것이든 잠재적인 공격에 대하여 탑을 지키는 것이든, 그들은 할 수 있는 한 최선을 다하여 황제의 명령받은 영향력을 이행하려고 노력할 것이다. 사실 에리즈나 첫 번째 하우스에 있는 어떤 행성도 에리즈와 황제 같은 특성을 추정할 수 있는데, 그것은 솔직담백함과 호전적인 단호한 태도와 같은 것이다.

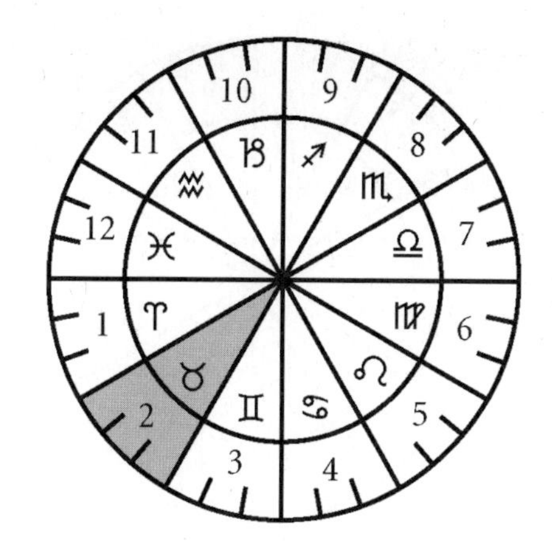

두 번째 하우스

황도대 차트가 실제 거주지를 나타낸다면, 두 번째 하우스는 거실이 될 것이다. 두 번째 하우스는 우리를 둘러싼 물질적인 소유를 나타내고 우리를 편안하고 행복하게 만드는 것을 묘사하기 때문이다. 물질적으로뿐 아니라 영적으로도. 부富는 많은 형태들—돈, 재산, 가치관—에서 오고, 두 번째 하우스는 우리가 소중히 여기는 어떤 것과 관련된다.

두 번째 하우스는 토러스가 다스리는데, 이는 토러스의 연결 카드인 교황을 나타내는 것으로, 자연스럽게 장식품을 담당한다. 교황이 전통적인 양식을 선호하는 것은 놀랄 만한 일이 아니다. 그것은 윤기가 많은 나무, 벨벳 실내 장식용품, 향초, 고전 음악, 벽에 걸린 정교한 예술 걸작들이다. 또한 교회의 스테인드 글라스와 같은 것이다.

교황은 지배성인 비너스—사랑, 애정, 매력의 여황제의 행성—에서 취향을 물려받았다. 비너스는 목을 다스리는데, 이는 교황과 여황제 모두 가구로 그들의 거실을 채우는 이상을 의미한다. 그들은 또한 웅장한 음악 소리로 거실 공간을 채우는 장비를 갖출 것이다. 그들이 최고 수준의 음향 시설에서 오케스트라의 노래를 듣지 않으면, 아마 찬송가, 오페라, 또는 고전을 직접 노래할 것이다.

대부분의 차트에서 당신은 거실에 있는 다른 싸인과 행성을 발견할 것이고, 그들은 자신의 취향과 감성을 끄는 가구와 재산에 둘러싸여 있을 것이다. 그러나 그들은 토러스의 가정 영역에 머물기 때문에, 안락함, 안정과 전통에 대한 교황의 어떤 열망을 자연스럽게 생각할 것이다.

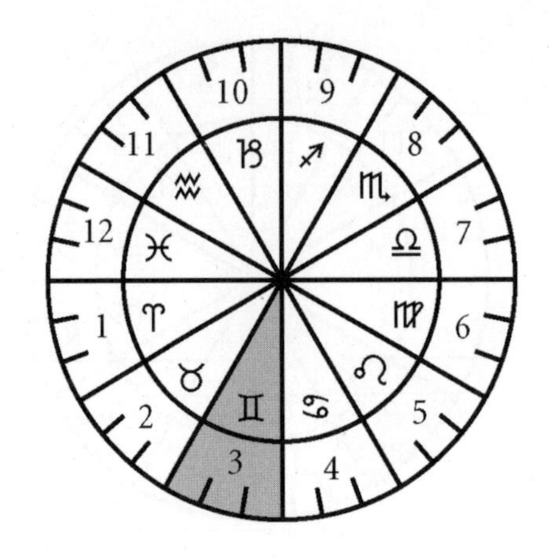

세 번째 하우스

어스트랄러지의 세 번째 하우스는 가정에서 소통의 중심이다. 그 방에는 컴퓨터, 전화, 우편물, 출생증명서와 중요한 서류가 있는 파일 서랍장이 있다. 세 번째 하우스는 홈 오피스home office로, 거실에 있는 책상의 형태를 취하든지 부엌 탁자의 코너를 택하든지 지불한 서류, 약속 스케줄, 일상의 자세한 것들이 관리되는 장소이다.

전형적으로 세 번째 하우스는 일상의 소통, 형제 관계, 이웃 문제에 초점을 맞춘다. 세 번째 하우스를 신의 사자인 머큐리가 지배하기 때문이다. 그의 일은 올림포스 산에서 모두 그가 받았는데, 신들 사이를 오가며 공식 문서들을 날랐다. 대부분 서로 연관된 사람들, 사실 세 번째 하우스는 또한 확장된 가족 구성원, 즉 삼촌, 고모, 사촌과 같이 친인척을 다룬다.

또한 제머나이 연인은 세 번째 하우스를 다스리고, 소통에 대한 그들의 강조는 머큐리의 초점을 반영한다. 그들은 다재다능하고, 관여하고, 매일의 바쁜 일상에 휩쓸린다. 그들은 깔끔하지 않다. 그들이 이상한 행동을 하는 이유가 있다. 그들의 잘 조직된 상대처럼 버고 은둔자는 또한 머큐리가 지배하는데, 서류, 책, 파일이 뒤범벅이 된 것에서 필요한 것을 찾을 수 있다.

어스트랄러지 탐색의 과정 중에 아마 세 번째 하우스에서 다른 싸인과 행성을 발견할 것인데, 이는 소통 부분을 그들에게 맡기는 것이다. 그러나 그들은 여전히 머큐리의 영역에 있기 때문에, 할 수 있는 한 그의 날개 달린 신발로 최선을 다하려 노력할 것이다.

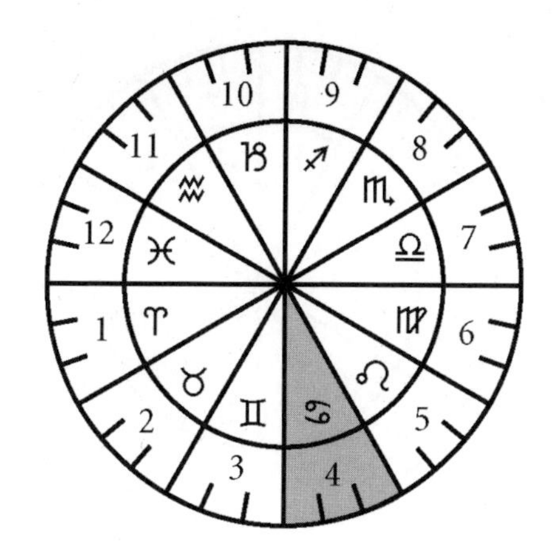

네 번째 하우스

부엌처럼 네 번째 하우스는 가정의 중심으로, 몸과 영혼 모두가 양육과 음식물을 찾는 곳이다. 부엌은 대개 어머니의 영역이고, 네 번째 하우스는 대체로 어머니와 부양하는 부모를 묘사한다. 차트의 바닥에 위치한 네 번째 하우스는 또한 차트의 상징적인 기반이다. 즉 우리가 가정과 가족 삶의 기반에 대한 정보를 찾는 곳이다.

네 번째 하우스는 캔서가 다스린다. 캔서는 유방과 위를 다스리는데, 음식의 양육하는 힘을 상징한다. 물론 대부분의 현대 어머니들은 부엌에서 많은 시간을 보내지 않는다. 그들 대부분은 오늘날의 전차를 모는 사람으로, 통근하고, 학교와 과외를 위해 아이들을 실어 나른다.

다음으로 캔서는 문이 다스리는데, 이는 반영과 주기적인 변화의 천체다. 시간과 경험을 통해 대부분의 젊은 엄마들은 문 카드의 고위 여사제처럼 마침내 현명한 여성이 될 것이다. 당신이 고위 여사제의 부엌 테이블에 앉을 때, 당신은 오래된 친숙한 영혼과 차를 마시는 것을 좋아할 것이다. 또는 사랑스러운 환자인 할머니조차도.

문의 영향은 또한 어스트랄러저들이 왜 어린 시절의 기억, 꿈, 반영의 달의 전경에 대한 정보를 네 번째 하우스에서 찾으려고 하는지를 설명한다.

당신이 어스트랄러지를 분석할 때, 아마 네 번째 하우스에서 다른 싸인과 행성들을 발견할 것이다. 그들은 또 다른 여성의 부엌에서 요리하고 있는 것이다. 그들은 자신의 비밀 요리법이 있을지도 모른다. 그러나 그들의 배치는 어떠한 캔서 특질을, 또 어떤 달빛을 자연스럽게 비출 것이다.

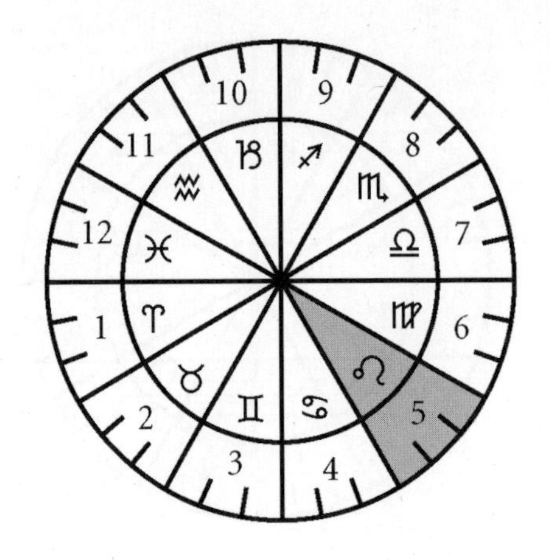

다섯 번째 하우스

황도대 차트가 실제 집을 나타낸다면, 다섯 번째 하우스는 오락실이 될 것이다. 다섯 번째 하우스는 레크리에이션, 출산, 창조성의 하우스다. 그것은 아이들과 어린아이 같은 즐거움과 추구의 하우스이다. 또한 파티룸이다. 즉 재미와 유쾌한 소동, 즐거움, 예술, 공예, 오락을 위한 장소다.

내추럴 차트에서 다섯 번째 하우스는 리오가 다스리는데, 이는 그 싸인의 특징 카드인 '힘'의 집에 도달한 것이다. 철없는 아이는 유쾌한 소동과 즐거움의 사자 형태의 동굴로 놀이방을 변형한다. 당신은 다섯 번째 하우스에서 게임 또는 스포츠 행사와 운동 경기를 발견할 것이다. 다섯 번째 하우스는 가끔 도박을 묘사한다. 포커룸이나 카지노 같은 것 말이다.

다음으로 리오는 썬이 다스리는데, 황도대의 쇼맨이다. 그는 다섯 번째 하우스를 무대로 활동하는데, 동료의 기쁨을 위해서 공연할 수 있는 곳이다. 아폴로처럼 태양 카드에 있는 신 같은 인물은 골든 차일드golden child－확신하는, 자신 있는, 통솔하는－이다. 연례행사를 준비하는 것처럼 썬은 생일, 기념일, 특별한 행사를 축하할 준비에 항상 신경 쓴다.

대부분의 어스트랄러지 리딩 과정에서 다섯 번째 하우스에 있는 다른 싸인과 행성을 발견할 것이다. 그러나 그들이 주거하는 동안, 자연스럽게 삶에 대한 썬의 어떤 기분 좋은 자극을, 그리고 연극 무대를 위한 사자의 재주를 생각할 것이다.

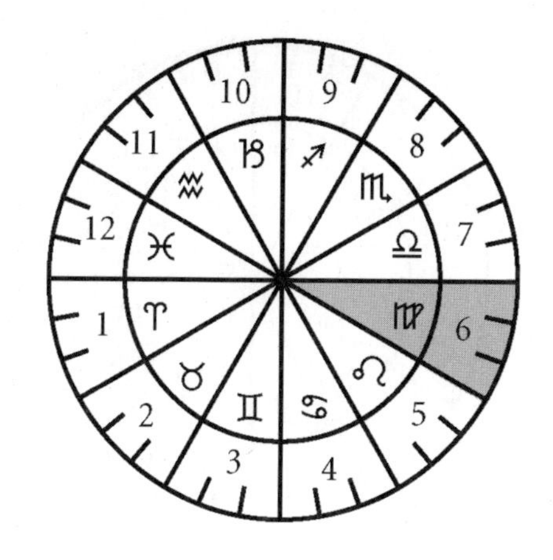

여섯 번째 하우스

황도대 차트가 실제 집을 나타낸다면, 여섯 번째 하우스는 일터가 될 것이다. 전형적으로 홈 오피스의 형태를 취하지만, 또한 워크숍이나 다른 사람들과 공유할 도구와 자원으로 가득 찬 도서관으로서 기능한다. 그것이 여섯 번째 하우스가 봉사의 하우스인 이유이다. 다른 사람을 위해 봉사함으로써 우리가 하는 일은 의무와 책임의 느낌에서 벗어나는 것이라고 설명한다.

그것은 버고의 집이다. 타로에서는 은둔자의 형태로, 헌신과 해결의 삶을 산다. 그 과정에서 그는 정화와 단순한 삶을 위해 노력한다.

버고의 여섯 번째 하우스 '홈 오피스'와 제머나이의 세 번째 하우스 '소통의 중심' 사이에 어떤 유사성이 있다면, 거기엔 이유가 있다. 즉 제머나이와 버고 모두 머큐리가 지배하는데, 이는 소통의 행성이다. 그러나 여기서 머큐리는 은둔자의 비판적인 사고와 소통 기술에 대해 특별히 강조하는 장소이다. 버고는 매우 분석적이고, 그래서 세심한 주의로 다른 사람들을 미치도록 짜증나게 만들 수 있다.

가끔 여섯 번째 하우스는 가정의 약품 수납장을 설명하는데, 여기엔 구급상자, 힐링 허브, 영양제가 충분히 갖추어져 있다. 그것이 여섯 번째 하우스가 아픔과 건강에 전형적으로 상응하는 이유다.

당신이 차트로 분석할 때, 여섯 번째 하우스에서 작용하는 다른 싸인과 행성을 발견할 것이다. 그들은 버고의 공간에 여전히 있기 때문에, 자연스럽게 성실한 봉사와 안녕에 대한 은둔자의 어떤 집중을 취한다.

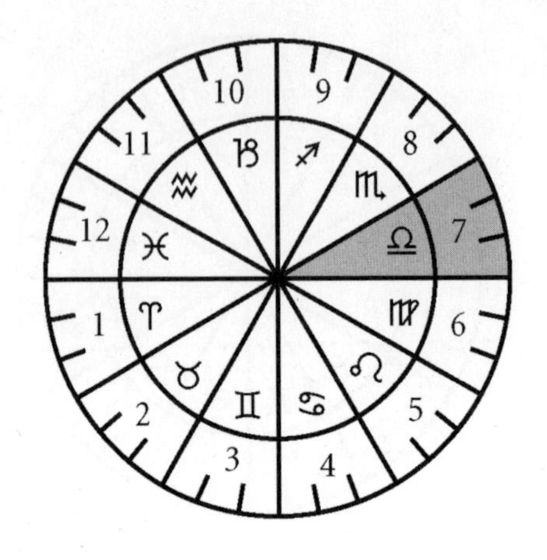

일곱 번째 하우스

황도대 차트가 실제 집을 나타낸다면, 일곱 번째 하우스는 뒷문이 될 것이다. '친구와 가족'이 차트로 출입한다. 일곱 번째 하우스는 결혼, 파트너십, 사적인 관계를 나타낸다. 그리고 동맹과 개방된 적 모두를 상징한다. 어스트랄러저들이 전념과 애착에 대한 정보와 또한 의사, 변호사, 회계사와 같이 사생활을 깊숙하고 세밀하게 아는 사람들을 찾는 곳이다.

일곱 번째 하우스는 리브라가 지배하고, 이는 관계의 싸인이다. 그 의미는 리브라의 특징인 정의 카드의 자연스러운 전초지라는 것이다. 이 카드의 여신처럼 리브라는 조심스럽게 어떤 이야기의 양면의 무게를 달고, 그녀의 삶에서 다른 사람들의 경험과 그녀의 경험을 비교하고 대조하는 것으로 존재에 대한 진리를 찾는다.

다음으로 리브라는 비너스가 다스리는데, 사랑과 매력의 여황제 같은 행성이다. 그녀는 타로의 원형의 부인이고 파트너다.

그들이 뒷문에서 친구와 가족의 환영을 맡을 때, 정의와 여황제 모두 애정과 존경으로 사랑하는 사람들을 안내한다. 정의는 모든 사람들의 이야기를 즐겁게 경청한다. 그 문에서 여황제는 쿠키와 환대로 아이들을 만나고 키스로 남편을 맞이한다.

어스트랄러지를 공부하는 동안 당신은 일곱 번째 하우스에 다른 싸인과 행성을 발견할 것이다. 그들은 여전히 리브라의 영역과 여황제의 집에 머물기 때문에, 자연스럽게 그들의 안주인의 균형, 우아함, 매력으로 손님을 환영할 것이다.

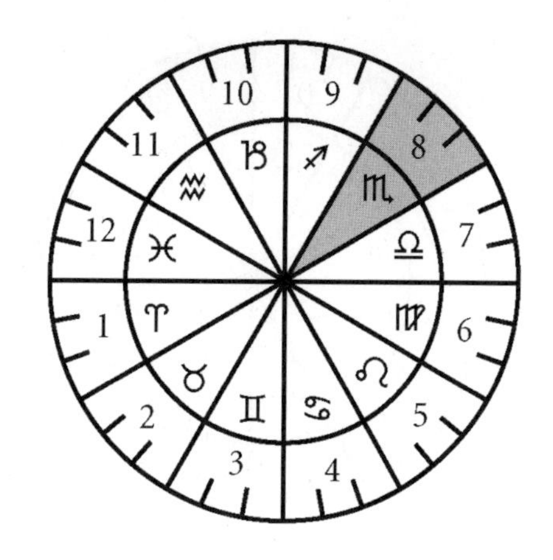

여덟 번째 하우스

황도대 차트가 실제 집을 나타낸다면, 여덟 번째 하우스는 침실이 될 것이다. 우리가 어둠에 의해 변형되는 장소이다. 그것은 여덟 번째 하우스가 스콜피오, 즉 변형의 마스터가 지배하기 때문이다. 어쨌든 우리는 휴식과 회복을 위해 어둠에 은둔한다. 우리는 밤에 침대로 가서 아침에 다시 태어날 수 있다. 우리가 마지막에 병에 걸리게 되면, 임종의 자리에 누워서 플루토의 달콤한 이완을 기다린다.

물론 플루토는 스콜피오의 지배자다. 그것은 죽음, 파괴, 해방의 행성이다. 여덟 번째 하우스에 있는 행성들이 종종 우리가 어떻게 죽는지를 묘사하는 것은 소름끼치는 정보다. 문자적으로든 은유적으로든.

스콜피오는 죽음 카드나 변형 카드에 상응한다. 죽음은 절대 잠자는 것이 아니다. 그러나 가끔 누워 있는 모습을 신경 쓰지 않는다. 그의 침실은 어두운 도피처이자 무덤 같은 곳으로, '도망자' TV 쇼를 시청하기에 좋은 장소다.

대부분의 차트에서 당신은 다른 싸인과 행성이 잠자고 있는 것을 발견할 것이다. 마스터의 침실이 손님의 침실로 변형될 때, 방문자들은 자연스럽게 스콜피오와 플루토의 강렬함, 몰아댐, 열망, 집중의 어떤 것을 취할 것이다. 그들은 그 방에서 죽어서 나오지 않게 되기를 기도할 뿐이다.

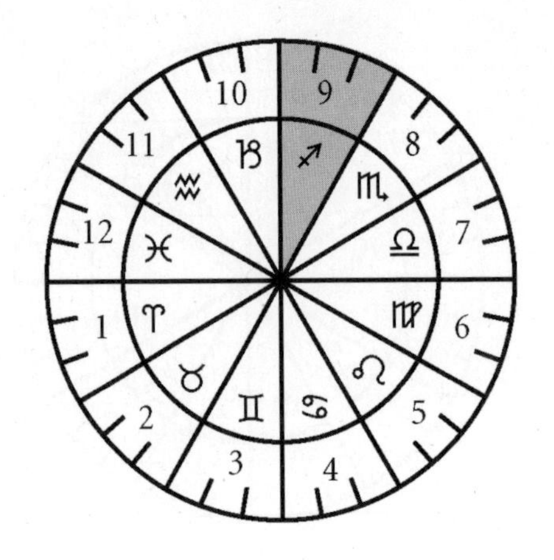

아홉 번째 하우스

황도대 차트가 실제 집을 나타낸다면, 아홉 번째 하우스는 도서실이 될 것이다. 아홉 번째 하우스가 철학, 종교, 고등교육의 영역이기 때문이다. 또한 출판계가 제공하는 모든 것이다.

아홉 번째 하우스는 쌔저테리어스가 다스리고, 그래서 쌔저테리어스의 특징인 절제 카드의 자연스러운 전초지다. 둘은 모두 글자로도 상징으로도 탐구자다. 그들은 넓은 세상의 놀라움을 경험하기 위한 장거리 시간과 공간의 중개 역할을 한다. 그들은 초조하고, 일상에 쉽게 지루해한다. 모험과 외향성, 새로운 사람을 만나고, 인간의 상상력의 경계를 점검하는 것은 그들의 본성이다.

다음으로 쌔저테리어스는 주피터가 다스리는데, 행운과 확장의 행성이다. 여행이 사람을 확장한다고 말하고, 회전하는 운명의 수레바퀴처럼 주피터의 정신은 계속 성장하기를 바란다. 주피터의 신성한 안내를 받으며 우리는 선물 같은 삶이 제공되는 경험을 하고 싶어 하고, 행운을 점검하고, 이로운 우주에서의 우리 믿음을 증명하고 싶어 한다.

당신은 진짜 쌔저테리어스 도서관의 선반에서 무엇을 찾을 것인가? 물론 비교 종교와 대체 영성에 대한 교재와 함께 철학책이나 외국어 사전, 지도, 실제 삶의 항해자를 위해 고안된 여행 안내서, 관광객 비슷한 안락의자를 발견할 것이다.

실제 삶의 차트에서 당신은 아홉 번째 하우스에서 다른 싸인과 행성을 발견할 것이다. 그들은 자신의 영적 여정과 특별한 관심을 반영하는 자료들로 도서관을 채운다.

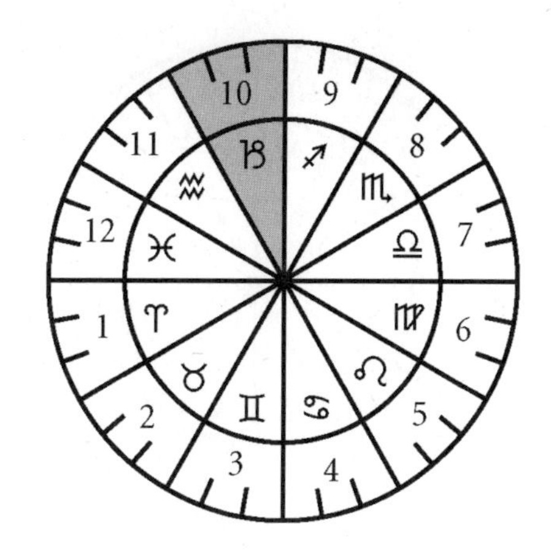

열 번째 하우스

열 번째 하우스는 직업과 사회적인 직위의 하우스다. 둘은 종종 엄청난 경비가 따른다. 누구도 캐프리컨보다 희생을 이해하지 못하는데, 캐프리컨은 힘을 가져올 수 있는 특권에 대한 대가를 치를 사람이다.

황도대 차트가 실제 집을 나타낸다면, 열 번째 하우스는 외부가 될 것이다. 집의 앞쪽으로 길 건너서나 그 구역 아래에서도 모든 사람들에게 보이는 곳이다. 대부분 집의 크기나 형태는 소유주의 사회적인 지위, 수입, 직업 성공을 분명히 나타낸다.

열 번째 하우스는 캐프리컨이 다스리는데, 이는 캐프리컨의 특징인 죽음 카드의 자연스러운 전초지를 의미한다. 그는 가장 좋은 집을 돈으로 살 수 있는 곳에서 산다. 즉 주지사 관저이다.

다음으로 캐프리컨은 새턴이 지배하는데, 이는 한계, 제한, 경계, 구조의 고리가 있는 행성이다. 어떤 어두운 주인처럼 새턴은 그 자신이 만들고 설계한 세상에서 산다. 거기는 용무를 보는 사람이 없는 엄격히 출입이 금지된 대문이 딸린 주택지gated community다.

당신이 어스트랄러지 차트로 이웃을 조사할 때, 매력적인 외부 모습curb appeal에 영향을 주는 다른 싸인과 행성을 발견할 것이다. 그들은 여전히 어두운 신의 영역에 머물기 때문에, 자연스럽게 물질적인 재산에 대한 어떤 염려, 또 공적인 이미지와 외모에 대한 어떤 염려를 생각할 것이다.

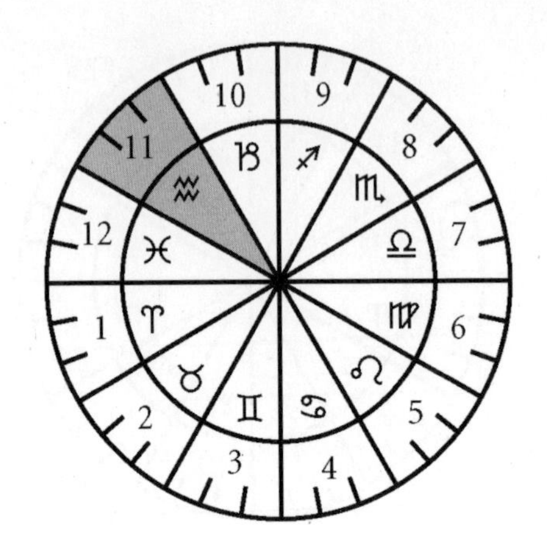

열한 번째 하우스

황도대 차트가 실제 집을 나타낸다면, 열한 번째 하우스는 식당이 될 것이다. 동행과 마음이 맞는 사람들이 그들의 희망, 꿈, 보다 나은 미래 비전을 공유하기 위해 테이블 주변에 모인다.

어스트랄러저들은 사회 집단과 동기에 대한 정보를 열한 번째 하우스에 의지한다. 당신은 클럽회관을 말하기도 할 것인데, 이는 특별한 관심과 장기 목표에 집중하기 위해 만나는 집단과 조직이 있는 곳이다.

그러나 식당은 사회 집단이 만나는 장소만은 아니다. 항상 사적인 가정에서 함께 하는 것은 보다 큰 집단을 위해 실용적이지 않다. 그래서 몇몇 행성들은 좀 더 공적인 장소, 즉 커피숍, 지역문화회관, 회의실로 그들의 모임을 옮긴다.

열한 번째 하우스는 어퀘리어스가 다스린다. 타로에서 어퀘리어스는 별 카드로 나타난다. 우주와 하늘의 명랑한 정신으로, 우주에 대한 원대한 관점과 함께. 그녀는 미래 영역으로 마음이 맞는 사람들을 끌어들인다. 함께 그들은 이상향의 꿈과 비전으로 그 공간을 채운다.

별은 유레너스가 다스리는데, 혁신과 개혁의 행성이다. 유레너스는 거의 어떤 임무에서는 바보고, 종종 별이 지지하는 어떤 동기를 타고 올라올 것이다.

열한 번째 하우스에 다른 싸인과 행성이 발을 들여놓을 때, 그들은 친구를 데려온다. 그러나 그들은 하늘의 한 모퉁이에서 천상의 별에 여전히 있기 때문에, 자연스럽게 그녀의 몽상적인 꿈과 환상적인 목표의 어떤 것을 생각한다.

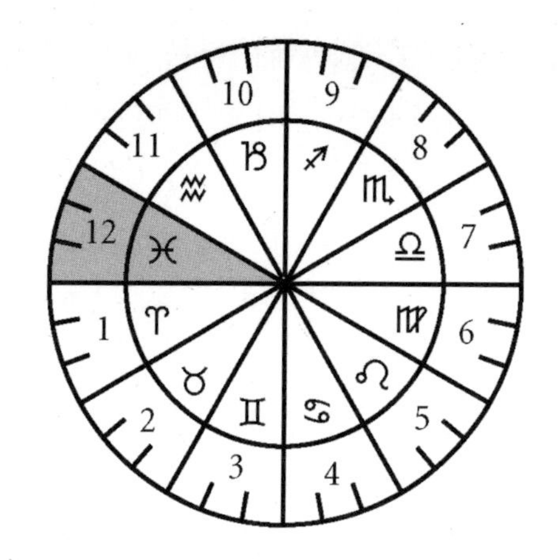

열두 번째 하우스

황도대 차트가 실제 집이라면, 열두 번째 하우스는 잠긴 방, 비밀의 방, 또는 여는 것이 금지된 작은 방이 될 것이다. 또한 어둡고 무서운 지하실이나 접근이 어려운 다락방이 될 수 있다. 간단히 말하면 열두 번째 방은 신비롭고 비밀스러운 장소로, 감춰진 관점과 우리의 생각에서 몰아낸 것이다.

분명히 열두 번째 하우스는 항상 즐거운 장소가 아니다. 우리가 여기서 지키려고 하는 것들은 우리 자신으로부터, 그리고 다른 사람들로부터 숨기고 싶어 하는 것들이다. 이 문제들은 우리 대부분의 두려움을 나타낸다. 그들은 우리가 마쳐야 하는 것들과 관련되는 것으로, 의심, 숨겨진 적, 공적인 관점에서 눈에 잘 띄지 않는 문제와 고통을 포함할 수 있다. 때로는 이들 속박은 글자 그대로다. 즉 열두 번째 하우스는 가끔 감옥, 보호시설, 병원을 설명한다.

열두 번째 하우스는 또한 영적인, 사이킥 능력, 신비주의, 명상, 전생 문제, 잠재의식을 설명한다. 열두 번째 하우스에서 개방하고 허용하는 태도는 계시와 발견으로 놀랄 만큼 아름다움, 그리고 치유로 이어진다.

열두 번째 하우스는 파이씨즈가 다스린다. 그것은 달 카드의 특징으로, 깊이 반영하는 저수지와 그 깊이 아래에 잠긴 완전한 수중 세계이다. 달의 여신은 그녀의 여동생 고위 여사제처럼 드러낼 필요가 있을 때까지 어떤 비밀을 지킬 수 있다.

파이씨즈는 넵튠이 다스리는데, 거꾸로 매달린 사람으로 대체 현실에서 자신을 매단 신비주의 공상가다.

당신이 자신에 좀 더 몰두할 때, 열두 번째에서 다른 싸인과 행성을 발견할 것이다. 그들은 그 자체의 비밀과 두려움이 있는데, 이는 그들이 할 수 있는 데까지 눈에 잘 띄지 않을 것이고, 올바른 때에 빛을 가져올 것이다.

어스트랄러지 실행 : **행성, 싸인, 하우스 스프레드**

어스트랄러저들은 가끔 어스트랄러지 차트를 드라마의 윤곽으로서 묘사한다. 행성은 배우, 싸인은 그들이 입고 있는 의상, 하우스는 세트다.

단순히 세 카드를 행성, 싸인, 하우스에 기초하여 펼쳐라. 그러면 하우스는 거의 어떤 개인의 스토리를 나타내고, 타로와 어스트랄러지가 빈틈없이 함께 어떻게 쉽게 작업하는지에 대한 또 다른 예를 제공할 것이다.

리딩 예 : **앨리스의 모험**

37년의 결혼생활 이후에 앨리스와 남편 리처드는 호주 리조트에서 일주일의 휴가 계획을 하고 있다.

"이번 휴가는 휴식을 위해 제안되었어요." 하고 그녀가 말한다.

"우린 가끔 밖으로 나가고, 가끔은 서로를 위해 보내는 것입니다. 거기엔 수영장도 있어요. 나는 수영을 하고 싶지만 또한 글쓰기도 마치고 싶어요. 또 잠시 밖으로 나가고 싶어요. 어떨 것 같습니까?"

답을 위해 우리는 타로 덱을 섞고 행성, 싸인, 하우스의 에너지를 나타내 줄 세 장의 카드를 임의로 뽑았다.

행성 : 비너스와 상응하는 여황제

싸인 : 리오의 지배성인 썬과 상응하는 태양 카드

하우스 : 아홉 번째 하우스를 다스리는 쌔저테리어스에 상응하는 완즈의 기사

1. **행성:** 비너스. 여황제는 사랑과 매력의 여신 비너스에 상응한다. 앨리스가 휴가를 갈 때, 자신의 역할을 즐기게 될 것이다. 그녀는 관능적인 열대지방의 아름다움에 에워싸이는 것뿐 아니라 남편을 이상적인 짝으로서 지각할 것이다. 남편은 분명히 그 스스로 황제다. 타로에서 여황제는 창조적인 에너지의 화신으로서, 앨리스의 창조적인 글쓰기 작업을 위해서도 조짐이 좋다. 그럼에도 이 카드에서, 그녀가 갑자기 글쓰기에 전념하기보다는 시간을 두고 씨 뿌리고 가꾸고 싶어 하는 아이디어의 정원에 둘러싸인 자신을 발견할지도 모른다.

2. **싸인:** 리오. 운명의 임의적인 기발함에 감사하라. 이 카드는 행성을 실제로 묘사한 싸인을 나타내기 위해 뽑은 카드이다. 그것은 문제가 아니다. 우리는 단지 그 행성과 상응하는 싸인을 살펴보았다. 이 경우에는 리오이고, 그 싸인은 썬이 지배한다. 리오는 자아와 자기존중의 싸인이다. 리오는 파트너와 스포트라이트의 행복한 상황에 있고, 파트너의 동경으로 스스로를 감추고 싶어 한다. 전체적으로 보면 이번 주는 앨리스의 자아 이미지를 위한 큰 지지가 있을 것이다. 그녀는 남편의 관심에 초점을 맞추게 될 뿐 아니라, 리오—창조적인 충동의 지배자—는 또한 종이에 그녀의 상상을 풀어놓는 시간을 발견하리라는 것을 암시한다.

3. **하우스:** 아홉 번째. 완즈의 기사는 쌔저테리어스에 상응하고, 철학, 고등교육, 장거리 여행의 아홉 번째 하우스를 다스린다. 그것은 굉장한 휴가에서 앨리스의 모험에 대한 완벽한 상징이다. 이 카드는 그녀의 경험이 물질적인 것보다는 좀 더 지적인 것이 될 가능성을 암시한다. 그녀는 수영장에서 많은 시간을 보내지 않을지도 모른다. 대신 그녀는 생각과 자기표현에 대한 자신의 기운찬 인상을 탐색하게 될 것이다. 그리고 완즈의 열정적인 기사처럼, 그녀는 조금은 주변 관광객의 매력을 탐색할 시간을 가질지도 모른다.

마주보는 하우스

하우스들, 그리고 그들을 다스리는 싸인들을 느끼기 위한 최고의 방법들 중 하나는 짝으로 공부하는 것이다. 모든 싸인은 차트의 맞은편에 동등하면서 반대인 상대가 있다.

에리즈와 리브라

— 자신과 파트너

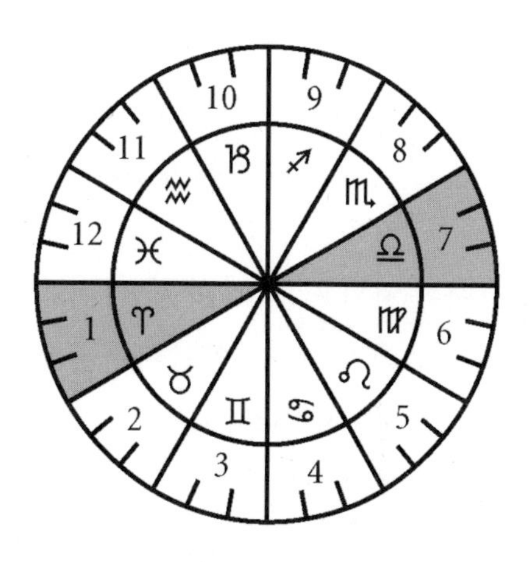

에리즈의 첫 번째 하우스는 자기를 나타내는 반면, 리브라의 일곱 번째 하우스는 파트너십을 설명한다.

타로에서 에리즈는 황제이고, 리브라는 정의이다. 에리즈 황제는 그의 독립성을 주장하지만, 리브라의 정의에 등장하는 여성은 그녀의 삶에서 다른 중요한 사람들의 욕구에 반하여 그녀의 욕구를 균형 맞추려고 노력한다.

에리즈는 마스가 지배하는데, 번개가 치는 탑이다. 리브라는 비너스 여황제가 다스린다. 둘 모두는 우주 에너지에 대한 통로이다. 탑에서 그 에너지는 파괴적이다. 여황제 카드에서 그 에너지는 건설적이다. 둘은 삶의 주기에서 그들의 올바른 장소가 있다.

토러스와 스콜피오

— 개인 재산과 공유 자원

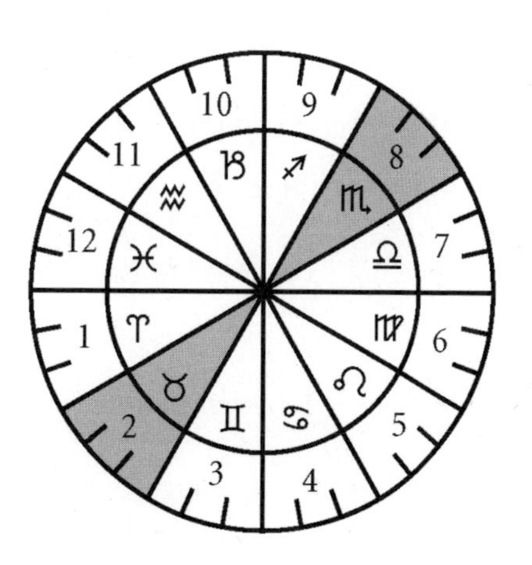

토러스의 두 번째 하우스는 개인의 재산을 묘사하는 반면, 여덟 번째 하우스는 공유 자원을 설명한다.

타로에서 토러스는 교황이고, 스콜피오는 죽음이다. 교황은 그가 축적한 영적이고 물질적인 재산 모두를 꽉 쥐고 싶어 한다. 그러나 죽음은 마침내 그 모두를 가져갈 것이다.

토러스는 비너스가 지배하는데, 사랑과 아름다움의 여황제의 행성이다. 스콜피오는 플루토가 다스리고, 결말과 새로운 시작의 심판의 행성이다. 그들 모두 묘지에서 공통점을 찾는다. 죽음은 아마 그 방식이 있을 수 있지만, 교황은 그 과정에서 자신의 교회를 부유하게 할 것인데, 이는 계획된 제공과 상속의 결과 때문이다.

제머나이와 쌔저테리어스
— 자기표현과 고차원의 참나

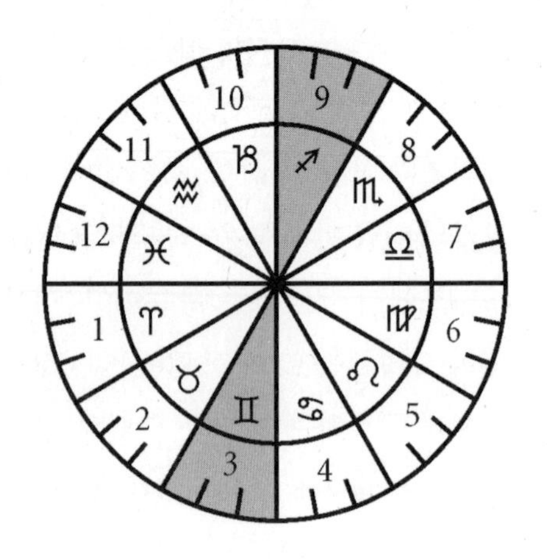

소통과 자기표현의 싸인인 제머나이는 철학, 고등교육, 장거리 여행의 싸인인 쌔저테리어스의 상대다.

호기심의 제머나이는 자신의 이웃을 알고 이해하기를 바라지만, 선견지명이 있는 쌔저테리어스는 외국인을 만나기를 바란다. 제머나이는 기초교육으로 스스로 바쁜 반면, 쌔저테리어스는 고급 학위를 추구하기를 바란다. 제머나이가 짧은 여행을 하고 이웃의 심부름을 할 때, 쌔저테리어스는 장거리 여행으로 진로를 바꾼다.

타로에서 제머나이는 연인으로 표현되고, 쌔저테리어스는 절제로 설명된다. 연인은 관계로 갑자기 뛰어들고 싶어 하지만, 절제는 좀 더 균형 있는 접근으로 그들에게 조심하도록, 몰두하여 전념하기 전에 세상을 보도록 경고한다.

제머나이는 머큐리가 지배하는데, 속도, 기술, 소통의 마법사의 행성이다. 쌔저테리어스는 주피터가 다스리고, 운과 운명의 수레바퀴의 행성이다.

캔서와 캐프리컨

— 사적 vs 공적

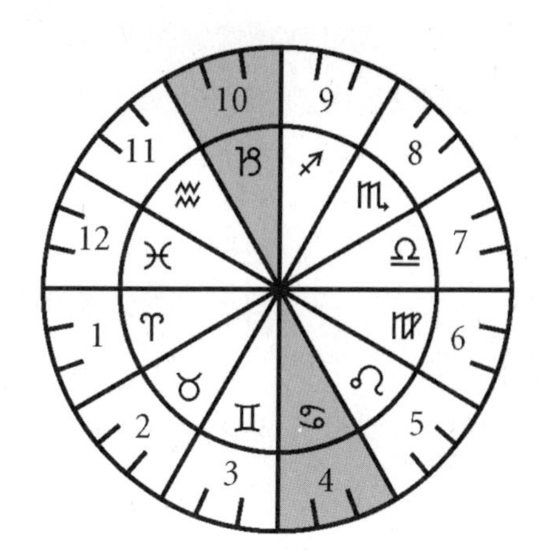

캔서의 네 번째 하우스는 사생활과 가정의 안락함을 나타내는 반면, 캐프리컨의 열 번째 하우스는 직업, 사회계층, 명성의 공적인 얼굴을 설명한다.

캔서는 안전과 양육이고, 개인적인 성취를 칭찬한다. 그러나 캐프리컨은 그 성취를 눈에 띄게 만드는데, 자신들이 도전과 비판에 노출되는 곳이다. 두 싸인은 무의식적인 사랑과 공적인 책임감 사이의 차이를 나타낸다.

캔서는 전차로, 게처럼 껍질에 안전하게 숨는다. 캐프리컨은 악마로, 인정과 보상을 교환하는 냉정하고 잔인한 물질세계를 직면한다.

캔서는 달이 지배하고, 고위 여사제의 신비로운 행성인 반면, 캐프리컨은 새턴이 다스리는 것으로, 일반적으로 타로의 세계이다.

리오와 어퀘리어스

— 순간적인 만족 vs 장기 계획

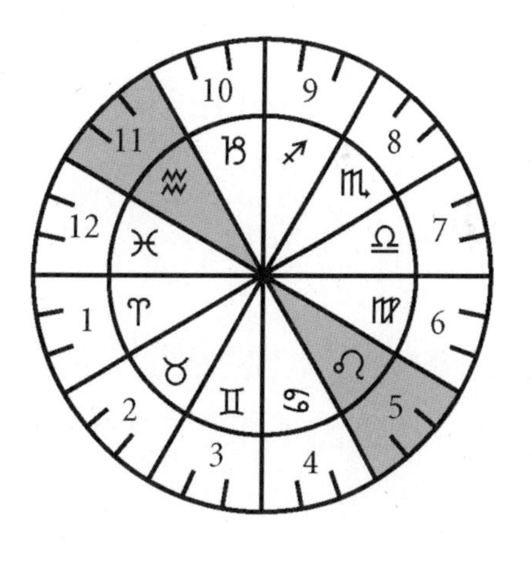

창조와 놀이의 싸인인 리오와 장기 비전과 계획의 싸인인 어퀘리어스는 상대 짝이다.

타로에서 리오는 힘이고 어퀘리어스는 별이다. 리오는 그 자신을 보여주는 별이지만, 어퀘리어스는 별자리의 일부분이 되기를 바란다. 리오는 자신의 아이와 놀이하기를 바라지만, 어퀘리어스는 미래의 아이들에 대해 생각하고 있다. 그래서 그녀는 오늘 일을 시작할 필요가 있다. 리오는 공원을 지나 재빨리 달리는 것이 괜찮지만, 어퀘리어스는 기금 모금자를 조직하기를 바란다.

그들은 행복한 매체를 찾을 수 있다. 리오는 썬이 다스리는데, 창조성과 자기표현의 행성이다. 어퀘리어스는 유레너스가 지배하는데, 혁신과 개혁의 바보의 행성이다.

버고와 파이씨즈

— 일상의 세계와 꿈의 세계

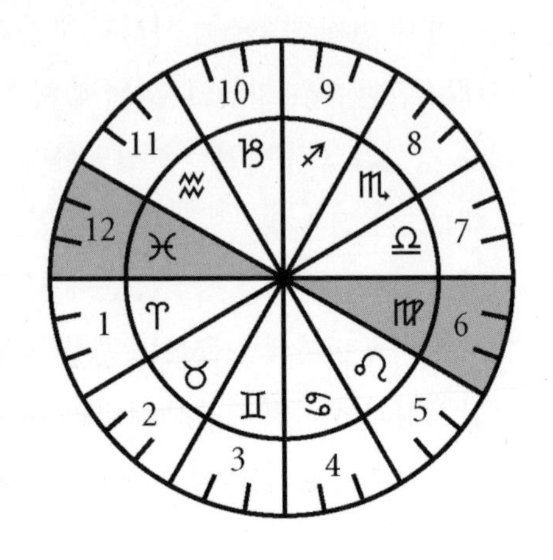

건강, 일, 봉사의 싸인인 버고는 파이씨즈에서 그 상대를 찾는데, 이는 꿈과 비밀의 싸인이다.

버고는 실제적이다. 파이씨즈는 신비적이다. 버고는 지적이다. 파이씨즈는 직관적이다. 버고는 경험을 통해 모든 구체적인 것을 통제하기를 바라지만 파이씨즈는 오히려 흐름과 함께 갈 것이다. 요컨대 버고는 육체적인 경험의 책임감에 주의를 기울이는 반면, 파이씨즈는 영성의 보상에 초점을 맞춘다.

타로에서 버고는 은둔자이고 파이씨즈는 달이다. 자신의 생각으로 행동하는 둘 모두는 쉽게 현실과 접촉을 잃는다.

버고는 머큐리가 지배하는데, 사고와 소통의 마법사의 행성이다. 파이씨즈는 넵튠이 다스리는데, 신비주의와 환영의 거꾸로 매달린 사람의 행성이다.

10
어스트랄러지 차트 읽는 방법

어스트랄러지 차트는 바로 그 순간에 맞춘 스냅사진으로, 하늘의 지도 도면이다. 당신은 그것을 어떤 다른 지도를 읽을 때처럼 읽을 수 있다. 그러나 마음에 새겨야 할 몇 가지가 있다.

먼저 어스트랄러지 차트는 지구의 한 지점에서 보았을 때 태양계 전체의 관점을 당신에게 제공하기 위해 고안된 것이라는 점에 주목하는 것이 중요하다. 그것은 지구의 지도가 아니고, 또 지구의 어떤 장소가 아니다. 대신 그것은 지구를 중심으로 한 태양계의 지도이다.

대부분의 어스트랄러지 차트는 천구의처럼 원형이다. 당신이 차트를 살펴볼 때, 행성 지구를 어스트랄러지 차트의 가운데에 있는 작은 중심으로 상상하라, 주변은 하늘이 둘러싸고 있다.

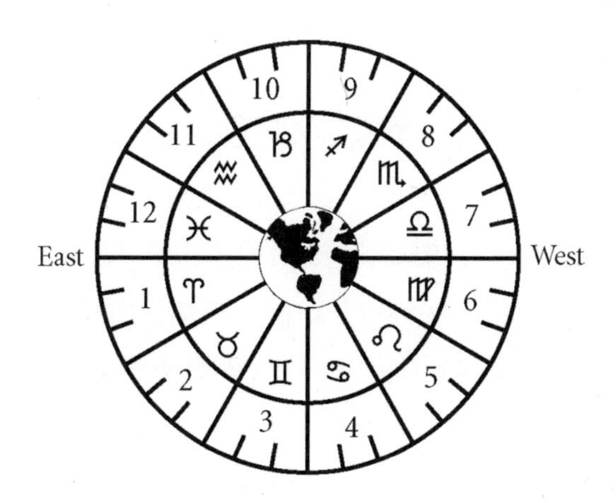

차트의 정확한 중심은 지구의 구체적인 경도와 위도를 나타낸다. 이론적으로 당신이 그 지점에 서 있다면, 당신은 수평선을 따라 동쪽과 서쪽을 볼 수 있는데, 이는 차트를 아래와 위를 반으로 분리시킨다. 그것은 눈에 보이는 수평선을 실제로 나타내는 이유이다.

그러나 나침반은 당신이 기대한 것이 아니다. 즉 동쪽 수평선은 왼쪽이고 서쪽은 오른쪽이다. 북쪽은 아래이고 남쪽은 위쪽이다. 그것은 북반구의 관점에서 만들어졌기 때문인데, 선조들이 먼저 하늘을 연구했던 곳이다. 당신이 차트를 읽을 때, 자신이 지구의 반쪽 위에 서 있다고 상상하라. 동쪽은 당신의 왼쪽이 될 것이고, 서쪽은 오른쪽이 될 것이다.

그 위치에서 당신이 위를 똑바로 쳐다본다면, 머리 위가 하늘을 향해 바라보게 된다. 당신이 아래를 똑바로 본다면, 발아래로 지구를 볼 수 있다.

실제 삶에서 당신은 서 있는 곳에서 차트의 반쪽 위를 볼 수 있을 뿐이다. 수평선 위쪽 하늘은 눈에 보이지만, 우주의 나머지는 시야에서 숨어 있는데, 이 세상의 다른 면을 따라 빙글빙글 돌면서 굴러가는 것이다. 그것이 당신이 차트의 상징적인 의미를 분석하기 시작할 때 기억해야 할 중요한 것이다.

우리 모두는 태양이 동쪽에서 떠오른다고 안다. 어스트랄러저들 또한 모든 행성과 싸인이 그 자체의 정해진 순서에 따라 떠오르고 지는 것을 그린다. 그들은 반시계방향으로 차트 주위를 움직이는데, 이는 동쪽 수평선으로 떠오르고 있는 어떤 행성과 싸인이 차트의 첫 번째 하우스 근처에 나타난 것을 의미한다. 서쪽 수평선으로 지고 있는 어떤 행성과 싸인은 일곱 번째 하우스 근처를 표시한다.

여기 마음에 새겨야 할 또 다른 조언은 당신이 차트를 공부할 때이다. 그것은 시계와 같다. 개념적으로 동쪽 수평선은 새벽을 표시한다. 차트가 일출일 때면, 당신은 거기서 태양을 볼 것인데, 첫 번째 하우스의 커스프에서 떠오르고 있다. 서쪽 수평선은 해질녘을 나타낸다. 즉 디센던트이다. 정오는 바로 위로, 차트의 아홉 번째 하우스와 열 번째 하우스 사이의 미드 헤븐에 있고, 한 밤중은 차트의 아래쪽에 위치하는데, 이는 세 번째 하우스와 네 번째 하우스 사이이다. 그것을 이뭄 코엘리Imum Coeli(I.C.)라 하는데, 라틴어로 '하늘의 바닥'이다.

차트의 네 앵글은 중요한데, 그들은 각각 서로 외부 세계와 자각과 통합의 분리된 형태를 상징하기 때문이다.

▶ 우주의 연결 : **행성 움직임**

싸인과 행성은 계속 움직인다. 몇 분 차이가 라이징 싸인에서, 뒤이은 하우스의 싸인에서, 문의 위치에서 큰 차이를 만들 수 있다. 이는 정확한 시간으로 어스트랄러지 차트를 시작하는 것이 중요함을 의미한다.

- 문은 대략 2시간마다 1도 움직이고, 또는 하루에 12도 움직인다.
- 썬, 비너스, 머큐리는 하루에 약 1도 움직이다.
- 황도대 12싸인이 있고, 지구는 하루 24시간 동안 12싸인 모두를 만나기 위해 회전한다. 그것은 라이징 싸인이 2시간마다 변한다는 것을 의미한다.
- 차트의 12하우스는 단지 공간의 구분이다. 세상이 하루 내내 변하는 것처럼, 행성들 또한 다양한 하우스를 지나 움직인다.

정확한 시간이 최선인 반면, 어스트랄러저들은 당신이 찾을 수 있는 어떤 정보에 근거하여 어스트랄러지 차트를 만들 수 있다. 몇몇 어스트랄러저들은 질문한 그날에 해가 떠오를 때의 차트를 그리는데, 이는 그날 나타난 잠재력을 상징하는 것이다. 다른 사람들은 정오에 대한 차트를 그릴 것이다.

상급 어스트랄러저들은 차트를 수정할 수 있는데, 이는 가족의 결혼, 출생, 죽음과 같은 중요한 삶의 사건에 근거하여 모르는 출생 시각에 대해서 절제된 추측을 하는 것이다.

하우스 커스프

커스프—하우스 사이를 구분하는 선—는 어스트랄러지의 한 싸인에서 다른 싸인으로의 변화를 나타낸다. 비록 행성들이 종종 커스프에 가까이 있을지라도, 그 나뉨은 확고하다. 그래서 행성은 한 번에 한 하우스에만 있을 수 있다. 그렇다 하더라도 그들의 에너지는 인접한 하우스에서 느껴질 수도 있는데, 마치 이웃의 소음을 벽을 통해 들을 수 있는 것과 같다.

빈 하우스

모든 10행성과 12싸인은 모든 어스트랄러지 차트에 나타난다. 그러나 그들은 계속해서 다른 속도로 공간을 통해 순환하기 때문에, 대부분의 차트들은 대개 적어도 하나나 두 개의 빈 하우스가 있다.

그것은 빈 하우스가 에너지나 활동을 상실한다는 것을 의미하지 않는다. 그들은 여전히 싸인의 지배를 받는데, 이는 그들이 그 싸인을 지배하는 행성에 대한 표현의 한 방법을 제공하는 것을 의미한다. 또한 시간이 지나면 트랜짓하는 행성들이 방문을 할 것이다.

예를 들어 문은 한 달 동안 모든 싸인에 머무른다. 썬은 해마다 모든 12싸인을 지나간다.

빈 하우스는 좋은 것이 되기도 한다. 그것은 싸인과 하우스의 에너지가 평화롭고 편안한 것을 나타낼 수 있고, 그 영역의 주인이 그 주제 안으로 자연스럽게 온다.

인터셉터 하우스

가끔 한 싸인 전체가 한 하우스 안에 완전히 떨어질 것인데, 이는 다른 싸인들이 양편의 커스프들로 괄호로 묶는 것이다. 이런 경우에 인터셉터된 싸인은 선뜻 뚜렷해지지 않는다. 그들은 숨겨질 것이고, 거의 비밀의 인물과 같다. 그러나 그 특성은 중요한 순간에 나타날 것이다.

▶ 우주의 연결 : **어스트랄러지 차트 타입**

어스트랄러지 차트는 그 시간 – 과거, 현재, 또는 미래 – 의 어떤 순간에 어떤 이유로 그릴 수 있다.

- **출생**Natal 차트는 출생의 정확한 순간에 대해 계산된 것이다. 출생차트는 인기가 있는데, 그것은 성격의 프로파일이나 예측에 대한 도구로 사용될 수 있기 때문이다.
- **일렉션**Electional 차트는 중요한 사건에 대한 상서로운 때를 선택하기 위해 그릴 수 있다. 결혼, 사업 거래, 주요 구매, 또는 임의 수술(elective surgery : 긴급을 요하지 않는 단순히 예방 차원으로 본인의 희망에 의해 하는 수술) 등과 같은 것이다.
- **호라리**Horary 차트는 질문을 하는 그 순간에 기초하여 질문에 답한다. 호라리는 잃어버린 물건들을 찾는 데 유용할 수 있다.
- **시너스트리**Synastry 차트는 두 사람의 출생 차트를 비교한다. 이는 대개 연애 파트너, 가족 구성원, 또는 친구들의 친화성을 묘사하기 위해 그린다.
- **컴포짓**Composite 차트는 두 사람 차트를 하나로 결합하는 것으로, 두 사람 사이의 관계를 묘사하기 위한 것이다.
- **트랜짓**Transit과 **프로그레스드**Progressed 차트는 좀 더 이전 시간의 행성의 배치와 현재 행성의 배치를 비교한다.
- **쏠라 리턴**Solar Return 차트는 출생의 순간에 썬이 차지했던 똑같은 도수에 되돌아오는 것에 기초한 것이다. '생일' 차트는 그해 초의 스냅샷으로 해석한다.
- **먼데인**Mundane 차트는 지정학적인 국가를 위해 그리는데, 이는 국가, 도시, 지방, 주와 같은 것이다. 이것은 어스트랄러지의 가장 오랜 형태들 중 하나로, 왕과 유력자들이 결정을 하는 도구로 사용했다. 먼데인 어스트랄러지의 한 분파인 천체기상학은 날씨를 예측하는 데 초점을 둔다.
- **리로케이션**Relocation 차트는 살기에 최적의 장소를 선택하는 사람을 도울 수 있는데, 이는 출생차트를 새로운 장소로 위치를 바꾸는 것이다.

11
차트 해석을 위한 간단한 안내

당신은 차트를 공부하는 데 여러 해를 보낼 수 있고, 거기에서 발견하는 모든 사례 분석으로 결코 지치지 않을 것이다.

그러나 대부분의 어스트랄러저는 만족이 없다. 그들은 몇몇 기본적인 원칙과 기술을 고수한다. 시간이 지나면 모든 어스트랄러저는 차트에 접근하는 자신의 체계를 개발한다.

당신이 차트 리딩을 막 시작하고 있다면, 여기 몇 가지 요점의 단계적인 목록들을 고려해야 한다.

1. 썬
2. 문
3. 어센던트
4. 차트의 룰러
5. 차트의 앵글
6. 하우스의 행성, 싸인, 원소
7. 패턴
8. 어스펙트

자세하고 단계적인 설명을 계속 읽어라.

▶ 우주의 연결 : **출생차트**

여기에 차트의 논의와 분석을 위해 몇 가지 출발점이 있는데, 썬, 문, 어센던트로 시작하는 것이다. 당신이 물을 수 있는 몇 가지 질문들에 대한 느낌이 있으면, 또한 차트에서 다른 행성들과 계속할 수 있다.

썬

싸인 : 어떤 메이저 아르카나 카드가 당신의 썬 싸인과 상응하는가? 그 카드가 어떻게 당신의 성격, 개별성, 자아를 설명하는가?

원소 : 당신의 썬은 불 싸인, 흙 싸인, 공기 싸인인가, 혹은 물 싸인인가? 당신은 기본적으로 불, 흙, 공기인가, 혹은 물인가? 당신은 영적으로 열정적이고, 신체적으로 접지되어 있으며, 합리적이고 지적인가, 아니면 직관의 물과 친한가?

양태 : 당신은 한 계절의 첫 번째 달, 두 번째 달, 혹은 세 번째 달 동안에 태어났는가? 당신의 썬은 카디널 싸인, 픽스드 싸인, 혹은 뮤터블 싸인인가? 당신은 프로젝트를 시작하고 끝날 때까지 안정적으로 일하는가, 아니면 유연하며 삶이 오는 대로 받아들이는가?

하우스 : 당신이 태어난 시각을 안다면, 썬은 어떤 하우스에 있는가? 다른 말로 당신의 썬 빛이 어디에 있고, 삶의 어떤 영역을 비추는가?(당신이 태어난 시각을 모른다면, 하우스 위치를 평가할 수 없다.)

문

싸인 : 어떤 메이저 아르카나 카드가 당신의 문 싸인에 상응하는가? 그 카드가 당신의 전반적인 기질과 기분을 어떻게 설명하는가? 그것이 당신의 정서적인 기질을 어떻게 반영하는가?

원소 : 당신의 문 싸인—그리고 그것에 상응하는 원소의 본성—은 관계에서 당신이 행동하는 방식에 대해 무엇이라고 말하는가? 당신은 불이고 열정적인가, 흙이며 안정적인가, 그리고 지적인가, 아니면 물이며 감상적인가? 당신의 문 싸인을 나타내는 그 카드에서 상응하는 상징을 아는가?

하우스 : 당신의 문은 어디를 비추는가? 삶의 어떤 분야가 당신의 문 싸인을 반영하는가?

조화 : 당신의 썬과 문이 서로 관계를 잘 맺고 있는가? 그들은 조화로운 싸인에, 원소에, 하우스에 있는가? 그들은 비슷한 견해를 공유하는가? 아니면 그들은 삶에, 사랑에, 매혹에 다른 인식을 가지고 있는가?

라이징 싸인/어센던트

싸인 : 당신이 태어난 시각을 모른다면, 어센던트를 결정하는 것은 어렵다. 이 단계를 생략하라.

원소 : 어떤 싸인이 당신의 출생의 순간에 떠오르고 있는가? 어떤 메이저 아르카나 카드가 그 싸인에 상응하는가?

묘사 : 그 카드가 어떻게 당신이 이 세상에 보여주는 얼굴을 묘사하는가? 당신이 새로운 사람들을 만날 때 당신이 만드는 첫 인상에 대해 그것이 말하는 것은 무엇인가? 그 대답은 당신을 놀라게 할지도 모른다.

1단계
썬

썬은 어스트랄러지 차트에서도 핵심 중점이다. 출생차트에서 썬은 자아의 본질을 묘사한다. 즉 에고, 성격 동일시의 느낌, 개인의 생명력, 개인의 기본적인 본성에 대한 충동과 열망을 규정한다. 썬은 또한 남편, 아버지, 다른 강한 남성적인 존재와의 강력한 관계를 묘사할 수 있다.

차트 평가를 썬 싸인과 하우스 배치, 또한 그 원소와 양태를 주목하는 것으로 시작하라. 그것이 카디널, 픽스드인지, 혹은 뮤터블인지. 부가적인 통찰을 위해 썬 싸인에 상응하는 메이저 아르카나 카드를 살펴보라.

2단계
문

문의 위치는 개인의 정서적인 기질, 기억, 기분을 묘사한다. 문은 개인의 기본적인 여성성의 본성, 직관, 양육하는 능력, 어머니와 부인과 같은 양육하는 여성과의 관계를 묘사한다.

썬과 했던 것처럼 문의 싸인, 하우스, 원소, 양태를 고려하고, 또 그 싸인에 상응하는 메이저 아르카나 카드를 뽑아라.

3단계
어센던트

출생차트에서 어센던트, 즉 라이징 싸인은 당신이 이 세상에 보여주는 얼굴이다. 그것은 태어난 순간에 동쪽 수평선에 떠오르고 있었던 싸인에 기초하고, 당신이 다른 사람들의 자각의 수평선에 처음으로 나타날 때 만드는 첫 인상을 상징한다. 그것은 당신의 태도, 외모, 전반적인 성향을 묘사한다.

어센던트는 또한 첫 번째 하우스의 커스프이다. 차트에서 9시 위치에서 그것을 찾을 수 있다.

4단계

차트의 룰러

어센던트에 있는 싸인은 차트의 행성 룰러를 결정한다. 그 행성은 그 대상에 강한 영향을 가질 것이다. 그리고 그 영향은 차트에서 행성의 배치를 지배함으로써 나아가 물들이게 될 것이다. 싸인, 하우스, 원소와 양태를 고려하라. 부가적인 상세함을 위해, 지배하는 행성과 그 싸인과 관련된 카드를 뽑아라.

관련된 기록에서 또한 각 하우스의 룰러를 확인할 수 있는데, 그것은 각각의 하우스의 커스프 싸인에 근거한다.

썬, 문, 어센던트는 차트에서 분명히 가장 중요한 세 지시자이다. 이 세 가지 상응하는 타로카드는 당신에게 누군가의 기질에 놀라운 통찰을 제공할 수 있고, 성격의 프로파일에 대한 기초를 제공할 것이다. 진 로든베리의 차트에서 이 세 가지가 어떻게 작용하는지 보자.

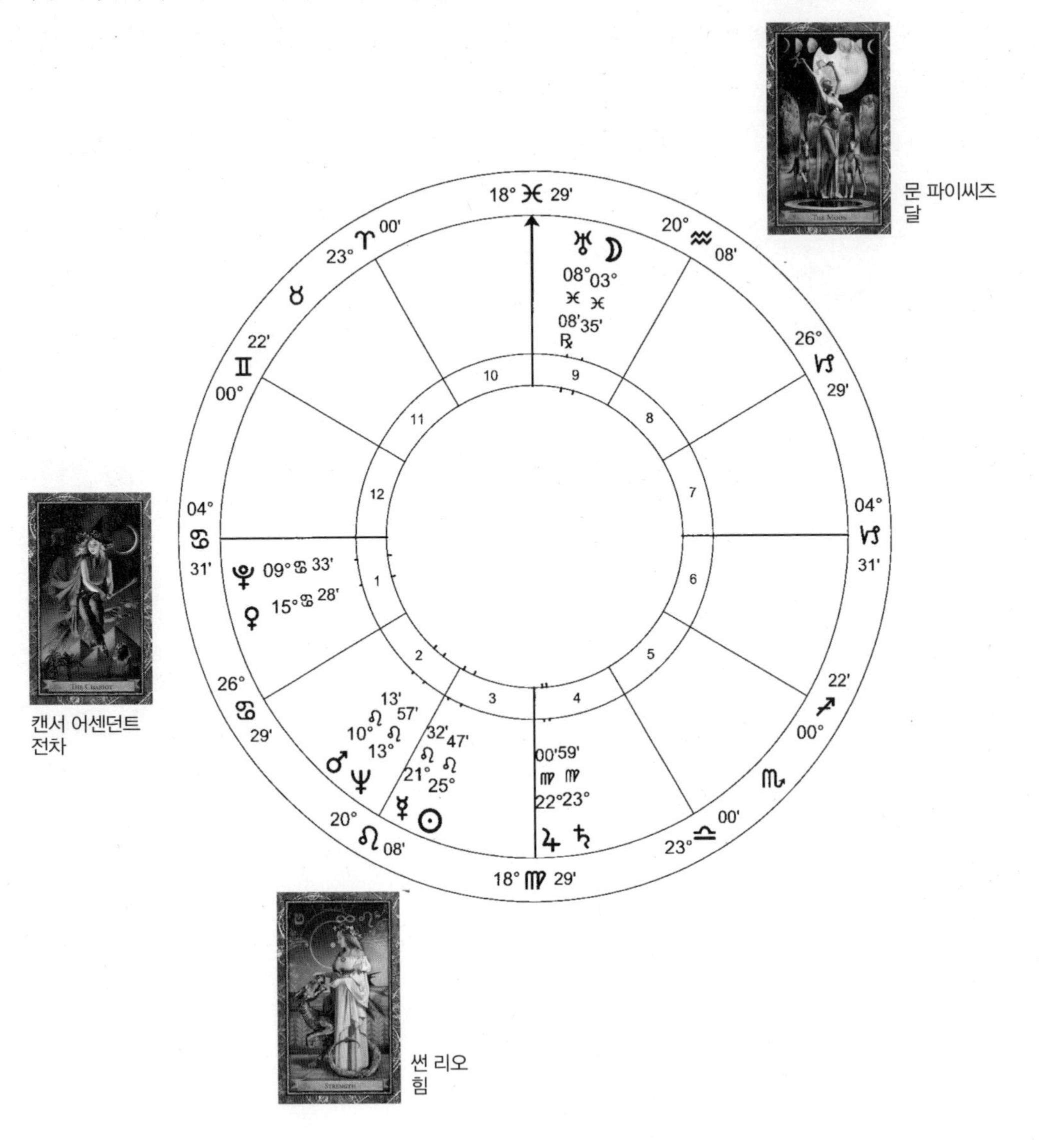

진 로든베리

1921년 8월 19일

1:35 am.

El Paso, Texas

Time Zone : 07:00(MST)

Longitude : 106° W29′ 11″

Latitude 31° N45′ 31″

Placidus Houses

Tropical Zodiac

리딩 예 : **진 로든베리의 미래 비전**

썬, 문, 라이징 싸인의 힘은 진 로든베리의 차트에서 극적으로 설명된다.

캔서 어센던트 로든베리는 물론 〈스타 트렉Star Trek〉 〈유니버스〉의 비전 경영자였다. 그는 이 세상에 자신을 어떻게 나타냈는가? 이전에 누구도 가본 적이 없었던 시간과 공간을 여행하는 용기를 가졌던 우주공간 항해자처럼 그의 캔서 어센던트에 있는 전차와 같다.

썬 리오 그가 만든 인물처럼, 로든베리의 썬과 문은 매우 원형적인데, 이는 그가 우주의 리듬에 분명히 조율했던 것을 암시하는 것이다.

둘 모두 그 자신의 싸인에 있다. 그의 썬은 불의 리오에 있는데, 의지력과 몰아댐의 싸인이다. 방송에 대한 그의 끌림은 놀라운 것이 아니다. 썬이 의사소통의 세 번째 하우스에 위치해 있다. 소통(그리고 판매, 술책)에 대한 마법사의 힘은 힘 카드의 창조성, 의지력, 몰아댐과 협력하여 작업했다.

문 파이씨즈 그의 문은 파이씨즈에 있는데, 이는 신비, 알려지지 않음, 잠재의식, 숨겨진 신화의 싸인이다. 철학, 고등교육, 장거리 여행의 아홉 번째 하우스에 있는 문으로, 로든베리는 인간의 경험과 이해의 외부 한계를 탐색하는 것이 운명에 있었다.

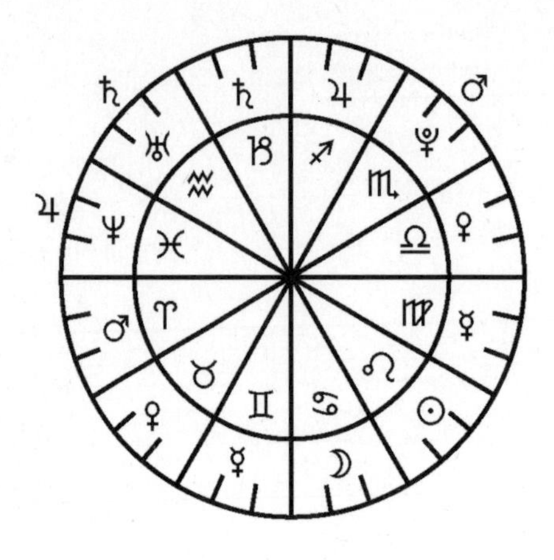

에리즈 : 마스
토러스: 비너스
제머나이 : 머큐리
캔서 : 문
리오 : 썬
버고 : 머큐리
리브라 : 비너스
스콜피오 : 플루토(마스)
쌔저테리어스 : 주피터
캐프리컨 : 새턴
어퀘리어스 : 유레너스(새턴)
파이씨즈 : 넵튠(주피터)

룰러십에 대한 간단한 기록

대부분의 현대 어스트랄러저들은 현대 룰러십을 사용하는데, 이는 위에 그들의 정확한 하우스에 묘사되어 있다. 고대 어스트랄러지에서 주피터, 새턴, 마스는 이중의 룰러십이다. 그들은 차트 밖에 묘사되었다.

5단계

차트의 네 앵글

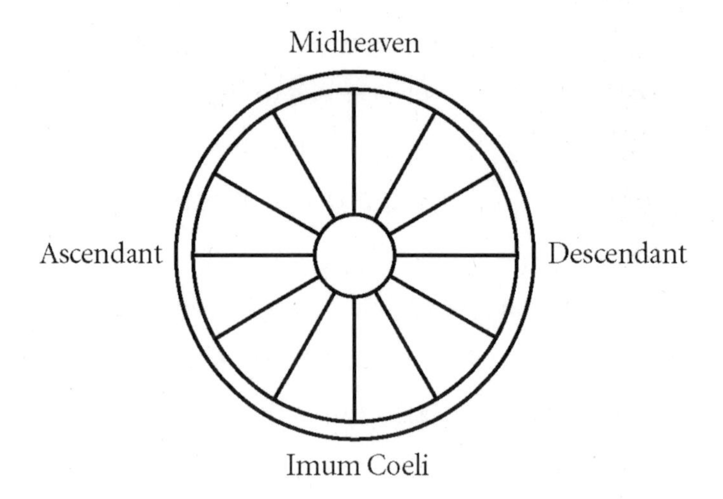

하우스의 네 개의 커스프는 **앵글**이라 하는데, 특별한 의미가 있다.

1. **어센던트**는 차트에서 가장 중요한 앵글이지만, 고려해야 할 다른 세 개도 있다. 즉 **이뭄 코엘리**(I.C.), 디센던트, 미드헤븐이다. 어떤 행성들이 네 앵글 근처에 있는지 찾고, 차트 해석에서 그것들을 특별히 강조하라.
2. **이뭄 코엘리** 라틴어로 '하늘의 바닥'을 의미하는 네 번째 하우스의 커스프이다. 그것은 나디르, 즉 차트의 가장 아래 점으로 기반을 상징한다.

   I.C.에 인접한 두 하우스에 주목하는 것은 흥미로운데, 이는 어린 시절의 경험과 관련된다. 세 번째 하우스는 형제 관계와 초등교육을 다스리는 반면, 네 번째 하우스는 가정과 가족생활을 다스린다.
3. **디센던트**는 어센던트와 정확하게 정반대로, 우리를 가장 잘 아는 사람들에게 우리가 만드는 인상을 묘사한다. 어센던트는 이 세상에 우리가 보여주는 얼굴이다. 디센던트는 친밀한 파트너와 친구에게 우리가 보여주는 얼굴이다.

   그런 의미에서 인접한 여섯 번째 하우스는 우리가 일과 봉사에 대한 우리의 의무를 어떻게 이행하는지를 묘사한다. 즉 고대 어스트랄러지에서 그것은 하인과 고용인과 관련된다. 일곱 번째 하우스는 배우자, 의사, 변호사, 회계사, 그리고 우리의 생활에 사적인 세세한 것을 아는 사람과의 가까운 개인적인 관계를 상징한다.
4. **미드헤븐**은 차트의 꼭대기에 있는 것으로 차트에서 가장 공적인 지점이다. **이뭄 코엘리**에 정확하게 정반대에 위치한 것으로, 가끔 **미디움 코엘리**라 하는데, 이는 라틴어로 '하늘의 한가운데'이다.

   미드헤븐에 있는 행성과 싸인은 모두가 다 보는 데에 있다. 그들은 성취, 직업, 명성과 상응한다. 사실 인접한 아홉 번째 하우스는 고등교육을 묘사하는 반면, 열 번째 하우스는 직업을 설명한다. 미드헤븐에 있는 어느 것이든 사회적인 지위와 명성에 대한 확실한 지시자다.

네 개의 앵글은 중요하고, 앵글에 기초한 리딩은 출생차트에서 재빠른 통찰을 제공한다. 살바도르 달리의 차트에서 그 중요성을 볼 수 있다.

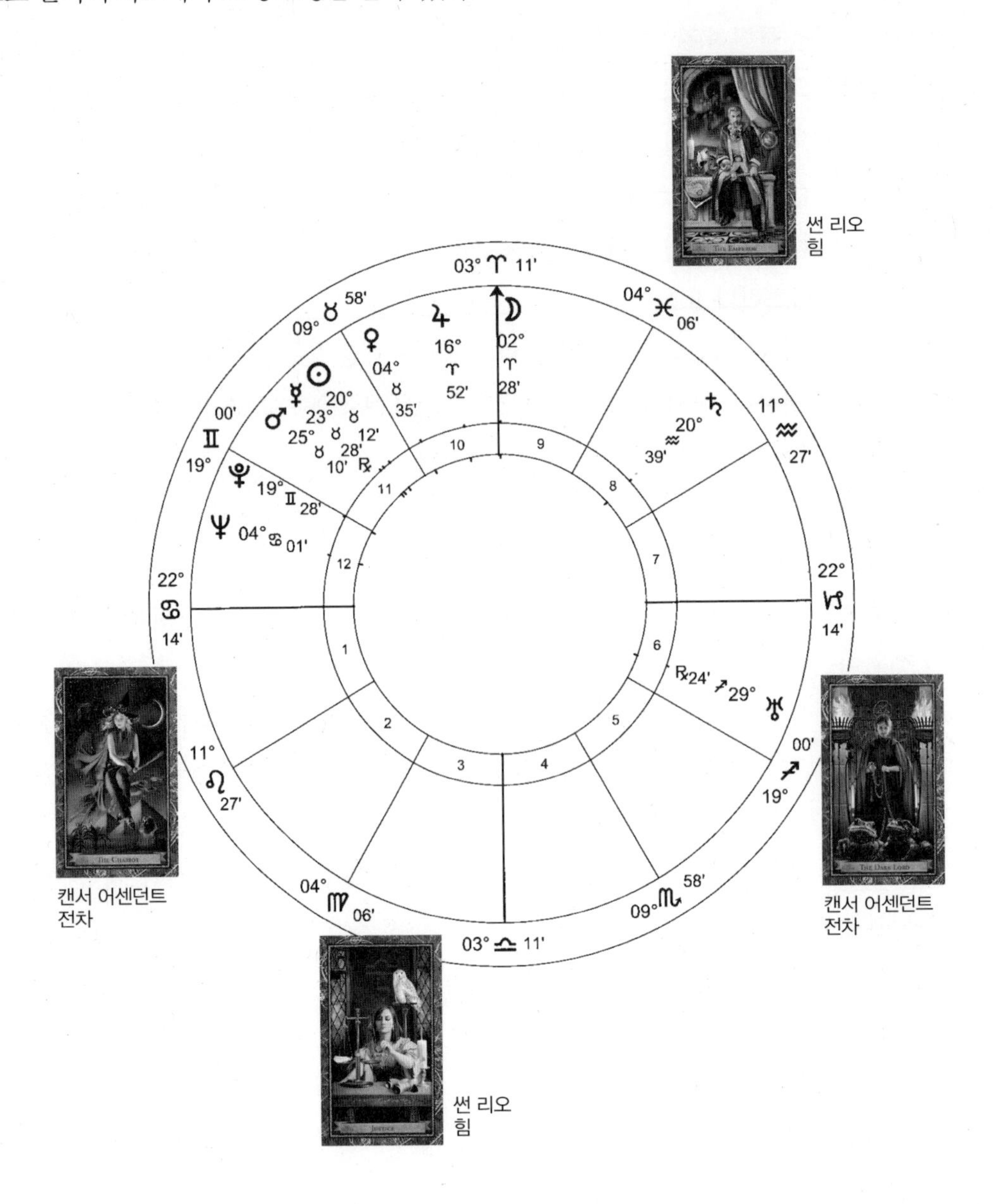

살바도르 달리

1904년 5월 11일

8:45 am

Figueras, Spain

Time Zone: 00:00(UT/GMT)

Longitude: 002° E58'

Latitude: 42° N16'

Placidus Hoses

Tropical Zodiac

리딩 예 : **살바도르 달리**

살바도르 달리는 20세기의 가장 독창적인 예술가들 중 한 사람이었다. 그는 그중에서도 가장 괴짜 중 한 사람이었다. 그의 출생차트에서 네 앵글에 있는 싸인은 바로 가까이에 있는 행성들과 함께 대략 그의 성격에 대한 단서를 제공한다.

캔서 어센던트 달리의 캔서 어센던트는 그를 문의 아이로 만들었다. 그는 직관적이고, 통찰력이 있으며 여성적인 에너지와 가깝게 연결되었다. 어머니는 그를 몹시 사랑했고 여성들은 그에게 영감을 받았다. 사실 그는 맞춤 타로카드를 만들기도 했는데, 알려진 바에 따르면 그의 부인 갈라의 끈질긴 요청에 의해서였다.

미드헤븐(그리고 차트 룰러) 어센던트를 지배하는 행성은 차트의 지배자인데, 이는 달리의 문의 연결이 좀 더 명백해지게 만든다. 이 경우에 캔서를 다스리는 문은 차트의 꼭대기에 있는데, 거의 미드헤븐과 컨정션이다. 그 자체는 황제 카드로 표현된다. 그의 문이 에리즈에 있었기 때문에 창조적인 작업에서 광기에 많이 연결될 수 있었다. 주피터는 게다가 멀리 떨어져 있지 않고 에리즈에 있다는 것이 흥미롭다. 행운과 확장의 행성으로서 주피터 또한 달리가 좋은 행운에서 힘든 작업을 할 수 있게 도와주었다.

캐프리컨 디센던트 달리는 캐프리컨 디센던트이다. 일곱 번째 하우스 커스프는 관계와 파트너십과 관련되고, 캐프리컨은 악마 카드로 표현된다. 달리의 경우에 의식, 금기, 물질적인 숭배는 부인과의 관계의 주요 부분이었다.

이륨 코엘리: 그러나 그의 차트의 기반에서 리브라를 발견할 수 있는데, 이는 균형의 싸인이다. 리브라는 예술가의 싸인이다. 그것은 비너스가 다스리고, 이는 아름다움과 매력의 행성이다. 비너스적인 영향은 달리의 작업에 근간을 유지한다. 그의 차트에서 다른 앵글에 대한 광범위한 영향에도 불구하고 말이다.

▶ 우주의 연결 : **하우스 체계**

모든 차트 바퀴는 원과 마찬가지로 360도이다. 그리고 모든 차트 바퀴는 12하우스로 나뉜다.

하우스 나눔에 많은 체계들이 있다. 가장 인기 있는 것은 플라시더스Placidus이고, 다른 체계들은 코흐Koch, 이퀄 하우스equal house, 홀 싸인 하우스whole sign houses가 있다. 체계를 선택하는 것은 정말로 개인적인 선호와 편의의 문제이다.

대부분의 체계는 첫 번째 하우스의 커스프로서 어센던트에서 출발하고, 디센던트는 일곱 번째 하우스의 커스프이다. 많은 사람들은 미드헤븐을 열 번째 하우스 커스프로, 이뮴 코엘리를 네 번째 하우스로 사용한다. 이들 네 앵글은 거의 모든 체계에서 똑같을 것이다.

그러나 중간의 하우스는 당신이 선택한 체계에 기초해서 극적으로 변할 수 있다. 서로에 대한 행성의 룰러십이 변하는 것이 아니라 그들은 다른 하우스에 배치될 수 있는데, 이는 해석에 영향을 준다.

6단계

하우스에 있는 행성들

썬, 문, 차트의 앵글에 있는 모든 행성을 점검했다. 이제 나머지 행성들을 고려하라. 그들의 하우스 배치, 싸인, 원소를 확인하라.

하우스 배치

12하우스들 중 하나에서 각각의 행성들의 배치를 찾고, 그 행성들이 그 하우스를 활성화하는 데 자신들의 에너지를 집중할 것임을 기억하라.

1. 첫 번째 하우스: 외모, 첫 인상
2. 두 번째 하우스: 돈, 재산, 가치
3. 세 번째 하우스: 의사소통, 형제, 이웃
4. 네 번째 하우스: 모성, 가정, 가족
5. 다섯 번째 하우스: 창조, 출산, 레크리에이션, 자녀
6. 여섯 번째 하우스: 일, 의무, 책임감, 다른 사람들에 대한 봉사; 세심한 주의와 건강
7. 일곱 번째 하우스: 결혼, 파트너십, 친밀한 관계
8. 여덟 번째 하우스: 성, 죽음, 공동자원, 상속
9. 아홉 번째 하우스: 철학, 장거리 여행, 고등교육
10. 열 번째 하우스: 아버지 역할, 훈육, 야망, 지위, 직업, 공적인 이미지
11. 열한 번째 하우스: 사회적인 집단, 동기, 유토피아 비전, 오랜 숙고
12. 열두 번째 하우스: 사이킥 능력, 잠재의식, 오컬트, 제한되고 숨겨진 장소

싸인과 원소

각각의 행성이 차지하는 싸인을 고려하라. 그리고 그것이 불의 영적인 영역, 물질과 재산의 흙의 국면, 사고와 소통의 공기의 영역을 통해서 스스로를 표현하는지, 또는 정서의 물의 세계를 통해서 표현하는지를 결정하는 정보를 사용하라.

1. 에리즈: 카디널 불
2. 토러스: 픽스드 흙
3. 제머나이: 뮤터블 공기
4. 캔서: 카디널 물
5. 리오: 픽스드 불
6. 버고: 뮤터블 흙
7. 리브라: 카디널 공기
8. 스콜피오: 픽스드 물
9. 쌔저테리어스: 뮤터블 불
10. 캐프리컨: 카디널 흙
11. 어퀘리어스: 픽스드 공기
12. 파이씨즈: 뮤터블 물

어떤 한 원소나 양태의 우세를 알아차리면, 관심을 기울여라. 예를 들어 픽스드 싸인이나 흙 원소에 행성들이 많이 있다면, 토러스의 픽스드 흙의 특성을 반영하는 전반적인 주제를 다룰 수 있다. 비록 토러스에 실제로 행성이 없을지라도.

7단계
패턴

행성들이 또한 많이 배치돼 있는 것을 한눈에 발견할 수 있다. 대부분은 확인하는 것이 쉽고, 각각은 상징적인 의미가 있다.

행성들이 차트 주위에 어떻게 배치되었는지 한 발 뒤로 물러서서 살펴보라. 흩어진 행성들은 그들의 에너지를 흩트린다. 모여 있는 행성들은 그들의 에너지를 집중시킨다.

- 동쪽 반구에 있는 행성들은 수평선 위에 떠오르고 있든지, 아니면 바로 떠올랐든지 한다. 그들은 이 세상으로 나오는 과정에 있다. 차트의 왼쪽 반구의 행성들의 우세함은 독립성에 대한 강조를 암시한다.
- 서쪽 반구에 있는 행성들은 지고 있든지, 이미 져 있다. 그들은 밤에 가정의 사생활로 물러나는 과정에 있다. 차트의 오른쪽 부분은 관계에 초점을 맞춘다.
- 수평선 위의 행성들은 하루의 밝은 빛에서 모두를 알아볼 수 있다. 그들은 공적이다.
- 수평선 아래의 행성들은 밤의 어둠에 감싸여 있다. 그들은 사적이다.

▶ 우주의 연결 : **본질적인 품위**

각각의 싸인에 있는 행성들의 편안함의 수준을 평가할 수 있는데, 이는 그들의 본질적인 품위와 쇠약에 근거한다. 그 자체의 품위 상태에 있는 행성은 집에 있다. 항진에 있는 행성은 명예로운 손님이다. 손상에 있는 행성은 그 자신과 완전히 다른 에너지와 작업하고 있는데, 불리한 처지에 있는 것이고, 반면 쇠퇴에 있는 행성은 환영받지 못하는 방문자이다.

행성	품위 (거주지)	항진	손상	쇠퇴
썬	리오	에리즈	어퀘리어스	리브라
문	캔서	토러스	캐프리컨	스콜피오
머큐리	제머나이/버고	버고	쌔저테리어스	파이씨즈
비너스	토러스/리브라	파이씨즈	에리즈	버고
마스	에리즈/스콜피오	캐프리컨	리브라	캔서
주피터	쌔저테리어스/파이씨즈	캔서	제머나이	캐프리컨
새턴	캐프리컨/어퀘리어스	리브라	캔서	에리즈

뮤추얼 리셉션 Mutual Reception **: 상호대리**

품위에서 한 단계 더 나아가서 당신은 상호대리에 있게 되는 행성들을 결정할 수 있다. 그 경우에 두 행성은 서로 다른 품위의 싸인에 있고, 그래서 그들은 서로 돕는 위치에 있다.

8단계

어스펙트

어스트랄러지 차트의 10행성은 함께 잘 작동할 수 있거나, 또는 그들의 위치에 따라 의도가 엇갈린다.

어스트랄러저들은 어스펙트를 살펴본다. 이는 행성들이 서로, 그리고 차트의 앵글과 교차하는 기하학적인 각도이다. 그것은 단지 기하학이지만, 그 의미는 심오할 수 있다. 이들 상호작용은 행성들의 에너지에 영향을 주고 그들이 얼마나 잘 서로 관계하는지를 결정한다.

메이저 어스펙트

가장 흔히 연구된 어스펙트들 중 몇몇은 어포지션, 컨정션, 스퀘어, 트라인, 섹스타일, 퀸컹스이다. 타로 리딩에서 이들 어스펙트들은 의미 있는 배열과 배치로 바뀔 수도 있다.

컨정션: 컨정션에 있는 행성들은 차트에서 정확하게 똑같은 위치에서 공유한다. 그 결과로 그들은 공통의 관점을 공유하는데, 대개 같은 싸인, 원소, 양태, 공통적으로 양극성을 가지기 때문이다. 그들은 강력하게 결합된 힘으로 유효하게 작동한다.

차트에서 행성 컨정션이 어떻게 작용하는가? 다시 타로카드 상대로서 행성을 상상해보라.

- **썬:** 태양과의 컨정션은 몇몇 행성들을 어둡게 할 수 있는 반면, 태양신은 그들의 힘을 활성화하고 계몽할 수 있다.
- **문:** 고위 여사제와의 컨정션은 그 에너지를 다른 행성들을 통해 정서적인 영역에서 표현하도록 시키고, 그래서 그들의 특질을 좀 더 많은 직관과 선천성으로 만드는 듯하다.
- **머큐리:** 마법사는 그 영향의 범위에 있는 어떤 다른 행성과 메시지를 소통하도록 돕는다. 그는 평소의 특성에 지적인 에너지를 더한다.

- **비너스:** 우아한 여황제는 아름다움, 매력, 그녀가 닿는 모든 행성의 창조성을 향상시킨다.
- **마스:** 우주의 피뢰침처럼 탑 카드는 마스가 어떻게 그 전기장에 있는 어떤 행성들에게 활력을 불어넣을 수 있는지를 묘사한다.
- **주피터:** 운명의 수레바퀴에 스치는 행성들은 확장된다. 그들의 에너지는 과장된다. 그들의 영향은 좀 더 철학적이고 좀 더 영향력 있게 된다.
- **새턴:** 세계 카드는 경계를 확실히 규정하는 것을 좋아한다. 새턴이 다른 행성들에 부딪칠 때, 울타리를 건설하기 시작하고 제한, 규제, 구조, 훈육을 질서정연하게 강요하기 시작한다.
- **유레너스:** 입문—바보—카드는 혁신, 혁명, 반역을 초대한다. 그것은 대개 다른 행성의 작동하는 방식을 뒤집을 수 있다.
- **넵튠:** 거꾸로 매달린 사람은 대안적인 유리한 점에서 우주를 보는 데 사용된 것으로, 자신의 막연한 관점과 특정 행성의 에너지를 결합한다.
- **플루토:** 변형의 신은 다른 행성의 영향을 부수고 자신의 에너지의 어두운 면을 드러낸다. 그것은 그들을 파괴하고, 그리하여 그들은 갱생되고 다시 태어날 수 있는데, 이전보다 더 나아진다.

어포지션: 두 행성이 서로 180도로 떨어진 것이다. 그것은 대립적으로 보일 수 있지만 또한 의사소통과 동의에 대한 충분한 여지가 있는데, 각각은 다른 사람들의 입장에 대한 명백한 관점이 있기 때문이다. 어포지션에 있는 행성들 또한 똑같은 남성성이거나 여성성인 양극성을 공유하는데, 이는 적극적이든지 수용적이든지 모두를 만드는 것이다.

트라인: 트라인은 편안한 결합인데, 두 행성이 120도 떨어진 것이다. 그들은 같은 원소—불, 흙, 공기, 물—를 공유하는데, 서로의 에너지가 자유롭게 앞뒤로 흐른다.

스퀘어: 차트에서 스퀘어로 떨어진 행성들은 90도 떨어져 있다. 이 어스펙트는 문제를 일으킬 수 있는데, 그들은 의도가 어긋나게 작용하기 때문이다. 그들이 같은 양태 – 카디널, 픽스드, 뮤터블 – 공유하는 반면, 각각은 다른 양극성을 가진다. 하나는 남성성이며 적극적이 될 것이고, 한편 다른 것은 여성성이며 수용적이 될 것이다.

섹스타일: 섹스타일에 있는 행성들은 60도로 분리된다. 결과적으로 그들은 같은 양극성 – 남성성 또는 여성성 – 을 공유하는 조화로운 원소이다. 섹스타일은 대개 편안한 어스펙트로 고려되는데, 이는 행운의 창문이나 기회의 출입구를 나타낸다.

퀸컹스(인컨정션): 퀸컹스 행성들은 150도 떨어져 있다. 그들은 어떤 것도 공통적인 것이 없다. 그들의 원소, 특성, 양태 모두는 다르다. 이 어스펙트는 그들 모두에게 스트레스이고 종종 육체적인 건강에 영향이 있다.

어스펙트 패턴

몇몇 행성 어스펙트들은 차트에서 패턴과 디자인을 만든다.

스텔리움: 세 행성이 같은 싸인과 하우스를 공유할 때, 스텔리움을 만든다. 그들은 서로 컨정션으로 작용하고, 차트에 엄청난 에너지를 강조한다.

그랜드 트라인: 각각 서로 120도 떨어진 세 행성이 정삼각형을 형성한다. 그들은 대개 불, 공기, 흙, 물의 원소의 연합을 공유한다. 공유된 에너지는 편안하고 자연스럽게 흐르고, 그들의 능력과 힘의 편안한 조화로 이끈다.

그랜드 크로스: 어포짓하는 두 행성들이 서로에 대해 스퀘어로 떨어져 있을 때, 그 결과는 스트레스이고, 상대적 배치가 완전히 승패를 결정한다. 각각의 행성들은 서로 차단할 수 있고, 또는 그들은 서로 힘을 합칠 수 있고 강화하는 방법을 찾을 수 있다.

T-스퀘어: 세 행성이 T-스퀘어로 정렬해 있다. 그들 중 둘은 서로 정반대이고, 세 번째는 억압된 에너지를 해방하기 위한 중심점으로서 작용할 것이다.

그랜드 섹스타일: 다른 싸인에 있는 여섯 행성들이 서로 60도 각도에서 만난다. 함께 그들은 불과 공기 또는 흙과 물의 결합을 강조한다. 그것은 높은 성취의 표시가 될 수 있다.

요드(신의 손가락): 두 행성이 서로 섹스타일이고, 둘 모두 세 번째 중심의 행성과 퀸컹스에 있다. 출생차트에서 신의 손가락은 종종 관계나 자기 발전에서 주기적인 위기로 이끌 수 있었던 급진적인 관점을 가리킨다.

▶ 우주의 연결 : **정확한 계산**

정확한 컨정션은 두 행성들이 한 싸인의 똑같은 도수, 분, 초에 위치했을 때를 의미하는 한편, 어스트랄러저들은 보통 양쪽 방향에서 몇 도 정도 해석의 오브를 허용한다. 대부분의 어스트랄러저들은 5도나 6도의 오브 — 영향의 범위 — 를 허용한다. 강력한 썬과 문이 관련되는 어스펙트는 큰 오브가 있다. 일반적으로 약 10도 정도다. 확실히 엄격한 어스펙트는 느슨한 어스펙트보다 좀 더 강력하다.

모든 행성 싸인과 하우스 배치에 근거한 10카드 배열은 어느 개인의 삶의 스토리에서 통찰을 얻을 수 있는 매우 흥미 있는 방법이다. 각각의 행성과 싸인의 특성을 시각화하도록 돕기 위해 상응하는 메이저 아르카나 카드를 간단하게 사용하라. 이 경우에 우리는 마릴린 먼로의 출생 차트를 살펴볼 것이다.

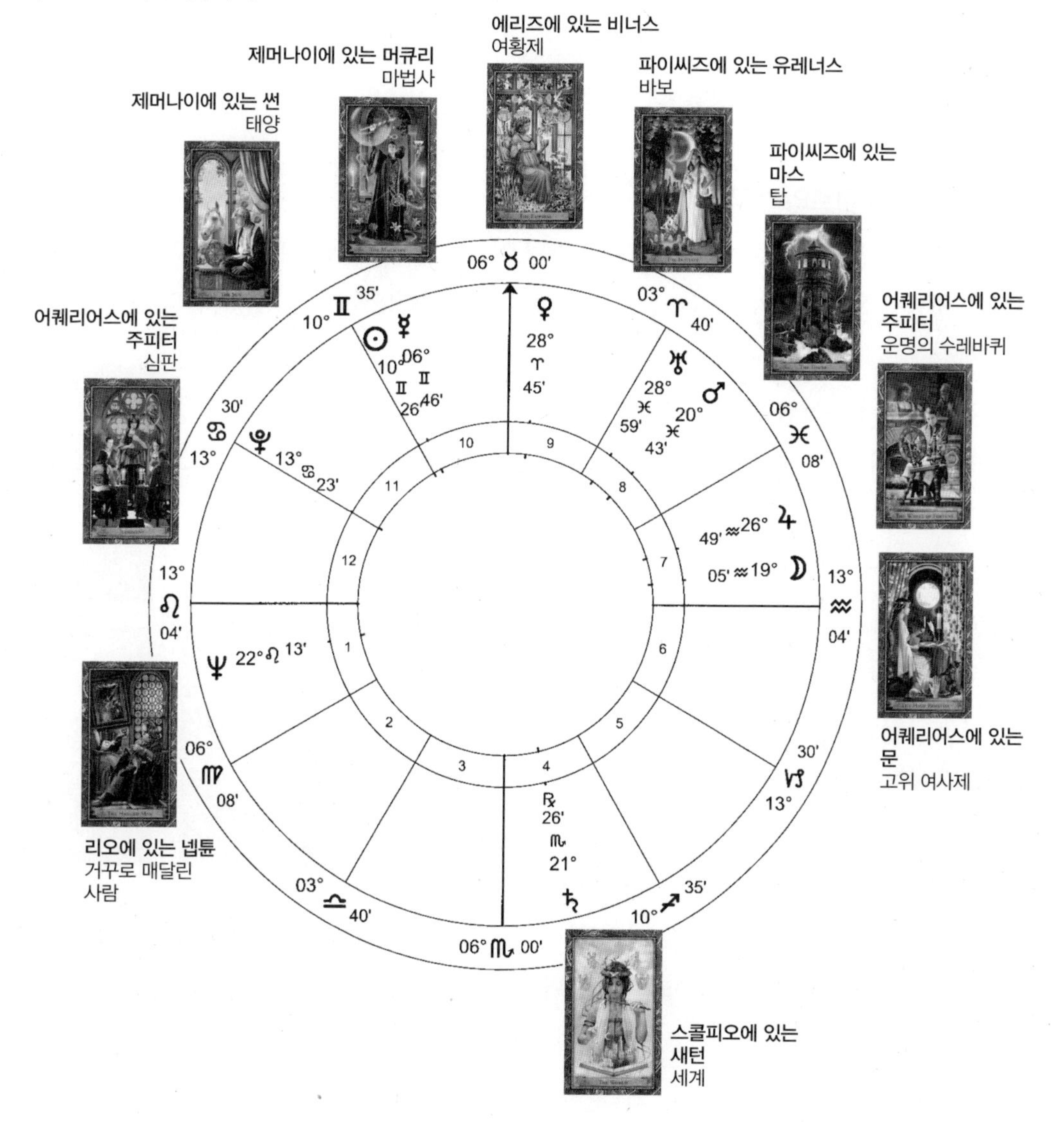

마릴린 먼로

1926년 6월 1일, 9:30 am

Los Angeles, California

Time Zone: 08:00(PST)

Longitute: 118° W14′ 34″

Latitude 34° N03′ 08″

Placidus Houses

Tropical Zodiac

리딩 예 : **마릴린 먼로의 별의 힘**

마릴린 먼로는 전설적인 섹스 심볼이자 은막의 여신으로, 영화에서의 이미지 그 이상이었다. 그녀의 출생차트와 타로카드 상응은 그녀의 공적인 이미지와 실제 모습 사이의 간극을 분명하게 해준다.

그녀는 팬이나 헌신적 추종자들이 다르지 않다고 이해했다.

"나는 결코 어리석은 사람이 아니에요." 하고 그녀는 말했다.

"나는 사람들이 스스로 바보 취급하도록 내버려두었지요. 그들은 내가 누구인지 무엇이었는지를 알아내는 수고를 하지 않았어요. 대신 그들은 나를 위해 캐릭터를 만들었어요. 나는 그들과 다투지 않았지요. 그들은 내가 아닌 누군가를 분명히 사랑하고 있었던 겁니다."

리오 어센던트. 어센던트는 행성들을 평가하기 위한 출발점을 제공하는데, 그것은 차트의 룰러이고 또 대상의 외모를 결정하기 때문이다. 마릴린 먼로는 리오 어센던트이고, 리오의 싸인은 곱슬곱슬한 백금색 갈기를 가진 성적 매력이 넘치는 젊은 여성에게 완벽하게 들어맞는다. 게다가 리오 어센던트의 룰러는 썬이다. 이것은 스타 파워의 열정적인 응원을 그녀에게 제공했다.

열 번째 하우스의 제머나이 썬. 먼로의 썬은 의사소통의 싸인인 제머나이에 있고, 직업과 성취의 열 번째 하우스에 배치되었다. 제머나이에 상응하는 타로카드가 연인이라는 것이 놀랍지 않은가? 수십 년 동안 먼로는 세계에서 가장 사랑받은 섹스 심볼들 중 한 사람이었다. 사후에도 그녀는 존경의 대상으로 남아 있고 셀 수 없는 상사병의 숭배자들로부터 일방적인 헌신을 여전히 받고 있다.

일곱 번째 하우스의 어퀘리어스 문. 어떤 차트에서 썬을 발견한 뒤에는 문을 살펴보라. 먼로는 결혼과 파트너십의 일곱 번째 하우스에, 그리고 미래적이고, 진보적인 사고의 어퀘리어스에 배치되었다. 이는 별 카드로 시각화할 수 있다. 그녀의 어퀘리어스 문은 그녀의 상상력과 창조성을 부각시켰고, 그것은 그녀의 명백한 성적 특질로 어떤 충격을 줄 수 있는 그녀의 능력을 강화시켰을 수도 있다.

열 번째 하우스의 제머나이 머큐리. 먼로의 썬은 속도와 소통의 행성인 머큐리와 컨정션인데, 이는 머큐리 자신의 싸인인 제머나이에 있다. 컨정션은 썬과 머큐리를 함께 결속했고, 먼로의 제머나이 재치, 다재다능, 재빠른 사고를 과하게 충전하게 했다. 그녀는 숙련된 소통자였는데, 그녀가 영화에서 전달했던 대사와 공적에서 만든 놀라운 발표뿐만 아니라, 신체 언어 단서를 통한 비언어적으로 그녀 자신을 표현했던 방식에서도.

아홉 번째 하우스의 에리즈 비너스. 사랑, 만족, 매력의 행성인 비너스는 먼로의 차트에서 가장 높은 곳에 있는 행성으로, 미드헤븐 근처에 있다. 그녀의 아름다움은 전 세계가 알도록 과시했다. 그러나 에리즈 배치는 열정을, 그녀의 외모에 진지한 특성을 더했다. 여황제처럼 먼로는 자신의 아름다움이 성공을 위한 도구와 무기 둘 모두였다는 것을 알았다. 그것은 또한 연애에서 그녀의 충동을 만들었다.

여덟 번째 하우스의 파이씨즈 마스. 먼로의 아름다움은 그녀를 파멸하는 것으로 명백하게 입증되었다. 그녀의 마스는 에너지, 공격성, 자기방어의 불의 행성으로, 비밀, 신비, 회피의 싸인인 물의 파이씨즈에 가라앉았다. 그 배치는 그녀의 정서적인 민감성과 취약함을 강화시켰다. 이는 그녀의 가장 애정 어린 특성들 중 두 가지다. 안타깝게도 그것은 약물과 알코올에 대한 그녀의 육체적인 약점과 영향 받기 취약함을 표현한다. 침식되는 해안에 위태롭게 서 있는 탑처럼.

일곱 번째 하우스의 어퀘리어스 주피터. 행운과 확장의 행성인 먼로의 주피터는 어퀘리어스에 있고, 결혼과 파트너십의 일곱 번째 하우스에 배치된다. 그것이 관계로 왔을 때, 먼로는 이상주의자가 되었다. 그녀는 세 번 결혼했다. 사망할 즈음에 그녀는 두 번째 남편인 조 디마지오와 재혼하기로 약속했다.

네 번째 하우스의 스콜피오 새턴. 제한과 한계를 상징하는 고리가 있는 행성은 스콜피오와 연결되었는데, 이는 성, 죽음 다른 사람의 돈의 불가사의한 싸인이다. 죽음 카드를 암시함으로, 그녀는 자신을 본래 소녀 이름인 노마 진에서 세상에서 가장 인식할 수 있는 인물들 중 한 사람으로 변형했다. 그녀는 자신의 이미지를 만들었는데, 마치 세계 카드의 인물이 책을 펼친 페이지에서 현실로 나타내는 것처럼. 사실 비밀스럽고 파란을 일으킨 죽음 이후 수십 년 동안 먼로의 전설은 살아 있다.

여덟 번째 하우스의 파이씨즈 유레너스. 마스처럼 먼로의 유레너스—바보의 반역의 행성—는 또한 물의 파이씨즈에 빠졌다. 한편 이 행성은 그녀의 이상주의와 희망에 대한 확고한 감각을 상징한다. 다른 한편, 그것은 파이씨즈를 통한 삶의 거친 현실을 회피하려는 그녀의 열망에 기여했을 것인데, 파이씨즈는 약물과, 알코올 또는 성에 대한 문의 전경이다.

첫 번째 하우스의 리오 넵튠. 넵튠은 황홀한 매력과 환상의 천상의 행성으로, 먼로의 첫 번째 하우스에 완전히 놓여 있는데, 첫 번째 하우스는 뒤이은 장래가 촉망되는 젊은 여배우의 세대에게 표준으로 된 무비 스타의 특성을 부여한 곳이다. 타로에서 넵튠은 거꾸로 매달린 사람과 상응한다. 가끔 먼로는 실제 세상과 연결되지 않은 듯이 보였지만, 넵튠의 리오 배치는 그녀의 섹스어필이 모든 공적인 모습에서 부각되었는데, 이는 그녀의 마음 상태와는 상관이 없었다.

열한 번째 하우스의 캔서 플루토. 플루토는, 변형, 종말, 새로운 시작의 행성으로 미국의 현대에 성적 혁명을 예고했다. 그리고 마릴린 먼로는 그것의 가장 대표적인 상징 중 하나였다. 먼로의 명백한 섹스어필에도 불구하고 그녀는 또한 지극히 평범한 소녀의 모든 미국인의 특성으로 건강하게 구현되었다. 전차 카드에서 가정을 사랑하는 여성처럼.

당신이 좋아하는 것처럼 타로와 어스트랄러지의 많은 요소들을 결합할 수 있다. 여기에 등장하는 윌리엄 왕자를 리딩한 보기가 있는데, 그는 영국의 왕위 계승자로 지명되었다.당신이 좋아하는 것처럼 타로와 어스트랄러지의 많은 요소들을 결합할 수 있다.

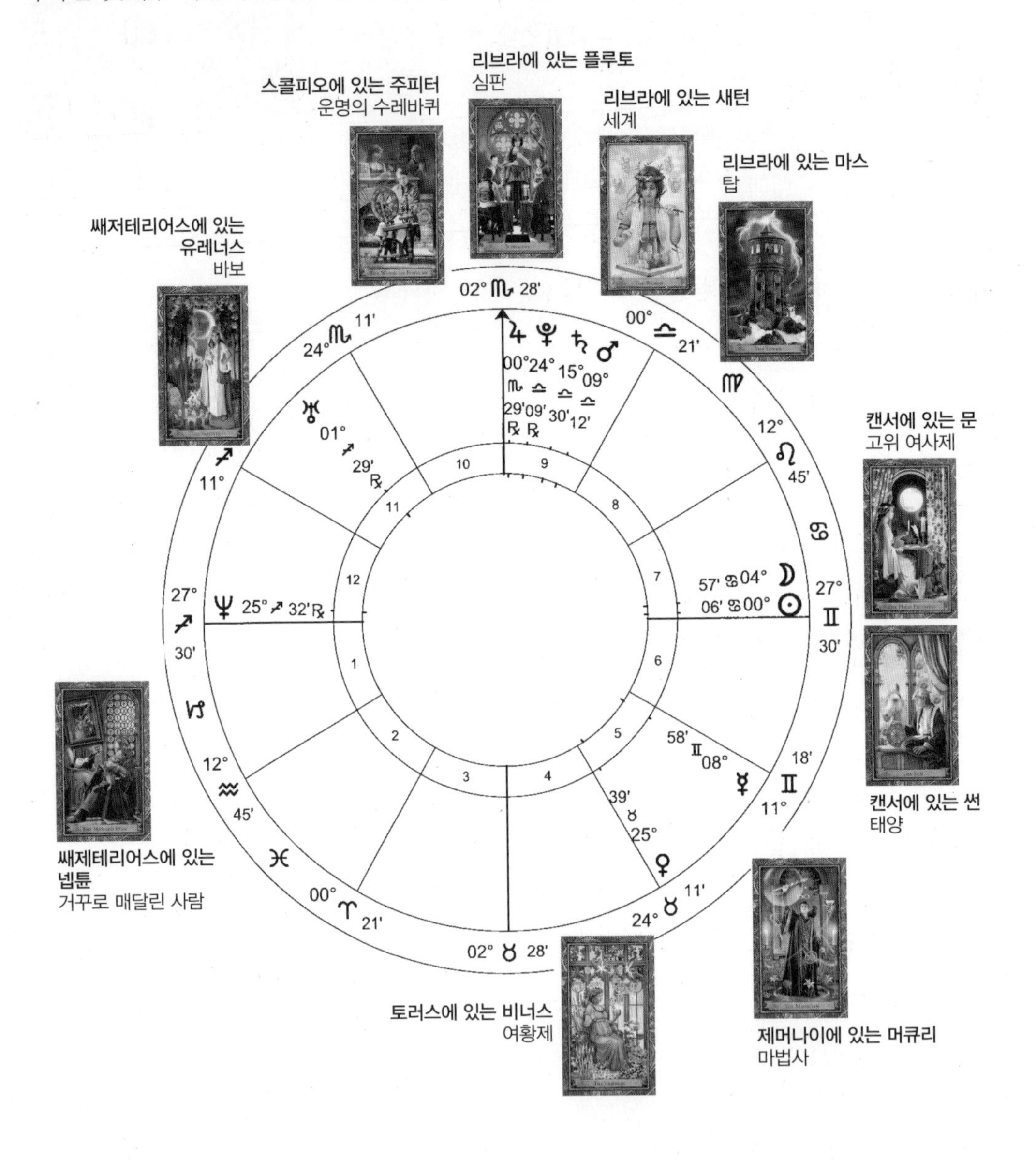

윌리엄 왕자

1982년 6월 21일

9:03 pm

Paddington, United Kingdom

Time Zone: -01:00(BST)

Longitude: 000° W12′

Latitude: 51° N32′

Plascidus Houses

Tropical Zodiac

리딩 예 : **윌리엄 왕자, 왕이 될 사람**

윌리엄 왕자는 영국 왕위의 카리스마적인 후계자로, 매혹적인 차트가 있고, 타로카드는 상세함과 묘사의 놀라운 수준을 더한다.

쌔저테리어스 어센던트. 첫 번째로 그가 만나는 사람들은 그의 우호적인 태도와 외향적인 성격에 사로잡힌다. 쌔저테리어스 어센던트는 윌리엄을 원기왕성하고, 모험적이며, 정직하고, 솔직하며, 개방적이도록 만든다. 절제 카드에서의 탐구자처럼. 쌔저테리어스 어센던트는 글자그대로 받아들여지기도 한다. 그래서 윌리엄은 종종 말을 탄 모습을 보여준다.

아홉 번째 하우스의 스콜피오 주피터. 쌔저테리어스는 주피터의 지배를 받는데, 이는 주피터가 차트의 룰러가 된다. 마침 주피터는 가장 높이 뜬 행성으로 미드헤븐과 컨정션이다. 그리고 그것은 전통적인 왕의 표시 중 하나이다.

주피터는 내추럴 차트의 아홉 번째 하우스를 지배하는데, 이는 철학, 장거리 여행, 외국인과의 관계의 아홉 번째 하우스의 집에 완벽하게 있음을 의미한다. 운명의 수레바퀴의 모습에서 주피터는 또한 모험과 경험의 넓은 범위로 채워진 삶을 약속하는 듯이 보인다.

주피터는 세 개의 다른 행성들과 함께 아홉 번째 하우스를 공유하게 된다. 그것은 스텔리움의 부분으로, 이는 그들 모두가 조화에서 함께 작동함을 의미한다. 전 세계가 볼 수 있도록 차트의 꼭대기에 있는데, 그들은 극적이고, 현실과 동떨어진 의미를 받아들인다.

주피터는 대길성이다. 주피터는 선물을 가져오는 자다. 그러나 플루토와 새턴은 전통적으로 '흉성'이다. 그들의 선물은 종종 고통을 초래한다.

아홉 번째 하우스의 리브라 마스, 새턴과 플루토. 대가의 일부분은 이미 지불했다. 플루토는 극적인 변형의 행성으로, 가끔 죽음과 결합된다. 윌리엄이 막 15세가 됐을 때, 그의 어머니 다이애나가 비극적인 자동차 사고로 사망했다. 그래서 윌리엄의 어린 시절은 충격과 갑작스런 종말로 막을 내렸다. 그러나 그는 웨스트민스터 사원 장례식 행렬에서 그녀의 시신과 엄숙하게 동행했을 때, 성년이 된 듯했다. 전 세계가 지켜보는 것으로 윌리엄은 아이에서 남자로 변형되었다.

새턴은 경계, 제한, 금지의 행성이다. 그것은 세계 카드와 상응한다. 탄생에서 윌리엄은 대부분의 사람들이 결코 상상할 수 없었던 선물을 받았다. 영국의 왕국과 왕위의 선물. 그러나 그 소명은 셀 수 없는 한계와 제한으로 묶였다. 결코 조용하고 평범한 삶은 없을 것이다. 그는 수세기 동안의 전통에, 의무와 기대의 생애에 묶였다. 윌리엄은 쉽게 그의 소명을 거절할 수 없었다.

주피터 또한 마스와 함께 아홉 번째 하우스를 공유하는데, 마스는 에너지, 자기 주장과 공격성의 행성이다. 탑 카드처럼 마스는 갑작스러운 충격, 놀라운 공격, 어머니를 빼앗았던 자동차 사고와 같은 사고와 연관될 수 있다.

운과 행운의 행성인 주피터조차도 그 선물에서 확실히 어두운 강렬함을 시사한다는 것이 흥미롭다. 그것은 스콜피오에 있기 때문이다. 성, 죽음, 다른 사람들의 돈의 싸인인 여덟 번째 싸인에.

확실히 변형은 윌리엄의 삶에서 주요 주제다. 그러나 그 주제는 플루토, 주피터, 마스 모두가 균형과 관계의 싸인인 리브라에 있다는 사실로 누그러졌다. 타로에서 그것은 정의로 표현된다. 스텔리움은 윌리엄이 그의 시대를 살아가면서 왕조를 변형과 재균형으로 아주 잘 다스릴 것이라고 암시한다.

열한 번째 하우스의 쌔저테리어스 유레너스. 윌리엄의 왕조 개혁이 운명 지어졌다는 아이디어는 유레너스에 의해 강화된다. 이는 미래의 사고와 사회적인 변화의 행성이다. 그것은 시작과 반역의 바보 카드와 상응한다. 그것은 자신의 집인 사회적 집단과 동기의 열한 번째 하우스에 있고, 철학적이고 선견지명이 있는 쌔저테리어스에 있다. 중간에 주피터는 인기, 공적인 인정,

친구, 가족, 조언자들의 선물을 그에게 수여할 것이다.

일곱 번째 하우스의 캔서 썬과 문. 그의 사생활에서 친밀한 사적인 관계는 가장 중요한 것이다. 윌리엄의 문은 자신이 룰러인 캔서에 있는데, 이는 가정과 가족생활을 다스린다. 그리고 문은 썬과 컨정션인데, 이는 그의 머리와 가슴이 아이들과 파트너십에 대한 필요와 결합된다는 의미다. 이 차트에서 결혼은 문의 여신과 썬의 여신에 대한 것으로, 이는 윌리엄이 스스로 삶을 상상할 수 없었다고 추정하고, 그는 자신의 전체 잠재력에, 공적이고 사적인 부분 모두에 도달하도록 자신을 도와 줄 부인에게 의존할 것임을 암시한다.

윌리엄의 어머니는 캔서 썬과 쌔저테리어스 어센던트가 있었다는 것이 흥미로운데, 이는 두 사람 사이의 친밀함과 유사성을 암시한다. 그녀의 죽음 이후, 십대인 윌리엄은 어머니가 지원했던 동기와 자선의 책임감을 받아들였다.

다섯 번째 하우스의 제머나이 머큐리. 문은 자신의 싸인에 있는 유일한 행성이 아니다. 행운의 윌리엄은 또한 머큐리의 재능을 부여받았는데, 이는 제머나이에 있는 의사소통의 행성이다. 그의 외모에 속지 마라. 윌리엄은 똑똑하고, 말을 잘하며, 위트가 있고, 즉각적으로 상황에 대응할 수 있다. 그는 또한 쾌활하다. 즉 제머나이 머큐리가 창조성의 다섯 번째 하우스에 있다.

다섯 번째 하우스의 토러스 비너스. 사랑, 아름다움, 매력의 행성인 비너스 또한 토러스에서 편안하다. 이는 물질과 육체적인 편안함의 싸인이다. 다섯 번째 하우스에서 그의 감사와 즐거움 또한 놀이와 레크리에이션을 통해 스스로 표현한다. 그가 어머니에게서 물려받은 선물, 비너스와 상응하는 즐거운 여황제.

열두 번째 하우스의 쌔저테리어스 넵튠. 그의 공적인 페르소나, 경력의 강조, 사적인 관계의 행성들이 왕이 될 남자에 대해 완벽하게 배치된 듯한 반면, 윌리엄 차트 또한 어떠한 어스트랄러저나 타로 리더를 즐겁게 할 한 가지 놀라움을 제공한다. 신비의 행성인 넵튠은 자신의 집인 알지 못함, 잠재의식, 신비와 비밀의 열두 번째 하우스에 있다. 정지의 카드인 거꾸로 매달린 사람과 이 행성의 상응은 또한 윌리엄이 왕위에 빨리 앉지 못할 것임을 암시한다. 그는 차례를 기다려야 할 것이다.

이 세상은 책이다, 그리고 여행을 하지 않는 사람들은 한 페이지만 읽는다.
— 세인트 오거스틴St. Augustine

나가기

타로의 기술과 어스트랄러지의 공부는 평생의 일이다. 둘은 모두 당신의 상상력을 얻고, 정신을 도취시키고, 먼 곳으로 당신을 데려다 줄 힘을 가지고 있다.

여행 안내자처럼 이 책은 당신을 기다리는 새로운 세상에 대한 시연을 제공했다. 당신은 카드와 차트에서 몇몇 장면들을 보았고, 그 길을 따라 만나게 될 낯설고 매력적인 사람들과 함께 이야기할 필요가 있는 몇몇 말들과 구절들을 배웠다.

이제 당신의 여정에서 다음 노정을 계획할 시간이다. 타로 덱의 첫 번째 카드에 등장하는 순진한 방랑자인 바보와 입문자처럼 가방을 꾸릴 때이고, 깊이 호흡을 하고 모험의 다음 장을 시작할 때이다.

당신 자신의 차트로 시작하라. 그리고 당신 자신의 삶에 타로와 아스트로롤지의 원리를 적용하라. 당신에게 가장 의미 있는 질문과 염려를 탐구하라. 그런 다음 당신이 알고 있는 사람들에게 그 방법을 시험하라. 가족, 친구들로부터 자원하는 지원자를 모집하고, 또는 뉴스에 나오는 유명인들을 리딩하는 작업으로 연습하라.

중간에 당신의 시간을 가져라. 서두르지 마라. 단번에 모두를 보아야 하는 것에 걱정하지 마라. 그것들을 연습하기 위해 타로와 어스트랄러지의 마스터가 될 필요는 없다. 마치 당신이 빛의 도시를 경험하기 위해 파리에 있는 모든 레스토랑에서 저녁을 먹을 필요가 없는 것처럼, 또는 풍부한 역사를 이해하기 위해 영국 박물관에서 모든 문화 유물을 볼 필요가 없는 것과 같다.

대신 작은 것에서 시작하라. 모험과 탐색에 대한 당신의 느낌에, 마음에 드는 어떤 좋아하는 기술을 선택하라. 단계적으로 진행하라. 그리고 위안과 경험, 성장하는 과정에서 당신의 레퍼토리를 만들어라.

당신은 또한 좋아하는 실제 세계를 여행하는 동료를 발견하기를 바랄지도 모른다. 타로나 어스트랄러지 그룹에 참여하라. 그리고 어떤 수업, 워크숍, 또는 지역에서 제공하는 협의회에 등록하라. 고립된 곳에서 살고 있다면, 온라인에서 동료 여행자를 찾아라.

내가 좋아하는 몇몇 책과 저자들을 추천도서 목록에 적었다. 그리고 많은 타로 책과 어스트랄러지 책과 함께, 또 당신이 좋아하는 다른 선생님들을 곧 찾을 것이다.

그러나 조심하라. 타로와 어스트랄러지에 숙달되는 직접적인 길을 당신이 발견하도록 도울 수 있는 안내는 없다. 연습이 필요하다. 그러므로 당신 자신의 재능을 계발하라. 그러나 현재 당신은 이 영역에서 모험을 하고 있고, 당신은 흥분을 자아내는 가로변 명소, 매력적인 길, 저항할 수 없는 관광 기회에 대해 호기심을 불러일으킬 것이다.

그들 모두를 탐색하라. 당신의 눈에 잡히는 타로와 어스트랄러지로의 어떤 방법이라도 따라라. 이 모든 것 뒤에 당신은 누군가의 일정에 속박되는 것이 아니라 당신 자신만의 일정에 있을 것이다. 모든 여행자들이 알고 있는 것처럼 거기서 재미의 반을 이룰 것이다.

당신이 길을 떠날 때 여행 가방에 이 책과 타로 덱을 챙겨라. 그 방식으로 당신이 좋아하는 한 자주 돌아올 수 있다. 왕복 차표에 대한 요금은 따로 받지 않는다.

용어 풀이

- **공기**Air 4원소 중 하나. 적극적, 남성성, 정신적, 지적, 소통적인 것으로 고려된다.
- **공기 싸인**Air Signs 황도대의 '사색가'로 제머나이, 리브라, 어퀘리어스이다.
- **앵글**Angles 차트의 앵귤러 하우스의 커스프: 어센던트(ASC), 디센던트(DSC), 미드헤븐(MC), 이뮴 코엘리(IC).
- **앵귤러 하우스**Angular Houses 차트의 강력한 첫 번째, 네 번째, 일곱 번째, 열 번째 하우스.
- **어퀘리어스**Aquarius 물병자리. 픽스드 공기. 인도주의적인, 진보적인, 미래적인, 공상적인, 이상주의적인, 순종하지 않는, 독립적인, 비인습적인, 비개인적인, 초연한, 냉담한. 독창적이고 과학적인. 유레너스가 지배. 사회 집단과 동기의 열한 번째 하우스를 다스린다. 별 카드와 상응.
- **아라빅 파트**Arabic Parts 차트에서의 민감점으로, 두 행성이나 지점을 함께 더해서 특정한 공식을 사용하여 계산하며, 세 번째 행성이나 지점을 그 결과에서 뺀다.
- **에리즈**Aries 양자리. 카디널 불. 원기왕성하고, 자기주장이 강하고, 충동적이고, 당당하며, 용맹한. 자기의 첫 번째 하우스를 다스린다.
- **어센던트**Ascendant 라이징 싸인으로 알려져 있다. 첫 번째 하우스의 커스프에 있는 싸인, 동쪽 수평선으로 태양처럼 어떤 행성과 싸인이 떠오르는 지점. 그것은 당신이 이 세상에 보여주는 얼굴을 반영한다. 즉 페르소나, 성격, 자기 인식이다.
- **어스펙트**Aspect 다른 행성과의 각도, 기하학적인 관계. 흔히 사용되는 어스펙트는 컨정션(0°), 어포지션(180°), 트라인(120°), 스퀘어(90°), 섹스타일(60°), 퀸컹스(150°)이다.
- **길성**Benefic 고대 어스트랄러지에서 주피터와 비너스는 길성이다. 그들이 닿는 모든 것에게

은총을 주는 행운의 행성이다. 새턴과 마스는 흉성이다. 다른 행성들은 중립적이다.

- **케이던트 하우스**Cadent Houses 차트의 세 번째, 여섯 번째, 아홉 번째, 열두 번째 하우스. 차트의 각 사분면에서 마지막 하우스. 고대 어스트랄러저들은 케이던트 하우스에 있는 행성들이 약해진다고 믿었다.
- **캔서**Cancer 게자리. 카디널 물. 정서적인, 양육적인, 보호하는, 민감한, 감상적인, 동정적인, 직관적인, 본능적인. 문이 지배. 가정과 가족의 네 번째 하우스를 다스린다.
- **캐프리컨**Capricorn 염소자리. 카디널 흙. 실용적인, 책임지는, 규율적인, 의무적인, 꼼꼼한, 조직적인, 인내하는, 끈기 있는, 조심스러운, 야망 있는, 보유하는, 우울한. 새턴이 지배. 직업과 사회적인 지위의 열 번째 하우스를 다스린다.
- **카디널 싸인**Cardinal Signs 에리즈, 캔서, 리브라, 캐프리컨은 각각 새로운 계절의 시작을 나타내고, 리더십과 주도권을 상징한다.
- **천구의 적도**Celestial Equator 지구의 적도를 우주로 확장.
- **차트 룰러**Chart Ruler 어센던트에 있는 싸인을 다스리는 행성이 또한 차트를 지배한다.
- **키론**Chiron 새턴과 유레너스 사이의 소행성으로, 그리스 신화의 상처 입은 힐러에서 이름을 따왔다.
- **고대 행성**Classical Planets 육안으로 볼 수 있는 일곱 행성. 썬, 문, 머큐리, 비너스, 마스, 주피터, 새턴.
- **컨정션**Conjunction 차트에서 같은 싸인과 도수를 공유하는 두 행성의 에너지를 결합, 융합, 동일시한 각도.
- **커스프**Cusp 차트에서 싸인들이나 하우스들 사이를 나누는 선, 그리고 한 싸인이 끝나고 다음 싸인이 시작하는 도수.
- **데칸**Decan 한 싸인을 10도로 나눔. 또한 데카네이트decanate로 알려짐.
- **적위**Declination 천구 적도에서 한 천체 사이의 북쪽이나 남쪽의 방위각.
- **도수**Degree 한 원의 360° 중 하나
- **디센던트**Descendant 일곱 번째 하우스의 커스프. 서쪽 수평선에 해가 지는 것처럼 어떤 행성과 싸인이 지고 있는 지점.

- **손상**Detriment 행성의 약점, 자신의 룰러십의 반대쪽 싸인에서 발견된다.
- **품위**Dignities 행성의 등급으로, 룰러십, 항진, 쇠약, 쇠퇴가 있다.
- **순행**Direct 지구에서 보았을 때 행성이 황도대를 통해 앞으로 움직이는 것처럼 보인다.
- **주재성**Dispositor 한 싸인을 지배하는 행성은 또한 그 싸인에서 일어날지도 모르는 어떤 행성에 대해 힘을 가지고 있다. 기술적으로 말하면, 주재성은 그것이 정하는 것처럼 방문하는 행성을 처리하거나 지배할 수도 있다.
- **낮 차트**Diurnal Chart 썬이 수평선 위에 있을 때의 낮 시간 동안에 만들어진 차트.
- **낮 행성**Diurnal Planets 썬, 주피터, 새턴은 낮의 행성으로, 이는 낮 차트에서 가장 강하다. 머큐리는 썬 이전에 떠오르면 낮의 행성이다. 밤 행성을 보라.
- **거주지**Domicile 한 행성의 자연스러운 집. 그것이 지배하는 싸인이나 하우스에 배치.
- **흙**Earth 고대 4원소 중 하나. 물질세계, 물질주의, 실제성, 세속적인 현실을 상징한다.
- **흙 싸인**Earth Signs 황도대의 '유지자'로, 토러스, 버고, 캐프리컨이 있다.
- **식**Eclipse 일식은 달이 지구와 태양 사이를 지나갈 때 발생한다. 월식은 보름달에 나타나는데, 지구가 태양과 달 사이에 있을 때이다. 어스트랄러지에서 식은 갑작스럽고 극적인 변화를 나타낸다.
- **황도**Eliptic 지구에서 보았을 때 하늘을 지나는 태양의 뚜렷한 길의 커다란 원.
- **일렉션 어스트랄러지**Electional Astrology 한 사건에 대해 유리한 날짜와 시간을 선택하기 위해 사용.
- **원소**Elements 고대 4원소는 불, 물, 공기, 바람이다. 황도대는 원소로 나뉘고, 같은 원소의 싸인들은 그 원소의 특성을 공유한다.
- **천체력**Ephemeris 날짜와 도수에 의한 행성의 위치 목록.
- **분점**Equinox 낮과 밤이 똑같은 길이인 때. 춘분은 태양이 에리즈에 들어갈 때 발생하고, 추분은 썬이 리브라에 있을 때 일어난다.
- **항진**Exaltation 행성이 그것의 가장 큰 힘과 영향의 싸인에서 고귀해지는데, 외국 궁정에 고위 인사가 방문하는 것과 같다.
- **쇠퇴**Fall 행성의 가장 약한 배치로, 항진의 정반대 싸인에서 발견한다.

- **여성성 싸인**Feminine Signs 흙 싸인과 물 싸인으로, 토러스, 캔서, 버고, 스콜피오, 캐프리컨, 파이씨즈이다. 여성성 싸인들은 또한 수용적이고, 반응적이며, 부정적이고, 자력적이고 수동적이라고 한다.
- **불**Fire 고대 4원소 중 하나. 정신, 의지, 영감, 열정, 열망, 열의, 온정, 이상주의, 창조성을 나타낸다.
- **불 싸인**Fire Signs 황도대의 주도자. 에리즈, 리오, 쌔저테리어스.
- **픽스드 싸인**Fixed Signs 토러스, 리오, 스콜피오, 어퀘리어스는 각 계절의 가운데 달을 표시한다. 그들은 안정적이고, 지속적이며, 계속적이고, 끈기 있고, 믿을 만하다.
- **제머나이**Gemini 쌍둥이자리. 뮤터블 공기. 다재다능, 지적인, 재빠른, 불안한, 소통적인, 호기심, 흩어지는. 머큐리가 지배. 소통, 형제관계, 이웃의 세 번째 하우스를 다스린다.
- **지구중심**Geocentric 태양계의 중심에 지구를 두는 우주 모델.
- **그림문자**Glyphs 싸인, 행성, 원소, 어스펙트에 대한 상징.
- **그랜드 크로스**Grand Cross 네 개나 그 이상의 행성들이 관련되는 스트레스적인 배열로, 두 세트의 어포짓에서 네 개의 스퀘어가 형성된다.
- **그랜드 섹스타일**Grand Sextile 여섯 개의 다른 싸인에서 서로 섹스타일에 여섯 행성이 관여하는 거의 드문 배열.
- **그랜드 트라인**Grand Trine 120도 떨어진 세 행성이 관여한 유익한 배열. 그들은 정삼각형을 형성한다. 그랜드 트라인의 행성은 대개 같은 원소이다.
- **호라리 어스트랄러지**Horary Astrology 질문을 요청한 정확한 순간에 그린 차트를 분석함으로써 그 질문에 답하는 기술.
- **호로스코프**Horoscope 어스트랄러지 차트. 이 단어는 그리스어 호라hora 즉 시간hour과 스코포스skopos, 즉 지켜보다watching에서 왔다.
- **하우스 룰러**House Ruler 호로스코프에서 한 하우스를 다스리는 행성.
- **하우스**Houses 12황도대 싸인에 상응하는 호로스코프 차트를 12개로 구분.
- **이뭄 코엘리**Imum Coeli(C.I.) 네 번째 하우스의 커스프로, 차트에서 가장 낮은 지점이다. 기반, 가정, 가족생활과 관련된다. '하늘의 바닥'에 대한 라틴어로, 미디움 코엘리(M.C.), 즉 미드헤븐

에 정확하게 반대이다.

- **내행성**Inner Planets 썬, 문, 머큐리, 비너스, 마스. 성격행성을 보라.
- **인터셉션**Interception 한 하우스 안에 완전히 포함된 한 싸인.
- **주피터**Jupiter 행운과 관대함의 확장 행성. 길운, 번영, 사치, 고등 사고, 종교, 법, 긴 여행을 상징. 쌔저테리어스와 철학, 장거리 여행, 고등교육의 아홉 번째 하우스를 다스린다.
- **리오**Leo 사자자리. 픽스드 불. 당당한, 마음이 따뜻한, 충직한, 관대한, 극적인, 자부심이 강한, 창의적인, 오만한. 썬이 지배. 창조성, 출산, 레크리에이션의 다섯 번째 하우스를 다스림
- **리브라**Libra 천칭자리. 뮤터블 공기, 우아한, 매력적인, 사교적인, 협력적인, 공정한, 균형 잡힌, 조화로운, 우유부단한, 게으른. 비너스가 다스리고 결혼과 파트너십의 일곱 번째 하우스를 다스린다.
- **발광체**Luminary 태양과 달.
- **태음월**Lunation 어스트랄러지에서 뉴문의 정확한 순간은 썬과 컨정션이다.
- **흉성**Malefic 고전 어스트랄러지에서 새턴과 마스는 흉성이다. 그들은 불운을 가져온다. 주피터와 비너스는 길성이다. 다른 행성들은 중립적이다.
- **마스**Mars 에너지, 행동, 단호한 태도, 공격성, 용기, 열망, 열정, 충동, 의지, 주도권의 열정적인 붉은 행성. 에리즈와 자기의 첫 번째 하우스를 다스린다.
- **남성성 싸인**Masculine Signs 불과 공기 싸인. 에리즈, 제머나이, 리오, 리브라, 쌔저테리어스, 어퀘리어스. 남성성 싸인들 또한 적극적이거나 양성으로 언급된다.
- **미디움 코엘리**Medium Coeli(M.C.) 미드헤븐을 보라.
- **머큐리**Mercury 속도와 의사소통의 빠르게 움직이는 행성. 논리, 이성, 재치, 글쓰기, 말하기를 나타냄. 제머나이와 버고, 세 번째와 여섯 번째 하우스를 다스림.
- **미드헤븐**Midheaven 열 번째 하우스의 커스프. 차트에서 가장 높은, 최고로 높은 지점. 직업, 공적 이미지, 지위, 인정을 나타낸다. 또한 미디움 코엘리(C.I.)로 알려져 있는데, 이는 라틴어로 '하늘 한가운데'이다.
- **미드포인트**Midpoint 두 행성, 앵글, 또는 커스프 사이의 등거리의 지점으로, 부가적인 차트 해석에 사용된다.

- **문 페이스**Moon Phases 뉴문, 차오르는 문, 풀문, 이지러지는 문.
- **문**Moon 반영, 내적 삶, 삶의 주기의 발광체. 정서, 기억, 기분, 모성을 상징. 캔서와 가정, 가족의 네 번째 하우스를 다스린다.
- **먼데인 어스트랄러지**Mundane Astrology 국가, 도시, 지방, 주에 대한 연구. 날씨예보 또한 먼데인 어스트랄러지의 종류이다.
- **뮤터블 싸인**Mutable Signs 제머나이, 버고, 쌔저테리어스, 파이씨즈는 각 계절의 세 번째이며 마지막 달을 나타낸다. 그들은 과도적이고, 융통성이 있으며, 유연하다.
- **상호대리**Mutual Reception 서로의 강점을 향상시키는 서로 품위의 싸인에 배치된 행성.
- **출생차트**Natal Chart 어스트랄러지 차트는 태어난 날짜, 시각, 장소에 기초한다.
- **주인공**Native 출생차트가 그려진 사람.
- **넵튠**Neptune 상상, 꿈, 환상, 영성, 이상주의, 회피주의, 희생, 혼란, 기만의 행성. 신비와 비밀의 파이씨즈와 열두 번째 하우스를 다스린다.
- **뉴문**New Moon 초승달new moon이나 그믐달dark moon은 음력달이 시작하는 단계로, 달과 태양이 컨정션일 때이다. 태음월lunation을 보라.
- **밤 차트**Nocturnal Chart 태양이 수평선 아래에 있을 때의 밤 시간 동안에 만들어진 차트.
- **밤 행성**Nocturnal Planets 문, 비너스 마스는 밤 행성으로, 이는 밤 차트에서 가장 강하다. 머큐리는 썬 이후에 배치되면 밤의 행성이다. 낮 행성을 보라.
- **노드**Nodes 지구 주위를 도는 달의 궤도가 황도, 즉 썬이 지구 주위를 도는 뚜렷한 길을 가로지르는 수학적인 지점.
- **어포지션**Opposition 180도 떨어진 두 행성들 사이의 어스펙트. 정반대 끌림이 있는 반면, 에너지는 또한 대립적이 될 수 있다.
- **오브**Orb 효과가 있다고 고려되는 한 어스펙트 내의 도수. 발광체는 일반적으로 행성들보다 오브가 좀 더 크다.
- **외행성**Outer Planets 유레너스, 넵튠, 플루토. 초월 행성들을 보라.
- **파트 오브 포춘**Part of Fortune 타고난 재능을 보여주고 기쁨과 행운을 발견할 수 있다고 암시하는 수학적인 지점.

- **성격(내)행성**Personal(Inner) Planets 썬, 문, 머큐리, 비너스, 마스는 개인적이며 성격에 직접적인 영향을 미친다.
- **파이씨즈**Pisces 물고기자리. 뮤터블 물. 상상적, 자비로운, 자기 희생하는, 감수성이 예민한, 공감적인, 환영의, 비밀스러운, 희생하는 또는 희생되는. 넵튠이 지배. 알지 못함, 신비, 비밀의 열두 번째 하우스를 다스린다.
- **행성 룰러**Planetary Rulers 각각의 싸인은 그 특성을 공유하는 행성이 지배한다.
- **행성 주야간**Planetary Sect 밤 행성과 낮 행성의 구분. 낮 행성과 밤 행성을 보라.
- **행성**Planets 썬, 문, 머큐리, 비너스, 마스, 주피터, 새턴, 유레너스, 넵튠, 플루토.
- **플루토**Pluto 변형, 갱생, 불가피한 변화, 결말, 죽음, 파괴, 제거, 강제, 분석의 행성. 스콜피오와 성, 죽음, 다른 사람 돈의 여덟 번째 하우스를 다스린다.
- **양극성**Polarities 능동적인 싸인은 남성성. 수용적인 싸인은 여성성. 양극성은 또한 180도 떨어진 싸인이라고 볼 수 있다.
- **본초 자오선**Prime Meridian 영국의 그리니치Greenwich를 지나는 경도로, 동쪽 반구와 서쪽 반구를 나눈다.
- **예측 어스트랄러지**Predictive Astrology 개인의 삶에서 경향과 사건을 전망하기 위해 사용되는데, 이는 전형적으로 트랜짓과 프로그레션의 분석을 통해서이다.
- **프로그레션**Pregression 시간을 앞으로 돌려서 차트에서 행성의 배치를 진전시키는 어스트랄러지 기법. 보통의 형식은 하루가 일 년에 해당된다.
- **사분면**Quadrants 차트의 네 분할. 사분면은 첫 번째, 네 번째, 일곱 번째, 열 번째 하우스의 커스프에서 시작한다.
- **사중성**Quadruplicities 4원소. 불, 흙, 공기, 물.
- **특성**Qualities 양극성, 양태(사중성), 원소.
- **퀸컹스**Quincunx 150도(또는 다섯 원소) 떨어진 행성들 사이의 각도 관계.
- **렉티피케이션**Rectification 삶의 경험과 사건에 기초하여 모르는 출생 시각을 결정하는 과정.
- **역행**Retrograde 지구의 관점에서 행성들(태양과 달을 제외하고)이 황도대를 통해 주기적으로 거꾸로 움직이는 듯이 보인다. 이 현상은 상징적인 의미로 시각적인 착각이다. 출생차트에서 역

행하는 행성의 특성은 내면화되고, 뒤집히고, 발달이 더 느리다.

- **라이징 싸인**Rising Sign 어센던트를 보라.
- **쌔저테리어스**Sagittarius 궁수자리. 뮤터블 불. 모험적인, 철학적인, 낙천적인, 열광적인, 솔직한, 무뚝뚝한. 주피터가 다스리고, 철학, 고등교육, 장거리 여행의 아홉 번째 하우스를 다스린다.
- **새턴**Saturn 경계와 제한의 고리가 있는 행성. 책임감, 제한, 구조, 규율, 신중함, 통제, 야망, 금지, 지연, 이상적인 아버지상, 권위, 노인을 상징. 캐프리컨과 직업과 사회 지위의 열 번째 하우스를 다스린다.
- **스콜피오**Scorpio 전갈자리. 픽스드 물. 강렬한, 꿰뚫는, 비밀스러운, 질투하는, 내성적인, 열정적인, 완고한, 소유적인, 친밀한, 사이킥, 삶의 어두운 신비에 매혹되는. 플루토가 다스리고 성, 죽음, 다른 사람 돈의 여덟 번째 하우스를 다스린다.
- **섹스타일**Sextile 60도 떨어진 행성들 사이의 각도 관계. 협력적이 될 수 있고 기회를 제공하는 어스펙트.
- **싸인 룰러**Sign Ruler 한 싸인을 지배하는 행성. 행성들은 그들이 다스리는 싸인에서 가장 강하다.
- **싸인**Signs 에리즈, 토러스, 제머나이, 캔서, 리오, 버고, 리브라, 스콜피오, 쌔저테리어스, 캐프리컨, 어퀘리어스, 파이씨즈.
- **쏠라 리턴**Solar Return 생일차트로, 태양이 태어날 때 차지했던 천구의 경도에 정확한 도수, 분, 초로 다시 돌아올 때의 순간을 계산한다.
- **지점至點**Solstice 그해의 가장 긴 날과 가장 짧은 날로, 태양이 적도의 북쪽이나 남쪽 최대의 거리에 다다를 때이다.
- **스퀘어**Square 90도 떨어진 두 행성 사이의 각도 관계. 도전하게 될 수 있고 스트레스가 되는 어스펙트.
- **스텔리움**Stellium 같은 싸인이나 같은 하우스에 있는 세 개나 그 이상의 행성들. 스텔리움은 강조를 더한다.
- **석시던트 하우스**Succedent Houses 차트의 두 번째, 다섯 번째, 여덟 번째, 열한 번째 하우스로, 케이던트 하우스에 잇따라 뒤를 잇는다. 고대 어스트랄러지에 따르면, 그들은 케이던트 하우스에서 그 힘을 얻는다.

- **썬**Sun 우리 태양계의 중심. 자기, 에고, 의지, 목적, 생명력, 개별화, 자부심, 권위, 부성애를 상징한다. 리오와 창조성, 레크리에이션, 출생의 다섯 번째 하우스를 다스린다.
- **시너스트리**Synastry 두 사람이나 그 이상의 사람들의 출생 차트로 그들의 친화성을 평가하기 위해 비교하는 실습.
- **토러스**Taurus 황소자리. 픽스드 흙. 결연한, 완고한, 물질적인, 소유적인, 안전 지향적인, 관능적인, 끈기 있는, 안정적인, 실제적인. 비너스가 다스리고, 가치관과 소유의 두 번째 하우스를 다스린다.
- **트랜짓**Transit 싸인과 하우스를 지나가는 행성의 움직임.
- **초월(외)행성**Transpersonal(Outer)Planets 유레너스, 넵튠, 플루토는 느리게 움직이므로, 그들의 영향은 성격보다는 세대에 더 많다. 성격 행성을 보라.
- **트라인**Trine 120도(또는 네 싸인) 떨어진 두 행성들 사이의 각도 관계. 이 어스펙트 는 대개 우호적이고 물 흐르듯이 지나가는데, 행성들이 한 원소를 공유하기 때문이다.
- **3조**Triplicities 한 원소를 공유하는 황도대 싸인들. 불 3조는 에리즈, 리오, 쌔저테리어스. 흙은 토러스, 버고, 캐프리컨. 공기는 제머나이, 리브라, 어퀘리어스. 물은 캔서, 스콜피오, 파이씨즈.
- **트로피컬 황도대**Tropical zodiac 봄, 즉 춘분점의 위치와 관련해서 싸인들을 규정하는 체계로, 보통 서양 어스트랄러지에서 사용된다.
- **티-스퀘어**T-Square 두 행성이 서로 스퀘어이고 세 번째 초점의 행성이 그 두 행성과 스퀘어에 있는 스트레스적인 결합.
- **유레너스**Uranus 갑작스런 변화, 붕괴, 혁명의 행성. 기술, 독창성, 미래적인 사고를 상징. 어퀘리어스와 사회 집단과 동기의 열한 번째 하우스를 다스린다.
- **비너스**Venus 사랑, 아름다움, 끌림의 행성. 애정, 예술성, 조화, 가치를 나타냄. 토러스 가치와 소유의 두 번째 하우스와 리브라 관계와 파트너십의 일곱 번째 하우스를 다스린다.
- **버고**Virgo 처녀자리. 뮤터블 흙. 분석적인, 실제적인, 세심한, 조직적인, 분류하는, 생산적인, 건강을 의식하는, 비판적인. 머큐리가 다스림. 일, 건강, 다른 사람에 대한 봉사의 여섯 번째 하우스를 다스린다.
- **문 보이드 오브 코스**The Void-of-Course Moon 한 싸인의 끝에 있는 문이 다음 싸인에 거의 들어가기

직전을 묘사하는 명칭. 문이 보이드 오브 코스에 있을 때, 다른 행성에 대한 모든 메이저 어스펙트가 완료된 상태이고, 상징적으로 다음 싸인에 들어갈 때까지 행성들과 연결되지 않는다.

- **이지러지는 문**Waning Moon 달이 점점 줄어드는 것으로, 보름달 후와 초승달 이전. 결말과 완성을 상징.
- **물 싸인**Water Signs 황도대의 감정적인 사람들. 캔서, 스콜피오, 파이씨즈.
- **물**Water 고대 4원소 중 하나. 정서, 직관, 자비, 관계, 여성성을 상징.
- **차오르는 문**Waxing Moon 달이 점점 커져가는 것으로, 초승달 이후와 보름달 이전. 시작과 성장을 상징.
- **서양 어스트랄러지**Western Astrology 서력기원CE 2세기에 프톨레마이오스가 창시. 헬레니즘 어스트랄러지와 바빌로니아 어스트랄러지.
- **요드(신의 손가락)**Yod(Finger of God) 급진적인 관점을 암시하는 배치. 두 행성이 서로 섹스타일에 있고 세 번째 행성과는 퀸컹스에 있는 것으로 구성.
- **황도대**Zodiac 지구 둘레의 공간의 타원형 벨트로, 12싸인으로 나뉜다. 행성들은 서쪽에서 동쪽으로 여행하는데, 에리즈에서 파이씨즈까지 그들의 질서로 한 싸인에서 잇따라 다른 싸인을 통해 지나가는 것이다. 그리스어로 황도대는 '동물들의 원'을 의미한다.

빠른 참고 안내

차트 핵심어

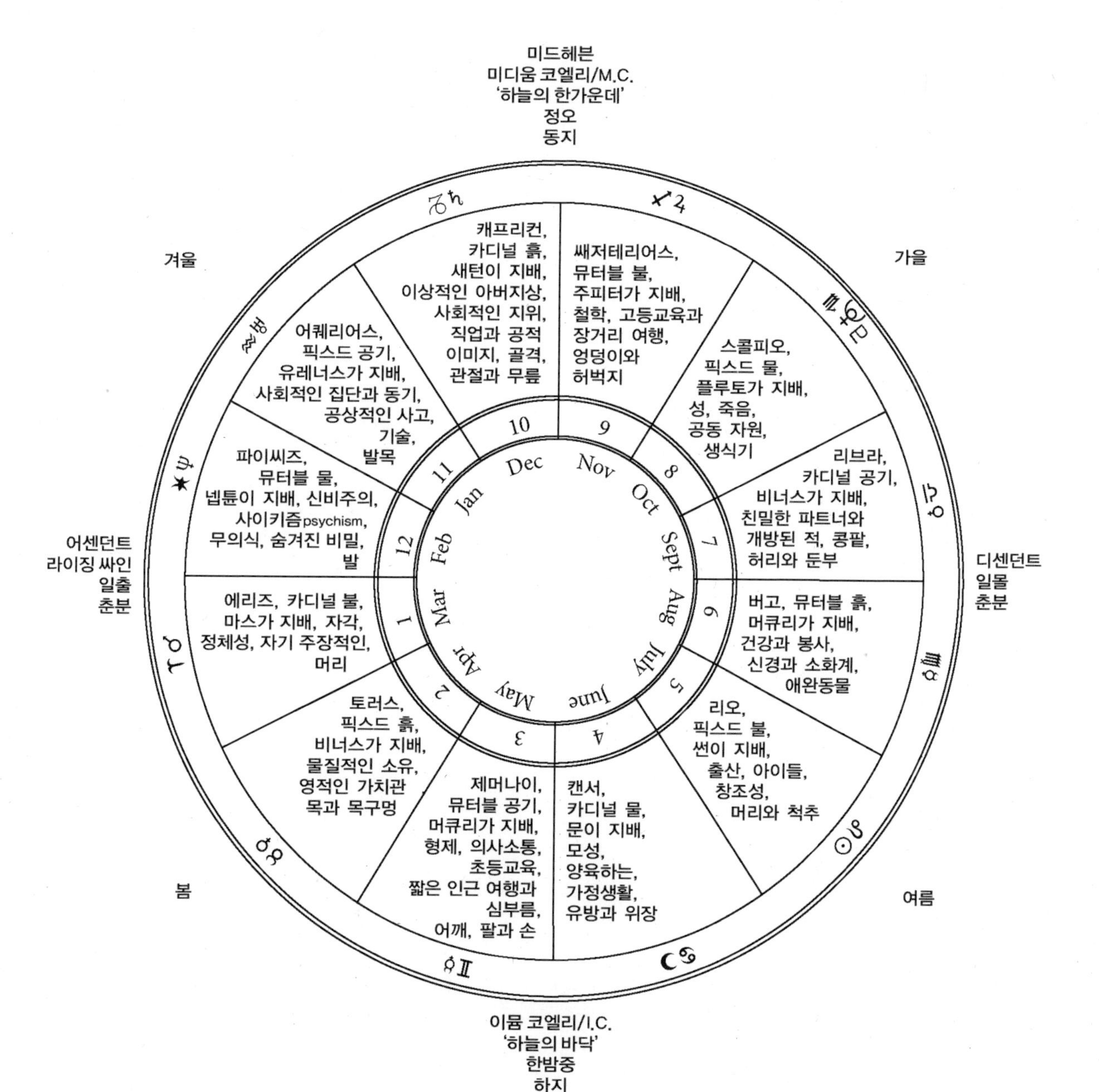

추천 도서와 자료

초보자를 위한 어스트랄러지 책

Antepara, Robin. *Aspects* (Woodbury, MN: Llewellyn Worldwide, 2006).

Burk, Kevin. *Understandings the Birth Chart* (Woodbury, MN: Llewellyn Worldwide, 2001).

Frawley, John. *The Real Astrology* (London: Apprentice Books, 2001).

Gerwick-Brodeur, Madeline and Lisa Lenard. *The Complete Idiot's Guide to Astrology* (New York: Alpha Books, 1997).

Guttman, Ariel and Kenneth Johnson. *Mythic Astrology: Archetypal Powers in the Horoscope* (Woodbury, MN: Llewellyn Worldwide, 1996).

Hampar, Joann. *Astrology for Beginner: A Simple Way to Read Your Chart* (Woodbury, MN: Llewellyn Worldwide, 2007).

MacGregor, Trish: *The Everything Astrology Book* (Holbrook, Massachusetts: Adams Media Corporation, 1999).

Scofield, Bruce. *The NCCR-Professional Astrologer's Alliance(NCCR-PAA) Education Curriculum and Study Guide for Certification Testing* (www.astrologersalliance.org)

어스트랄러지 차트와 소프트웨어

Software for Windows: AstroDeluxe ReportWriter www.halloran.com

Free horoscope charts: www.astro.com

Online celebrity chart data: www.astro.com/astrp-databank

초보자를 위한 타로 책

Bunning, Joan. *Learning the Tarot* (Boston: Red Wheel/Weiser, 1998).

Kenner, Corrine. *Simple Fortunetelling with Tarot Cards* (Woodbury, MN: Llewellyn Worldwide, 2007).

Louis, Anthony. *Tarot Plain and Simple* (Woodbury, MN: Llewellyn Worldwide, 2002).

Masino, Marcia. *Easy Tarot Guide* (San Diego: ACS Publication, 1987).

Michelson, Teresa C. *The Complete Tarot Reader: Everything You Need to Know From Start to Finish* (Woodbury, MN: Llewellyn Worldwide, 2005).

Moore, Barbara. *Tarot for Beginners* (Woodbury, MN: Llewellyn Worldwide, 2010).

Pollack, Rachel. *Tarot Wisdom* (Woodbury, MN: Llewellyn Worldwide, 2009).

타로와 어스트랄러지 관련 읽을거리

Decker, Ronald and Michael Dummet. *A History of the Occult Tarot: 1890-1970* (London: Gerald Duchworth & Co. Ltd., 2002).

DuQuette, Lon Milo. *Understanding Aleister Crowley's Thoth Tarot* (San Francisco: Red Wheel/Weiser, 2003).

Gurney, Joseph. "The Tarot of the Golden Dawn." *Journal of the Western Mystery Tradition* (No. 17, Vol. 2, Autumnal Equinox 2009).

Hulse, David Allen. *The Key of It All, Book Two: The Western Mysteries* (Woodbury, MN: Llewellyn Worldwide, 1996).

Huson, Paul. *Mystical Origins of the Tarot* (Rochester, VT: Destiny Books, 2004).